L'île de Pâques

Jennifer Vanderbes

L'île de Pâques

Roman

Traduit de l'anglais (Etats Unis)
par Isabelle Chapman

Plon

Titre original :
Easter Island

© 2003 by Jennifer Vanderbes
© 2004, Plon pour la traduction française
ISBN édition originale : The Dial Press 0-385-33673-X
ISBN Plon : 2-259-19779-5

Pour mes parents et pour mon frère.

Un soir, étendu sous la pleine lune dans l'île de Marae-toe-hau, Hau Maka fait un rêve.

L'âme du dormeur Hau Maka s'élève vers le soleil levant et survole sept îles, qu'elle inspecte à tour de rôle. Aucune ne lui plaît. Elle poursuit son périple, s'aventurant de plus en plus loin au-dessus de la vaste étendue vide de l'Océan sans y apercevoir l'ombre d'une terre, seulement les ondulations de la houle, jusqu'au moment où, tout d'un coup, voilà que surgit une plage sablonneuse. L'âme descend, se pose sur le sable blanc qui scintille et voit dans l'eau de la mer le poisson Mahore. Ensuite elle s'enfonce dans les terres où poussent des fruits charnus de toutes les couleurs, qu'elle goûte, et trouve succulents. L'âme du rêveur hume le parfum des fleurs, en pique une derrière son oreille. Puis elle grimpe sur le sommet le plus élevé d'où elle observe tout autour d'elle la ligne où le ciel rejoint la mer. Alors qu'elle est toute à sa contemplation, une jolie brise se met à souffler dans sa direction...

C'est ici qu'elle a envie de vivre.

Lorsque Hau Maka se réveille, il va trouver le roi Hotu Matua et lui raconte ce que son âme a vu dans son sommeil.

Et le roi déclare : « Nous trouverons cette terre. »

La légende de Hotu Matua et la découverte
de l'île de Te Pito O Te Henua, le nombril du monde.

L'ÎLE DE PÂQUES

1

Pour la flotte allemande, le moment décisif de la Grande Guerre fut sans aucun doute celui de son arrivée inopportune aux Malouines. Ayant réussi pendant les trois premiers mois du conflit à éviter la détection par les Alliés, mal lui en prit de mettre le cap sur ces îles quelques heures à peine après l'arrivée de la flotte britannique venue se ravitailler en charbon. S'ils étaient passés à l'attaque, ils auraient surpris leur adversaire dans le plus grand désarroi. Au lieu de quoi, pour de mystérieuses raisons, les huit navires, sous le commandement du vice-amiral Graf von Spee, tentèrent de s'échapper. Pour tout arranger, il faisait un temps exceptionnel – un ciel sans nuage ne ménageant ni ces nappes de brouillard ni ces bas nuages noirs d'orage qui offrent une couverture si commode. Les Britanniques eurent tôt fait de lancer à leur poursuite leurs croiseurs à la supériorité incontestable. Les Allemands se retrouvèrent sous le feu de leur puissante artillerie. A l'issue de trois heures de bataille, le vaisseau amiral de von Spee, le *Scharnhorst*, se mit à gîter et fila vers le port, sombrant avant de l'atteindre dans les eaux glacées de l'Atlantique en laissant échapper une colonne de fumée noire de ses chaudières. Seuls rescapés de ce combat meurtrier : un charbonnier, par la suite assigné en Argentine, et le croiseur léger *Dresden*, lequel, pour sa part, après trois mois de traque, fut finalement coulé. En quelques heures, toutes les unités de l'escadre gisaient au fond de l'Océan.

Une question demeure pourtant : qu'est-ce qui avait pu provoquer cet événement décisif ? Comment expliquer l'arrivée inopportune de von Spee aux Malouines ? Pourquoi a-t-il donné l'ordre à sa flotte de prendre la fuite ? Comment un amiral aussi intelligent et compétent, un homme à l'habileté notoire, a-t-il pu mener au désastre l'escadre allemande d'Extrême-Orient et inverser le cours de la Première Guerre mondiale ?

*La Flotte du malheur : Graf von Spee
et l'impossible voyage de retour.*

2

14 janvier 1912
Hertfordshire

Mon très cher Max,

Ne sachant pas très bien où vous êtes, j'envoie cette lettre à Grete à la Gjellerup Haus dans l'espoir qu'elle aura eu des nouvelles de vous et des vôtres et pourra vous faire suivre la présente.

Alice et moi nous sommes trouvées dans une situation délicate. Il y a un mois, Père est décédé et j'ai aussitôt quitté ma situation dans le Lancashire. Ne m'en voulez pas de ne pas avoir écrit plus tôt. J'avais besoin de temps pour déterminer avec exactitude ma position et, j'en ai bien peur, elle est plus critique que je ne l'avais supposée au départ. Combien j'aimerais maudire l'industrie du textile et cet imbroglio sans fin de grèves. Le prix à payer pour la foi que mon père avait mise dans la classe ouvrière anglaise s'avère aujourd'hui être les économies d'une vie tout entière. D'après mes calculs les plus optimistes, la somme qui reste peut nous faire vivre, Alice et moi, tout au plus six mois. Il n'est pas question d'accepter une nouvelle situation si je ne suis pas autorisée à l'emmener avec moi, et même votre extravagante lettre de recommandation (« un modèle d'éducatrice », vraiment, Max) ne peut contrebalancer l'évidente difficulté qu'il y aurait à lâcher Alice dans un foyer respectable. Notre notaire, qui a l'air plus jeune que moi, semble convaincu qu'une jeune femme de vingt-deux ans désargentée serait incapable de s'occuper d'une jeune *fille de dix-neuf ans. Il me « conseille des plus vivement », pour le bien d'Alice comme pour le mien, et pour celui de la communauté, de la placer dans une institution comme Bethlam ou Saint-Luke. Eh bien, je lui ai rétorqué, sans mâcher mes mots, que je m'enfermerais plutôt moi-même. L'incarcération est de plus en plus à la mode. Alors même que j'écris ces lignes, la loi sur les faibles d'esprit fait son chemin à l'assemblée. « Le progrès », nos médecins et nos législateurs n'ont que ce mot à la bouche. Si elle est votée, je ne sais pas ce que nous ferons. Alice n'a que moi, désormais, et je ne peux pas l'abandonner.*

Je sais qu'aucune promesse ne nous lie. Mais toute cette année passée, je me suis sentie heureuse tant que j'ai espéré vous revoir un jour peut-être. Quoi que de plus formidable que la pensée que vous pourriez renoncer à tout pour venir me chercher ? Oublier vos responsabilités, votre vie, surgir sur le pas de ma porte avec une brassée de lis de votre jardin. Combien sotte me paraît à présent cette idée. Vous seriez-vous jamais douté que je puisse être aussi puérile ? Mais, sans mon père, le monde me paraît si sombre. J'ai perdu la conviction que tout finit, tôt ou tard, par s'arranger.

Je sais que ma situation vous exaspère. Moi aussi, je la souhaiterais autre. Mais me mettre en colère contre cet état de choses reviendrait à m'élever contre Père. Comment lui reprocher d'avoir tenté d'améliorer nos chances ? J'espère que vous vous accorderez avec moi pour dire que mon éducation a été un cadeau incomparablement plus précieux que n'importe quel investissement. Que je sois incapable, à votre grand regret, de m'en servir autrement que pour aider les enfants à conjuguer leurs verbes et à dessiner des cartes du monde, fait partie de mon héritage. Il vaut mieux que je l'accepte. Ne croyez pas, s'il vous plaît, que ma résignation soit un signe de faiblesse. Je suis toujours animée du même esprit combatif que vous, seulement je n'ai pas, pour le moment, les moyens d'y laisser libre cours.

Voilà des mois qu'ici, en Angleterre, je suis sans nouvelles de vous. Vos obligations vous empêchent sans doute d'écrire, mais je ne peux plus me permettre d'espérer vous voir un jour surgir sur le pas de ma porte. Nous avons toujours su que vous vous devez à votre famille et à votre carrière. A quoi sert-il que j'aspire au jour où vous vous réveillerez enfin capable de vous soustraire à la vie que vous menez depuis des années ? J'ai compris que cela n'arrivera pas – je ne vous verrai plus jamais.

Je chéris le temps que nous avons passé ensemble. Pas un ins-tant je ne regrette nos conversations sur ce banc ombragé, les promenades dans le jardin – cela me fait encore rire de penser qu'un homme tel que vous connaisse les noms de toutes les plantes. Qui aurait pu soupçonner votre amour de la nature ? C'est affreux, je ne peux plus regarder une fleur sans penser à vous. Mais après votre départ, il m'était impossible de rester à Strasbourg. Je ne pouvais pas faire face aux vôtres seule, avec pour seul espoir de vous revoir peut-être un jour ou deux par trimestre.

Vous avez peur qu'Alice me dévore, et vous estimez que je dois veiller à mon propre bien-être. Au cours de ces dernières semaines, j'ai passé en revue tous vos arguments. Mais, cher Max, je me pose la question : quelle vie ? Alice est en vérité la seule personne que j'aie auprès de moi. Depuis dix-neuf ans, elle est toute mon existence. M'occuper d'elle, c'est m'occuper de moi-même. Je vous en prie, faites un effort pour comprendre.

Car je dois, je suppose, finalement y venir : le professeur Beaz-ley (le collègue de Père au département d'ethnologie et, oui, « l'homme de la jungle » dont il m'arrivait de plaisanter) a accepté de se charger d'Alice et de moi. L'université l'a promu au poste de mon père et il a fait de bons placements dont les revenus ont étoffé une fortune familiale déjà confortable (si seulement il avait conseillé Père) et devraient garantir notre confort. Nous allons nous marier dans le mois.

Cela va-t-il être si difficile de lui donner des leçons de charme ? Et lui inculquer les rudiments de l'art du rire ? Je n'ai jamais vu un homme aussi mal à l'aise ; c'est seulement quand il lit ou écrit, ou dessine des cartes, qu'il se détend un peu. Mettons que je parvienne à garder toujours un livre ouvert sous ses yeux, peut-être formerons-nous un jour un couple normal ! Non. Oh, Max, que m'arrive-t-il ? Je ne devrais pas me moquer de lui. Après tout, s'il n'avait pas demandé ma main – eh bien, Alice et moi serions sur le point d'aller coucher dans le East End. Puis-je exi-ger plus ?

Max, n'allez pas croire que j'ai choisi le Pr Beazley plutôt que vous. J'ai simplement préféré penser à Alice plutôt que d'attendre l'impossible. J'aurais aimé pouvoir vous dire tout cela de vive voix, mais ce privilège ne m'a pas été accordé. Cela vous facilitera les choses, après tout. Vous vous doutiez peut-être que cela allait se produire. Bien avant moi, vous avez, me semble-t-il, perçu qu'il y avait peu d'espoir pour nous. Mais, pour moi, c'est une page qui se tourne, et un éveil douloureux. Il n'y a que vous à qui je puisse écrire, que vous qui puissiez me comprendre.

N'est-ce pas étrange ? Je serai une femme mariée avant que cette lettre ne vous parvienne.

Je vous demande pardon.

Elsa.

Elsa pose sa plume et plie la feuille qu'elle glisse entre les pages de son journal intime relié en maroquin. Edward ne va pas tarder. Demain matin, dès qu'il sera parti pour la faculté, elle mettra sa lettre à la poste.

Derrière les vitres des hautes fenêtres du salon, la nuit est en train de tomber. Elsa se lève et gratte une allumette pour allumer les bougies du candélabre. Des ombres courent sur les rideaux, sur le papier peint bordeaux, sur le bois lustré de l'armoire de noyer. Tous ces coins et recoins reluisent d'une élégance raffinée. Puis, avec soin, comme une enfant mise en garde contre les gestes trop brusques, elle retrousse un peu sa jupe noire et s'approche doucement du divan. Elsa n'arrive pas encore à se faire à l'idée qu'elle est ici chez elle. Ce cadre lui rappelle tellement les maisons où elle a travaillé, les vastes salles à manger, les halls d'entrée glacés. A Strasbourg, chez Max, elle redoublait d'attention dès qu'elle se déplaçait, s'agenouillant pour redresser un coin de tapis, regonflant les coussins à franges jaunes chaque fois qu'elle se levait du canapé, comme si cet excès de précautions était un moyen de compenser, ou de camoufler, le désordre de son cœur.

En s'installant sur le canapé, Elsa se félicite de ce qu'elle vient d'écrire. Elle a su garder un équilibre entre affection et fermeté. Elle sait que le ton – beaucoup plus adulte que dans ses lettres précédentes – ne manquera pas de l'étonner. Maintenant, c'est à son tour à elle de lui présenter des excuses. Max ne s'attend sans doute pas à ce que ce soit elle qui mette le point final ; il connaît trop bien la profondeur de ses sentiments. Mais il comprendra sûrement les circonstances. Même s'il faut bouleverser ses idées sur la liberté, sa conviction que tout objectif peut être atteint à force d'ardeur, d'habileté et de détermination. Après tout, n'était-ce pas ce qu'il admirait chez elle : son ardeur ? Et c'est ce qu'elle aimait en lui. Mais à quoi cela sert-il à présent ? En dépit de toute la sympathie qu'il lui témoignait, Max ignorait ce que c'était que de se trouver pris au piège.

Elsa jette un coup d'œil à son journal intime, le coin de l'enveloppe dépasse des pages. Comme c'est curieux de penser que ces quelques feuillets contiennent le poids de sa décision, qu'à tout moment elle a la possibilité de les approcher de la flamme d'une bougie, ou de ne jamais les poster. Cela dit, sa décision est irrévocable, et n'a que peu de rapport avec le fait que Max soit au courant ou non. Après tout, la lettre mettra des mois à lui parvenir. Peut-être l'a-t-elle écrite pour elle, pour réfléchir encore une fois à sa triste situation et à ses perspectives d'avenir frustrantes.

Sur la table à côté d'elle est posé le dernier ouvrage d'Edward : *Les Indigènes de l'Afrique-Orientale britannique*. Elle tire le ruban qui lui sert de marque-page et commence à lire. Jusqu'ici, le livre lui plaît ; finalement, c'est un privilège de pouvoir lire une étude aussi complète. Les pratiques religieuses, la vie domestique, les échanges matériels : à chaque sujet son chapitre détaillé. Son père avait toujours fait l'éloge des compétences d'Edward sur le terrain. Le style, en revanche, lui semble trop guindé – « Un rituel mensuel de deuil permet aux adolescents de la tribu d'exprimer leurs émotions par des pleurs, des cris ou parfois des chants » –, mais elle ne l'a pas encore dit à Edward. « C'est passionnant ! » lui a-t-elle annoncé à table pendant le dîner, la nappe blanche entre eux s'étirant comme un boulevard tapissé de neige. « Edward, vous avez vu des choses si excitantes ! Vous avez été dans des endroits si merveilleux. » Et elle avait aperçu un bref sourire entamer sa réserve habituelle : « Je suis ravi, ma chère, que vous preniez goût à la lecture de ce qui a occupé le plus clair de mon temps. Le monde est plein d'autres endroits merveilleux prêts à être étudiés. Vous pourrez peut-être un jour m'accompagner en expédition. Je suis profondément touché, vraiment, par l'intérêt que vous manifestez pour mes travaux. » C'est la moindre des choses, songe Elsa. Et comment ne serait-elle pas intriguée par ces pays lointains, séduite par la vague promesse qu'il puisse un jour l'emmener là-bas ?

Au milieu du tapis du salon, Alice est couchée à plat ventre, occupée à dessiner. Elle entrecroise ses pieds gainés de bas comme s'ils battaient la mesure de son excitation. Ses longues tresses brunes, nattées ce matin même par Elsa, se défont déjà en boucles folles. Toutes les minutes, Alice se lève d'un bond pour venir agiter un dessin sous le nez d'Elsa. « Beazley », annonce-t-elle avec un sourire. A force d'avoir entendu son père l'appeler ainsi pendant toutes ces années, Alice n'arrive pas à dire Edward. « Magnifique, ma chérie », réplique Elsa. Puis elle remet de l'ordre dans la tenue d'Alice, rentre les dentelles qui dépassent de son corsage, les bretelles qui se sont déplacées. Il y a quinze jours, Alice s'était affalée sur le Chesterfield, la jupe entortillée comme un drap autour de la taille, sa culotte bouffante trouant la pénombre de sa blancheur. A son retour de la faculté, Edward était entré dire bonsoir, et l'impudeur de son attitude l'avait fait sursauter. Mieux valait éviter à l'avenir ce genre d'embarras. En attendant, sous la méticulosité des mains d'Elsa, Alice se tortille, soupire et souffle – les notes d'ouverture de son grand air de la colère.

— Allie, ma chérie, j'ai une idée, dit Elsa en affichant une mine réjouie. Pourquoi ne m'en dessines-tu pas un autre ?

Aussitôt, Alice se jette par terre, sa jupe noire toute gonflée, et reprend son crayon.

Bien entendu, avant le retour d'Edward, Elsa devra cacher les dessins. Ils accentuent trop les cernes sous ses yeux, les rides que l'inquiétude creuse sur son front ; cela ne manquerait pas de l'étonner. Quelques jours plus tôt, Edward avait observé : « Je dois avouer qu'avec vous, je me sens rajeuni. » Il a cinquante-cinq ans et n'a jamais été marié. Une vieille dame s'est occupé de son intérieur pendant des années, mais la présence de deux nouvelles femmes sous son toit manifestement le désarçonne. Tous les jours, il consulte Elsa à propos des rideaux, du papier peint, de la maison elle-même – « Nous allons tout arranger à votre convenance, miss Pendleton. » (« S'il vous plaît, lui rappelle-t-elle, essayez de m'appeler Elsa. ») Edward semble tout aussi mal à l'aise qu'elle entre ces murs. La maison appartenait à ses parents et, à la mort de son père, comme il était fils unique, il en a hérité. Depuis quinze ans, il vit au milieu des rideaux de brocart, de la porcelaine fine, de l'argenterie étincelante de son enfance. Et pourtant, il donne l'impression d'être un invité sous son propre toit. Et c'est seulement maintenant, avec l'arrivée d'Elsa et d'Alice, de leurs coffres pleins de robes, de chapeaux et de romans à couverture jaune, qu'Edward se rend compte qu'il n'est pas un visiteur. C'est lui le maître de maison, et ce nouveau rôle l'accapare. De tout ce qu'Elsa touche ou semble éviter, il prend note – « La petite table en acajou, je vois, n'est pas à votre goût ; nous pourrons bien sûr la remplacer, rien de plus facile. Et vous pensez peut-être que les nappes devraient avoir des couleurs plus gaies ? » –, comme si les femmes appartenaient à une culture exotique qu'il s'était donné pour mission d'étudier.

Max n'a que cinq ans de moins qu'Edward, mais le fait d'avoir une famille lui a permis de se sentir à l'aise avec les femmes. Avec Max, tout était toujours, sinon simple, du moins détendu. Les pleurs, les rires, rien ne le désarçonnait. En dépit de la sévérité de son caractère, il comprenait le langage de la tendresse.

Elsa sait, cependant, qu'à un moment donné dans le passé d'Edward, il y a eu une femme. Une cousine éloignée de Dover ? La nièce du président de la Société royale de géographie ? Rien ne lui a jamais été spécifié ; seules les allusions de son père lui reviennent en mémoire. « Le vieux Beazley a eu sa part de chagrin amoureux. De quoi l'envoyer jusqu'au continent africain. Je me suis souvent dit que sans cœurs brisés, la planète serait encore totalement inexplorée. » Edward, quant à lui, n'en parle pas, et si cette femme a laissé un souvenir, c'est celui d'un malaise. Comment expliquer autrement celui qu'il trahit auprès de l'autre sexe ? Après tout, il est plutôt beau. Il est doué d'un ferme jugement et possède une intensité dans l'introspection qui faisait son admiration quand elle était enfant. Elle l'avait alors trouvé si joyeux, bien plus que son père ; de ses voyages il leur rapportait des poupées en bois aux tresses en algue séchée, des boîtes en bois de rose avec des clés dorées ; à la fin de leur spectacle de marionnettes, il applaudissait comme un fou, allant un jour jusqu'à prendre les fleurs d'un bouquet sur la cheminée pour les leur jeter, à Alice et elle, au moment où elles faisaient la révérence. Mais au fil des années, à mesure qu'Elsa se rapprochait de l'âge adulte, il avait affiché une mine de plus en plus soupçonneuse, presque perplexe, et s'était enveloppé dans sa réserve comme dans une armure. Les cadeaux cessèrent ; son rire s'assagit. Ses manières jadis si dégagées devinrent compassées. Si bien qu'à présent, tous ses gestes ont l'air étudiés : la main qui hésite à se poser sur son épaule ; quand il la tourne, la poignée en cuivre du dressing-room d'Elsa bouge aussi lentement que la serrure à combinaison d'un coffre-fort. *Mal à l'aise*, l'expression qu'elle avait employée dans sa lettre à Max dans l'intention de l'apitoyer, était appropriée. Mais est-il juste, se demande-t-elle, de reprocher à Edward de ne pas avoir le charme facile et l'expérience d'un homme marié ?

Au moins il cherche à lui faire plaisir. Elle sait qu'elle peut compter sur sa patience avec Alice en dépit de son évident désarroi devant son comportement. Chaque fois qu'Alice s'approche de lui, il se recule d'un pas, comme effrayé. Et depuis l'incident de la culotte, pour lequel il a passé la soirée entière à se confondre en excuses – « Je ne suis pas accoutumé à frapper aux portes. J'ai des habitudes de vieux célibataire. Je vous supplie toutes les deux de me pardonner » –, il passe en trombe devant le salon chaque fois qu'il entend Alice à l'intérieur, ou fait assez de bruit pour qu'elle ait le temps de se couvrir. Mais ne s'était-elle pas montrée honnête dans sa description d'Alice ? Croyait-il qu'elle exagérait ? Il avait dû assister à certaines de ses crises avec son père – il venait assez fréquemment à la maison pendant les séjours d'Elsa à l'étranger ; Père disait que Beazley avait l'air de bien aimer Alice. Mais Elsa l'avait aussi prévenu que, sous aucun prétexte, elle ne tolérerait qu'Edward traite Alice comme une débile. Alice pouvait lire et écrire, identifier tous les pays sur la mappemonde et réciter toutes les espèces décrites dans le guide Swaysland des oiseaux. Les oiseaux : le grand amour d'Alice. Un des premiers livres qu'Elsa lui ait lu était un ouvrage écrit par une grande naturaliste américaine, intitulé *Les Oiseaux à travers vos jumelles de spectacle*. Depuis, Alice ne lisait que ce genre de livre. Lorsque Edward lui avait demandé sa main et les avait conviées toutes les deux à emménager dans une dépendance de sa propriété avant le mariage, une des conditions posées par Elsa avait été qu'elles puissent prendre avec elles Pudding, le perroquet jacquot que leur père avait offert à Alice pour son anniversaire.

— Il est sage. En fait, il sait à peine parler, avait dit Elsa, songeant qu'Alice n'avait réussi à lui apprendre que quelques mots – « oiseau », « baiser », « épatant » (l'adjectif préféré de leur père) et « Alice » –, mots jugés indispensables par Alice.

— Ma chère miss Pendleton, je n'ai pas la moindre intention de priver Alice de son animal favori. Moi aussi j'aime les bêtes. J'ai même vécu parmi des gens qui les vénéraient comme des dieux.

— Je voudrais que vous soyez parfaitement clair, avait répliqué Elsa, à propos de la situation d'Allie avant de...

Elle avait laissé sa phrase en suspens, préférant ne pas paraître trop méfiante, trop calculatrice.

— Avant de vous engager ?

— Oui.

— Je comprends. Avant d'accepter ma proposition, vous tenez à vous assurer qu'Alice sera à l'abri. Eh bien, oui, miss Pendleton, je peux vous le garantir.

Ces paroles l'avaient apaisée, et elle lui savait gré d'avoir compris ses craintes ; tout en étant consciente d'avoir joué la comédie. Elle avait fait semblant d'avoir le choix, d'être en mesure, au cas où Edward ne lui donnait pas son agrément, de refuser son offre.

— Il ne s'agit pas seulement de la mettre à l'abri, Edward. Je tiens à ce qu'on la respecte. Alice est différente, c'est vrai. Parfois difficile à cerner. Mais elle est beaucoup plus intelligente que vous ne le croyez. Elle comprend et ressent beaucoup de choses qu'elle est inapte à exprimer comme vous et moi. Mais, au fond, elle est tout à fait comme nous. Sauf qu'elle a tendance à se laisser emporter par ses émotions.

Ce qu'Elsa avait tu, c'était que cette tendance se manifestait sous forme de crises.

— D'aucuns diraient, miss Pendleton, que nos émotions sont ce que nous avons de meilleur en nous. De ce point de vue, je puis vous assurer qu'Alice a tout mon respect.

— Etes-vous bien sûr ? avait-elle répliqué d'une voix qui, même à ses propres oreilles, semblait insolente.

Doucement, Edward avait avancé :

— Oui... Tout à fait sûr.

Mais sous ses mots avait percé une pointe de gêne.

— Bien, avait dit Elsa. Excellent. Oui. Nous sommes parfaitement d'accord.

Elsa baisse les yeux vers Alice, qui, toujours étalée sur le tapis, dessine avec lenteur. Ses grands yeux marron, à quelques centimètres de la feuille, boivent chaque détail de l'image en formation. « Une beauté délicate », voilà en quels termes leur père la décrivait, les traits ciselés, les os disposés à angles harmonieux sous la peau. Son visage, un ovale pâle encadré d'épaisses nattes brunes. Depuis la petite enfance, le comportement d'Alice a attiré les regards en public. Mais quand elle a eu seize ans, les gens se sont mis à la fixer bizarrement avant même qu'elle eût manifesté la moindre singularité. En la voyant pousser la lourde porte d'entrée de leur maison de St Albans et sortir dans le soleil éclatant du matin, on pouvait la prendre, l'espace d'une seconde, pour la plus ravissante des demoiselles, occupée à réviser, tout en faisant tournoyer son ombrelle, les mots gentils destinés à éconduire son dernier prétendant en date. Mais aussitôt un voile morne tombait sur sa physionomie. Ce n'était pas de l'imbécillité, ni de la simplicité ou de la faiblesse d'esprit ; c'était un désengagement. Elle laissait pendre sa lèvre inférieure et son regard se perdait, comme tourné vers des pensées secrètes, un théâtre intérieur, pendant plusieurs minutes, parfois une heure, jusqu'à ce que quelque chose – une étincelle dans son esprit, un bruit subit à côté d'elle – ramène une expression sur son visage et qu'elle se réveille, stupéfaite et palpitante. C'était à ces moments-là que l'hystérie s'emparait d'elle. Tandis que son cerveau revenait d'un bond aux odeurs et aux sons d'un cadre ordinaire, à la vue de figures familières, Alice marquait son retour d'un petit cri ou d'un sursaut, quelquefois elle trépignait sauvagement sur le tapis, ses nattes fouettant l'air rythmiquement, comme pour commémorer une distance parcourue, un lieu visité que personne, même Elsa, ne peut comprendre.

— Beazley ! s'écrie de nouveau Alice.

Dans le salon mal éclairé, ses fines mains blanches, comme deux croissants de lune, se replient autour des coins de la feuille. Sur ce dessin-là, les sourcils d'Edward se rejoignent pour former un violent V d'inquiétude.

— Merveilleux, dit Elsa. On en fait un autre ?

Elsa ferme le livre d'Edward. A travers les carreaux presque noirs des fenêtres, elle constate que les réverbères ont été allumés, un collier d'or soulignant les lignes sombres de Heslington Road. Plusieurs bicyclettes passent, et Elsa aperçoit une

Rolls-Royce blanche qui ralentit tout doucement devant une maison au coin de la rue. Dans le quartier de leur père, il n'y avait qu'une automobile, celle du Dr Benthrop, qui s'en servait quand il était appelé en urgence. Mais leur père, même quand le médecin lui offrait de le déposer, préférait sa bicyclette. C'était une de ses nombreuses théories – à corps indolent, esprit dolent. Dès que la firme Humber avait sorti un modèle pour femme, il en avait acheté une pour Elsa et une pour Alice, insistant pour qu'elles fassent une demi-heure de vélo par jour. Au début, Alice refusait de monter dessus. Ce n'est pas avant qu'Elsa, à l'époque âgée de dix-sept ans, ait décrit autour d'elle de maladroites orbites, qu'elle se décida à toucher l'étrange cadre en métal. Il fallut que pendant six mois, Elsa coure à côté d'elle, la soutenant d'une main au milieu du guidon pour qu'Alice parvienne à garder son équilibre. Mais quelle excitation le jour où, enfin, elle réussit à pédaler sans aide. Elsa adorait leurs promenades, filer au long des rues étroites en fin d'après-midi, s'arrêter à la pharmacie pour Père, Alice déposant le sachet de racines de sassafras ou le flacon d'huile de germe de blé dans son panier en osier. Sur le chemin du retour, Alice criait dans son dos : « Je vais t'attraper ! » et alors Elsa pédalait plus vite, des gouttes de sueur perlant à la racine de ses cheveux. La vitesse enchantait Alice, et quand elle descendait finalement de vélo – les joues rouges, les yeux brillants de larmes à cause du vent – elle demandait quand elles pourraient repartir. Elles faisaient de la bicyclette presque tous les après-midi. Mais quand Elsa était partie prendre son premier poste à Heidelberg, leurs promenades cessèrent. Alice en fut désespérée. Par une lettre de son père, Elsa apprit que sa sœur, furieuse de ne pas avoir été autorisée à faire du vélo seule, avait planté une aiguille à chapeau dans les pneus de la Humber d'Elsa.

Au loin, la cloche d'une église égrène six lents coups de gong. Alice, son crayon serré entre ses doigts à la façon d'un scalpel, semble faire de lentes incisions dans la feuille de papier. Alice a besoin d'elle ; de cela au moins, Elsa est convaincue. Ce serait impensable de la confier aux soins de quelqu'un d'autre, de la placer dans une institution, coupée du monde. Comme la punir d'être différente. Cela signifierait seulement qu'Elsa n'avait pas voulu que lui incombe la tâche de s'occuper de sa propre sœur. Ce qu'elle a choisi, une vie auprès d'Edward qui lui permet de prendre en charge Alice, est ce qu'il y a de mieux. Et écrire à Max, une nécessité. C'est la vie, pense Elsa. Le destin. Avoir le choix est un luxe, et Max devra le comprendre. Comment pourrais-je me plaindre de ma situation, pense Elsa, alors qu'Alice est là pour me rappeler à chaque instant combien j'ai de la chance ? J'ai de la chance, se répète-t-elle. Et la pesanteur de la résignation s'empare d'elle tandis qu'elle se rappelle sa lettre – *Puis-je vraiment demander plus* ? – comme si en persuadant Max de son acceptation elle avait enfin réussi à s'en convaincre elle-même. Une fois qu'il l'aura reçue, ce sera terminé, ces mois d'incertitude seront derrière elle. Combien de soirées peut-on dans sa vie passer à se livrer à de fiévreuses méditations ? Des nuits pareilles sont le symptôme d'une existence sans responsabilités – une existence qui est arrivée à son terme à la mort de son père, le jour où elle est rentrée à la maison et a tenu Alice par la main au cimetière. C'est seulement là qu'elle a compris combien frivole était son précédent chagrin. Debout devant le cercueil, ses yeux sont restés secs. Le moment venu de la dernière prière, elle s'est tue. Des semaines se sont écoulées. Elle ne pouvait pas pleurer ; elle ne pouvait pas parler de son père. Sa perte s'était logée en elle pour de bon.

Et à présent, dans le salon, Elsa se dit qu'il n'y a pas seulement cette tristesse, il y a aussi Alice. Et bientôt, un mari. Elle doit s'interdire toute spéculation à propos des sentiments de Max, comme des siens propres. Elle doit se considérer comme une adulte.

Le bruit de la porte d'entrée la fait sursauter. Edward claironne depuis l'entrée : « Bonsoir, mesdames ! » Une voix forte de baryton, une voix accoutumée à résonner dans les amphithéâtres.

Elsa se lève, ramasse les feuilles sur le tapis.

— Magnifique, murmure-t-elle tout en caressant le dos d'Alice. Je vais les ajouter à ma collection.

Alice renonce à prendre l'air boudeur dès qu'elle entend les pas d'Edward approcher. Il se produit un grand fracas derrière la porte du salon, comme si des objets étaient projetés dans tous les sens. Cette façon d'annoncer à grand bruit son entrée, songe Elsa, est un peu excessive.

— Beazley !

Edward marque une pause dans l'embrasure. Ses cheveux sont bien peignés, sa barbe taillée. Il est grand, large d'épaules, et son habit noir tombe à la perfection. Le poids de son cartable l'oblige à se tenir légèrement penché de côté.

— Et comment vont mes petites filles aujourd'hui ?

Se rend-il compte que c'était aussi par ces mots que leur père avait coutume de les saluer chaque soir ? Edward a adopté de nombreuses habitudes de leur père, ce qui porte Elsa à soupçonner que ce dernier a demandé à Edward de faire ce qu'il fait, de le remplacer auprès d'elles.

— Très bien, répond Elsa.

Toujours est-il que cela expliquerait la proposition d'Edward. Après toutes ces années de célibat, la perspective d'un mariage – qui plus est avec Elsa, qui ne lui avait pas montré une once d'affection depuis des années – pouvait-elle être si alléchante ? Si son père lui avait présenté une telle requête, jamais il ne le lui dirait. Son sens des convenances le retiendrait de faire un aveu aussi cru. Mais la possibilité qu'elle ait pu faire l'objet d'un marché lui déplaît. Cette nouvelle vie est-elle quelque chose qui a été tracé pour elle, quelque chose de prévisible, comme si son père avait dit : « Elsa va vous préparer du thé », et qu'elle revenait à présent avec la théière fumante ? Un fil de ma propre volonté, songe Elsa, si fin soit-il, doit être tressé dans la toile de mon avenir. Même si je savais que la mort venait demain, ne devrais-je pas avoir le droit de choisir entre le poison et le pistolet ?

Elle traverse le salon à sa rencontre.

— Nous sommes contentes de vous voir, Edward.

Une main sur son coude, elle lève le visage vers lui en tendant le cou pour lui embrasser la joue.

— Beazley ! s'exclame Alice en se levant d'un bond et en pendant ses bras minces à son cou, et le couvrant de petits bécots. Beazley, Beazley, Beazley !

Sous ce déluge d'affection, il se tient aussi immobile qu'une statue, un saint de marbre se soumettant à un ancien rituel.

— Allie, pourquoi ne laisses-tu donc pas Edward s'asseoir et se reposer un peu ?

Il se dégage des bras d'Alice, soulève son cartable et tapote le cuir.

— Pas de repos pour moi, du moins pas ce soir !

Il en sort un épais rouleau de papiers, en déroule un et le lisse du plat de la main sur le bois lustré de la table à côté du canapé. Une carte. L'Amérique du Sud. Son index, en suspens au-dessus de la feuille, suit le réseau des longitudes et des latitudes. Mais au moment où sa main descend, Alice s'empare de la carte et l'emporte, avec un jappement aigu, au milieu du tapis.

— Eh bien, dit-il. Il semblerait que ma carte plaît à Alice !

Elsa ramasse les crayons sur le tapis, jetant au passage à Alice un regard courroucé. Edward émet un rire discret et peu convaincant. Ses papiers, en particulier ses cartes, sont ce qu'il a de plus précieux. Mais gronder Alice est pour lui impensable. Le plaidoyer d'Elsa en faveur de l'indulgence a peut-être porté ses fruits.

— Bien, prononce-t-il, Alice voudrait être notre navigatrice.

— Navigatrice ?

— Une occasion s'est présentée, Elsa. Une occasion d'explorer un de ces endroits que vous appelez « merveilleux », une *terra incognita*.

— Une expédition ?

— La Société a offert une commission.

— C'est vrai ? Pour nous ? Maintenant ?

— De nombreux préparatifs sont nécessaires, bien sûr. L'organisation du voyage, le matériel. Nous ne pourrons pas partir avant plusieurs mois. Mais, oui, ma chère. Si vous en êtes d'accord.

Avec un large sourire, il lui ouvre ses bras. Sa sévérité, son quant-à-soi, sa gaucherie, tout cela s'est évaporé.

— Considérez-le, si vous le voulez bien, comme une très longue et très aventureuse lune de miel. Mais, bien entendu, seulement si vous approuvez.

Elsa fait mine de se jeter dans ses bras, puis s'arrête dans son élan.

— Et Alice ?

— Elle vient avec nous. Je ne le conçois pas autrement.

Il lui semble que son cœur s'ouvre comme les pétales d'une rose. Un voyage ! Elle veut demander où, mais se retient – et si Alice refusait ? A quoi servait de s'imaginer un lieu qu'elle ne verrait peut-être jamais ? Doucement, se dit-elle. Sois raisonnable.

— Allie, ma chérie, que penserais-tu de... partir en voyage ?

Alice lève brièvement les yeux de la carte. Elsa se tourne vers Edward, s'efforçant de modérer son enthousiasme :

— Il faut que je réfléchisse. Ce que cela représente pour elle. Si cela ne risque pas de la déstabiliser. Ma décision dépend de beaucoup de choses.

Edward plonge les mains dans les poches de son manteau. Il baisse la tête.

— Bien entendu.

Est-il déçu par sa tiédeur ?

— La décision lui appartient, déclare Elsa d'un ton ferme. Ou plutôt, elle dépend d'elle.

Et que deviennent ses propres désirs ? De la rue en contrebas lui parviennent le tintinnabulement des roues d'un fiacre sur les pavés, les claquements secs d'un fouet. Elle balaye du regard la haute armoire, les rideaux épais, l'éclat morne et lourd de son nouveau foyer, de sa nouvelle vie. La carte, ce rectangle jaune resplendissant de promesses, semble clignoter comme un phare sur le tapis sombre. Une expédition !

— Allie, on observerait les oiseaux pendant ce voyage.

Alice les dévisage tour à tour avec de petits yeux méfiants.

— Quel genre d'oiseaux ?

— Je ne suis pas sûre. Le damier du Cap sans doute. Le pétrel, l'albatros, énumère Elsa en consultant du regard Edward qui acquiesce. Oh, et des perroquets.

Alice tortille ses tresses, l'air de s'embêter.

— Pudding est un perroquet, dit-elle, répondant à une question qu'on ne lui a pas posée, ce qui lui arrive souvent. Un perroquet jacquot d'Afrique.

— Crois-tu que Pudding aimerait rencontrer un perroquet d'Amazonie ? demande Elsa.

— L'Amazone se trouve en Amérique du Sud. Pudding ne peut pas voler jusque là-bas. C'est idiot. Il y a un énorme océan entre les deux.

— Tu as raison, approuve Elsa. C'est idiot de ma part. Mais tu sais, Allie, on pourrait emmener Pudding là-bas.

L'espace d'un instant, les traits d'Alice s'adoucissent, comme si elle voyait en esprit Pudding dans un pays étranger, et le regardait voler de branche en branche, tournant sa figure grise vers le soleil. Alice ferme les yeux, les rouvre puis retourne à l'étude de la carte.

— Allie, pourrais-tu me montrer l'Amérique du Sud ? s'enquiert Elsa en se rapprochant d'elle. Sur cette carte.

— Elsa, mais C'EST l'Amérique du Sud ! réplique Alice.

— Le Chili, lance Edward.

— Très bien. Montre-moi le Chili, Allie.

Aussitôt, le visage d'Alice s'éclaire et elle aplatit d'une main vigoureuse la carte par terre comme si elle cherchait à tartiner le tapis.

— Assieds-toi, Elsa. Il faut que tu t'asseyes. Sinon tu ne verras rien.

Elsa s'accroupit à côté d'elle.

— Tu es prête ? dit Alice en pointant sur le bord occidental du continent. Chi-li. Chi-li. Tu le vois ? Regarde, Elsa.

Serrées l'une contre l'autre, Elsa et Alice contemplent les pays roses, oranges, violets agglutinés comme des particules attirées par un pôle magnétique.

— Alice, dit Edward au-dessus d'elles, bouge un peu ton doigt vers la gauche...

Le doigt fin d'Alice se détache du littoral pour voguer doucement sur le bleu uniforme du Pacifique.

— ... Un peu plus. Oui, un tout petit peu plus.

Suivant la ligne du tropique du Capricorne, son doigt file tout droit à travers l'Océan.

Finalement, Edward déclare d'une voix tonitruante :

— Là !

Il est arrivé à sa destination imaginaire.

Elsa plisse les paupières pour mieux voir le grain de terre et passe son bras autour d'Alice.

— C'est là que nous pouvons aller, dit-elle. Tout là-bas. Tous ensemble.

Elle sent que la respiration de sa sœur s'accélère. Alice n'a jamais voyagé avec Elsa ; elle n'a jamais quitté l'Angleterre.

— De l'autre côté de l'Océan ? marmonne Alice.

— De l'autre côté de l'Océan, Allie. Tout comme Christophe Colomb. Et Vasco de Gama.

— Comme... Hernán Cortés ?

— Comme Hernán Cortés, Allie. Et comme Fernand de...

Elsa laisse le nom en suspens.

Les yeux d'Alice s'arrondissent dès qu'elle se rend compte que c'est un jeu.

— Magellan ! s'écrie-t-elle, ses nattes fouettant son cou tandis qu'elle se tourne vers sa sœur.

— Et tout comme le capitaine...

— Le capitaine Cook ! James Cook !

La tête d'Alice roule de plaisir ; ses rires en cascade fusent à tous les points cardinaux. Puis elle se rappelle sa blague préférée :

— Non, ne faites pas cuire le *cook*[1].

Alice s'appuie si fort contre l'épaule d'Elsa qu'elle manque de la faire tomber. Elle couine, chatouille et tangue, son exubérance asperge ce qui l'entoure comme des gouttes de pluie.

— Arrête, Elsa ! Que tu es bête. Elsa, tu es trop bête.

— Oui, dit Elsa en se redressant pour résister à la force de l'excitation d'Alice. Je suis très bête.

A ces mots, Alice est prise d'un fou rire, puis elle reprend son souffle. Et le rideau tombe. Se balançant en silence, elle examine la carte et, d'un air très préoccupé, lève les yeux :

— Est-ce qu'ils ont des toilettes pour dames ?

Edward éclate d'un bon rire, franc et sonore, le premier qu'Elsa lui ait entendu.

— Je vois qu'il va falloir que je veille à procéder à quelques adaptations.

— Oui, Allie, dit Elsa. Ils auront des espèces de toilettes pour dames.

— J'ai le droit d'y aller ?

— Absolument.

— De l'autre côté de l'Océan ?

— Oui, Allie.

— Et tu viens aussi ? Tu seras là ?

— Oui, dit Elsa en lançant un coup d'œil à Edward. J'y serai aussi.

Edward hoche la tête de manière imperceptible et ses yeux, qu'un éclair de fierté traverse, accusent réception de son consentement.

Sur le moment, Elsa se demande si la scène qui vient de se dérouler – sa question, sa demande de réflexion, la ferveur d'Alice, sa propre réponse – n'a pas été imaginée d'avance par lui, si Edward n'a pas conscience de ses pénibles prétentions à

1. En anglais, *cook* veut dire cuisinier. (*N.d.T.*)

la liberté, et s'il ne s'est pas, d'une façon ou d'une autre, amusé au spectacle qu'elle lui a offert. Car est-elle, après tout, en position de refuser de partir ?

— Bonté divine ! s'exclame Alice. Bonté, bonté, bonté. Je dois faire ma valise.

Clac. Edward claque dans ses mains. Quelque chose de l'ordre du ravissement, ou d'un plaisir mêlé de confusion, transparaît un instant sur son visage.

— Une minute, s'il vous plaît.

Il sort. Du couloir leur parviennent des bruits d'objet que l'on tire et que l'on traîne. Et le voilà qui revient en effet avec une grande malle dans son sillage. Charnières en cuivre brillantes contre le cuir noir immaculé. Il la traîne jusqu'au milieu du tapis, puis s'éclipse de nouveau pour revenir avec une deuxième.

Alice a déjà bondi sur la première ; elle dispose la seconde à côté d'elle.

— Dans chacune, mesdames, vous trouverez un vanity case, une sacoche et un journal de bord. Vous dresserez la liste de ce dont vous avez besoin et je m'assurerai que tout y...

— C'est la mienne ? coupe Alice en défaisant les courroies de la malle qu'elle a devant elle.

— Oui, lui dit Edward.

— Et celle-là ? s'enquiert Alice en montrant du doigt l'autre.

— Ce sera celle d'Elsa.

Alice contemple d'un air consterné la malle devant elle, l'abandonne et se rue sur l'autre.

— Celle-ci est la mienne.

— Alice, tu peux prendre celle que tu préfères, lui dit Elsa en se levant.

Elle est étourdie par la rapidité de la décision, la carte de ce pays inconnu, et l'idée que sa vie est sur le point, une fois encore, de se transformer.

— Edward, vous pensez vraiment à tout. C'est très gentil de votre part.

— Ce n'est rien. Il est indispensable d'avoir des bagages appropriés. Vous devez dresser une liste de tout ce dont vous avez besoin. Je veillerai à ce que vous les ayez, à ce que nous ayons tout. *In omnia paratus.* Prêts à tout.

— Merci, Edward.

— Il n'y a pas de remerciement qui tienne. Vous me faites l'insigne honneur de m'accompagner, miss Pendleton. Je rêve de ce voyage depuis longtemps. Je suis ravi de voir que vous avez envie de partir.

En tout cas, il n'a pas douté une seconde de sa réponse !

— Bien sûr, dit Elsa. Bien sûr, je veux partir. J'espérais que vous alliez proposer quelque chose de ce genre. En fait, je crois que je m'y attendais.

— Ah ! oui, vraiment ? Comme vous feignez bien l'étonnement !

Elle se sent rougir, mais l'excitation d'Alice la sauve.

— Te Pito O Te Hen-u-a ? interroge Alice, son visage à quelques centimètres de la carte.

— Une autre langue, Alice, l'informe Edward. Une langue polynésienne. Cela signifie : le nombril du monde. Dans la nôtre, néanmoins, on l'appelle l'île de Pâques.

— C'est loin ?

— Oh ! oui, soupire Edward d'une voix chaude, satisfaite. Cela nous prendra un an pour arriver jusqu'à elle.

Alice est heureuse. Edward aussi. Alors pourquoi Elsa est-elle troublée à ce point par l'attitude de ce dernier ? Il est animé de bonnes intentions. De plus, elle a vraiment envie d'y aller. Après tout, elle en a assez de toutes ces choses lugubres. C'est une chance extraordinaire qui s'offre là.

Elsa baisse les yeux sur sa malle, puis regarde Edward et Alice assise jambes écartées de part et d'autre de la carte, et songe qu'elle vit peut-être là un moment lourd de sens, et qu'un jour elle se rappellera ces images et son euphorie présente, l'impression de mystère dont est nimbé le lendemain. A des kilomètres de cette maison, de cette ville, elle repensera à ici et maintenant comme à un commencement – mais de quoi ? Tandis qu'Elsa tente de se figurer le moment du futur d'où elle regardera en arrière, il lui semble que l'instant présent lui échappe, comme si le fait d'être debout dans ce salon était déjà un souvenir : elle n'est plus que la mémoire d'elle-même, en Angleterre, dans la maison de son fiancé, les mains croisées, les yeux étincelants, un souvenir que contemple de très loin son moi futur.

— Notre esprit, dit Edward, en la tirant avec un sursaut de ses pensées, est toujours prêt à partir en reconnaissance, n'est-ce pas ?

— Comment ? Oh ! oui, approuve Elsa en riant, ramenée à la réalité.

Elle a de nouveau vingt-deux ans, elle traverse simplement la pièce, se dirige vers sa malle. Elle l'ouvre comme un livre géant. A l'intérieur, le vanity case, la sacoche en cuir souple, le cahier relié en noir et or, attaché par son ruban.

Mon imagination peut partir en reconnaissance, songe-t-elle. Mais quelqu'un doit faire les bagages.

Le lendemain matin, dans sa chambre, Elsa ajoute le début d'un post-scriptum à sa lettre :

Un voyage que j'espérais paraît vouloir se préciser. Je vais quitter le Herfordshire pour pas mal de temps...

3

C'était en février 1973.

Avec un calme forcé, Greer Farraday ferma les yeux tandis que le petit avion de Lan Chile amorçait sa descente. Le pilote venait d'annoncer que la pointe orientale de l'île serait bientôt visible sur la droite, le côté de Greer, mais elle allait attendre qu'elle apparaisse tout entière, afin de l'embrasser d'un seul regard.

Une fois les paupières closes, elle eut l'impression que le vrombissement des hélices redoublait. Autour d'elle, les *Oh !*, les *Magníficos !*, les *Dios míos !* fleurissaient comme un pré de belles-de-nuit. Lorsque, enfin, l'avion se stabilisa, elle rouvrit les yeux pour voir, en contrebas, telle la nageoire déchiquetée d'une créature marine, l'île sortir de l'eau.

— *Vértigo ?* fit une voix de l'autre côté de la travée.

Elle se tourna vers le jeune homme en chemise de lin qui était de nouveau en train de l'observer. Il avait les cheveux châtain foncé, peignés en arrière, sauf pour une mèche épaisse qui lui barrait le front. Des pommettes saillantes, des sourcils droits. Il était beau, et tiré à quatre épingles même après toutes ces heures de vol. Au moment du déjeuner, quand il avait demandé à l'hôtesse un morceau supplémentaire de gâteau, Greer lui avait offert le sien : « Je n'en veux pas. *Lo quieres ?* » Il avait accepté avec le sourire, mais ses yeux avaient trahi un certain étonnement. Elle s'était alors rendu compte que c'était manquer à l'étiquette du voyage aérien – proposer une portion de son repas à un étranger – et l'hôtesse consternée était revenue une minute plus tard avec une nouvelle part de gâteau, ce qui avait décidé Greer à se plonger dans la lecture d'Erdtman, *Pollen Morphology and Plant Taxonomy* ; comme cela, ils pouvaient être tranquilles : elle n'allait pas se mettre à proposer du café à la ronde.

Elle répondit avec un hochement de tête :

— Non. Pas le vertige. Je suis un peu émue. *Emoción. Sí ?*

— *Ah, sí. Emoción.*

Emue – c'était bien ça. Son premier travail sur le terrain depuis des années. Cela faisait des mois qu'elle étudiait cette île, écrivait d'innombrables lettres pour trouver un lieu de séjour ainsi qu'un laboratoire de fortune, et préparait son matériel. Elle, qui avait toujours voulu analyser un écosystème insulaire, n'avait pas été sûre de partir avant la dernière minute. Les préparatifs représentaient à la pensée de Thomas un si salutaire dérivatif à la vie qu'elle en était venue à craindre qu'il n'y avait rien derrière. Mais hier, quand son réveil avait sonné, elle avait bondi de son lit, fermé sacs, fenêtres, portes, débranché les prises, coupé le chauffage – et une fois cela terminé elle avait tout vérifié dans le détail pour ne pas perdre son élan – et finalement s'était engouffrée dans le taxi, sans un regard en arrière pour la maison paisible qu'elle laissait derrière elle. Et la voilà maintenant à plus de dix mille kilomètres de chez elle, à trente-trois ans, seule au monde. Personne ne dépendait d'elle. Elle était, pour la première fois depuis des années, et dans un sens c'était presque effrayant, libre !

Greer appuya son front à la vitre du hublot qui encadrait, comme un oculaire géant, le spécimen de basalte tant attendu. Une masse de cumulus se dessinait au-delà du côté sud. Sans doute sous le vent, se dit Greer. L'air chaud s'élevant de l'île est poussé vers la mer, où il se condense. C'est selon ces indicateurs que les Polynésiens ont découvert leurs îles, colonisant chaque bout de terre habitable sur une superficie de plus de dix-huit millions de kilomètres carrés un siècle avant que les explorateurs européens ne songent à hisser leurs voiles. La Nouvelle Zélande s'appelait déjà Aotearoa – le pays du long nuage blanc – avant que les minces étraves des pirogues polynésiennes n'eussent frôlé le sable de ses plages. N'eurent-ils pas l'impression, s'interrogea Greer, que le nuage avait donné naissance à la terre ? Même dans la recherche, il est facile de confondre la cause avec l'effet, et en voyant d'abord le nuage, de déduire que la terre en dessous est son ombre. Pourtant, c'était le nuage, l'ombre, une silhouette blanche, le fantôme de l'île planant sur son jumeau igné.

Greer voyait à présent la totalité de l'île de Pâques – le sommet sud-est du triangle que forme l'ensemble polynésien. L'île elle-même étant un triangle isocèle, aux côtés concaves. Chaque angle est occupé par un volcan éteint, bulbeux et parfaitement rond, et le paysage est grêlé par des douzaines de cratères plus petits. L'île est un vestige d'un volcanisme océanique très ancien. A plusieurs lieues sous la mer, une cicatrice de huit mille six cents kilomètres s'allonge sur le plancher océanique ; la dorsale du Pacifique oriental, une chaîne volcanique parallèle à la côte ouest de l'Amérique du Sud dont les suintements magmatiques épisodiques ont laissé quelques boursouflures : les Galápagos, les îles de la Société, les Marquises. Il y a quelque deux millions d'années, un de ses volcans a fait éruption pour créer un autre tas de lave froide inerte : l'île de Pâques.

C'était l'endroit idéal pour mener une expérience, et c'est justement ce qui intriguait Greer. Jamais attachée à un continent, l'île avait dû attendre patiemment que la faune et la flore soient transportées jusqu'à elle par le vent ou les courants océaniques, ou par quelques oiseaux dont les plumes cachaient des graines. Des îles continentales comme Bali ou la Tasmanie grouillant de lémuriens, de mammouths et de marsupiaux au moment du déluge, ont dérivé comme des arches surpeuplées. En revanche, les îles océaniques, *tabula rasa*, étaient le paradis du naturaliste. L'archipel malais a attiré Wallace ; les Galápagos, Darwin. Mais l'île de Pâques constituait un objet d'étude encore plus remarquable. A deux mille cinq cents kilomètres de la terre la plus proche, il allait falloir des milliers d'années aux plantes pour atteindre ses rivages, et encore plus longtemps à l'*Homo sapiens*. Ce laps de temps signifiait que le nombre des influences extérieures, des inconnues et des extras, tous ces aléas qui jetaient le doute sur les conclusions des scientifiques, étaient en nombre réduit. L'île de Pâques représentait, selon Greer, le microcosme parfait.

Greer pianota encore un moment du bout des doigts sur le livre puis le fourra dans son sac à dos. C'était un plaisir d'y apercevoir son matériel d'observation – carnets, guides des pollens, appareil photo. Ce voyage – huit mois de recherches intensives – lui était nécessaire. Elle avait toujours trouvé apaisant de se plonger dans ce genre d'étude. Même enfant, quand elle regardait dans le microscope de son père, elle se disait que la science était comme une salle où son esprit pouvait entrer, une chambre forte où la contemplation ne laissait plus de place à la tristesse. Par la suite, elle s'était rendu compte que tout était une affaire d'échelle. L'infiniment petit – les grains de pollen – et l'infiniment grand – les temps géologiques, l'enchaînement des périodes – rendaient le train-train quotidien, les mois, les années, telles de simples illusions de fabrication humaine, dérisoires. La science était devenue pour elle au fil du temps semblable à une couverture que l'on tire sur soi quand le froid de la vie vous fait frissonner.

Et depuis la mort de son mari, elle avait tout le temps ce frisson en elle. Tandis qu'elle se déplaçait dans la maison de Marblehead, en rangeant les affaires de Thomas, tout ce qu'elle touchait – de vieilles photographies, ses chemises en flanelle, ses carnets – l'étourdissait de souvenirs et de regrets. Quand elle ne supportait plus de voir ses objets, ou les leurs, elle sortait s'asseoir des heures sous la véranda, et regardait l'Océan. L'hiver venu, elle se retira dans son laboratoire du sous-sol, où, sans conviction, elle lisait ses fiches, ou bien examinait de nouvelles collections de pollens. Quand d'aventure elle quittait la maison, c'était en général pour une lente promenade dans l'herbarium de Harvard ou le Peabody Museum.

Seule l'idée de ce voyage l'avait sortie de sa léthargie. Les préparatifs l'avaient occupée, et maintenue en contact avec le monde extérieur. Pendant des mois, l'île de Pâques s'était profilée devant elle comme un but, quelque chose à quoi se raccrocher dans l'égarement du chagrin. Et là, maintenant, voilà qu'elle y était.

L'avion piquant du nez, les passagers autour d'elle se cramponnaient aux bras de leur fauteuil et vérifiaient leur ceinture. Pour Greer, c'était le décollage qui lui mettait les nerfs à vif ; l'atterrissage ne lui faisait rien. Elle se contenta de ramener ses cheveux derrière ses oreilles et de tirer un chewing-gum de sa poche.

Les roues du train mordirent l'asphalte et après quelques secousses, un grand silence enveloppa la carlingue. Par son hublot, Greer regarda les hélices ralentir, leurs pales argentées révélant leur profil véritable : des samares en acier, descendants métalliques des graines ailées de l'érable sycomore qu'elle s'était amusée, enfant, à regarder tournoyer jusqu'à terre. Il existe si peu de formes viables, songea-t-elle. Les graines ailées de la grande zanonie (*Alsomitra macrocarpa*) ont inspiré les pionniers de l'aviation et la conception du planeur. Les plantes nourricières (*Asclepiadaceae*) et le grand salsifis (*Tragopogon dubius*) pouvaient traverser en volant une vallée entière avec leur parapluie duveteux. Greer aimait se figurer la crainte sur les visages des premiers hommes devant ces phénomènes. Combien de temps s'était-il écoulé avant que l'envie ne se glisse dans leur cœur, avant que quelqu'un se dise : est-ce que je pourrais faire ça ?

L'avion s'arrêta en douceur. Une brève salve d'applaudissements et, tout de suite, les passagers se levèrent. Ils serraient leurs sacs et leurs chapeaux de paille. Quelque chose – un coude ? une mallette ? – heurta l'arrière de la tête de Greer. Les *perdón, perdón* fusaient autour d'elle en sourdine. En dépit de son excitation, après être restée patiemment assise pendant neuf heures, il semblait absurde de se dépêcher. Greer ne bougea pas de son siège, laissant l'avion se vider avant de se lever. Lorsqu'elle arriva à la porte, l'hôtesse immaculée lui adressa un sourire radieux. « *Buen viaje ! Enjoy your visit !* » lui dit-elle, du ton le plus enjoué qui soit. Greer se prit à se demander ce qu'elle faisait les mauvais jours. Que ce devait être difficile de sourire comme cela quand on est au milieu d'un divorce, ou quand on vient de se trouver une tumeur quelque part, ou après la mort de l'homme qui a été pendant huit ans votre mari.

Greer fut la dernière à descendre l'escalier vers le tarmac brûlant. Devant elle s'étendait un bâtiment à un seul étage : AEROPUERTO MATAVERI, et au-dessous : *Iorana, Bienvenido, Welcom, Wilkommen.* Un drapeau chilien flottait au sommet d'une hampe. Elle n'avait jamais vu un aéroport aussi petit, mais il faut dire que l'île n'était que deux fois plus grande que Manhattan, et en grande partie déserte. On lui avait précisé que les lettres devaient seulement porter l'intitulé : Dr Greer Farraday, Correo Isla de Pascua. Il n'y avait qu'un vol Lan Chile par semaine, et cela seulement depuis quelques années. Mille neuf cent soixante-sept – l'année où MacArthur et Wilson avaient publié *La Théorie de biogéographie des îles*, la monographie dont la lecture avait marqué un tournant dans ses recherches. Greer se souvenait d'avoir lu à la table de sa cuisine une publicité dans la section « voyage » du *Globe* pour la ligne Lan Chile qui assurait la liaison Santiago-Rapa Nui-Tahiti. Combien elle lui avait paru parfaite, cette théorie à peine éclose sur les tendances géographiques de la diversité des espèces dans des formations végétales isolées, en particulier sur l'île de Pâques, l'île la plus reculée de la planète. Mais à l'époque, elle travaillait dans le labo de Thomas. Et l'enthousiasme de ce dernier pour l'île de Pâques était tempéré, comme le reste, par les angoisses que lui donnaient ses recherches sur les magnolias. Comme il y avait peu de chance que Greer obtienne un financement pour y aller seule, elle était restée à Cambridge.

La trappe de la soute était grande ouverte, et un homme en bleu de travail en extrayait tant bien que mal la longue boîte qui contenait son carotteur Livingston, mal équilibré à cause des poids inégaux du tube en acier et du piston. Greer s'avança pour lui prêter main forte – elle l'avait souvent transporté, et ne pouvait pas se permettre qu'il soit endommagé –, mais le manutentionnaire secoua la tête d'un air vexé pour lui montrer qu'il avait les choses en main. Greer acquiesça, puis examina les caisses derrière : celles marquées TRÈS FRAGILE dans lesquelles elle avait empaqueté son microscope, ses lames, ses éprouvettes et son centrifugeur. Une autre marquée SUBSTANCES TOXIQUES (UNE SEULE BOUFFÉE PEUT ÊTRE MORTELLE), avec des étiquettes, tibias croisés et tête de mort, contenait ses flacons d'acides sulfurique et hydrochlorique. Elle avait emporté tout ce qu'il fallait pour prélever des échantillons et analyser les données – il était impossible de se procurer des instruments scientifiques sur l'île. A côté de sa boîte de produits chimiques, il y avait un sac en toile bourré à craquer de lettres – sans doute le courrier. Ensuite, encore derrière, une autre caisse avec POR-TALES tamponné de tous les côtés. Portales – ce nom lui disait vaguement quelque chose, mais quoi ? Greer décida qu'il valait mieux ne pas traîner et se dirigea à pas lents vers l'aérogare.

Il faisait frais et sombre dans le bâtiment après l'éblouissement de la piste. Les autres passagers étaient déjà presque tous partis. Une femme plutôt forte, aux cheveux noués en un chignon lâche et grisonnant, brandissait un écriteau FARRADAY en regardant résolument derrière Greer, du côté de la porte. Elle avait de grands yeux écartés, un nez large, des joues rondes tannées par le soleil – un visage de Polynésienne. Sa robe blanche moulait ses formes amples et s'évasait aux genoux avec une surprenante grâce féminine. Elle se tenait un pied devant l'autre, comme si elle s'apprêtait à faire la révérence. Autour de son cou était pendue une guirlande d'hibiscus blancs. Famille des *Malvaceae*. Espèce : *Hibiscus moscheutos*.

— *Residencial* Ao Popohanga ? s'enquit Greer.

La femme prit un air d'excuse qui adoucit ses traits. Car si elle avait la robustesse de ces êtres qui ont traversé les pires épreuves, la déchéance d'un fils, la mort d'un mari, la banque-route d'un pays, elle avait aussi cette douceur qui les retient d'avouer qu'il n'y a plus de lait dans le réfrigérateur, ou que la boîte de biscuits est vide.

— *Sí, sí. Residencial* Ao Popohanga. Mais plus de chambre. Peut-être *Residencial* Rapa Nui. Ou Hôtel Pascua. Ils ont une table pour le ping-pong. Très, très bien.

— Je crois que j'ai déjà une chambre, dit-elle en lui tendant la main. *Doctor* Greer Farraday.

— Greer ? Greer ? *Doctor ? Una mujer ?* Ah !

— Oui, je suis une femme, répliqua Greer avec un petit sourire, s'efforçant de dissimuler son irritation.

La femme se donna une tape sur la joue :

— Je savais pas ! *Doctora. Mujer.* C'est bien. C'est très bien. Très américain, *sí* ?

Là-dessus, elle se fendit d'un large sourire et enleva la guirlande d'hibiscus pour la passer autour du cou de Greer, qu'elle embrassa ensuite sur les deux joues. Elle sentait le gardénia et l'huile de palme.

— Je suis Mahina Huke Tima. *Iorana.*

— *Iorana ?*

— Ça veut dire bonjour et au revoir dans la langue rapa nui.

— Pour l'heure, ce sera bonjour.

— Oui, bonjour pour l'heure, répéta Mahina, la main légère sur l'épaule de Greer. Très très bon... jour.

Tandis que la Jeep gravissait lentement la piste en lacet, des petits bouts de roche volcanique giclaient sous les roues dont se dégageaient des nuages de poussière rouge. Chaque fois qu'elles croisaient un cavalier, Mahina, coiffée à présent d'un

chapeau de paille, klaxonnait et saluait à grands cris. Elle semblait hésiter à serrer le volant, se contentant de laisser ses doigts
pendre dessus comme de courtes tentacules. A plusieurs
reprises, en changeant de vitesse, elle fit tousser affreusement
son moteur. Voilà une femme ayant appris à conduire sur le
tard, jugea Greer.

— Combien y a-t-il de voitures sur l'île ? interrogea-t-elle.
Cuántos autos en la isla ?

— *Solamente un automóvil*. Pour le maire. Les autres ont
des Jeep, comme celle-ci, mais pas beaucoup. Celle-ci n'est pas
à moi. Elle appartient à mon beau-frère. Je vais à cheval. Vous
allez à cheval ?

— *Sí*, répondit Greer dont l'espagnol était plus au point
pour les questions que pour les réponses. Je n'ai pas monté
depuis longtemps. Mais il paraît que ça ne s'oublie pas.

— Oui, oui. Et vous savez conduire ?

— Oui.

— Une femme *doctora*. Et qui conduit ! C'est très bien. Et
combien d'heures dans l'avion ?

— Presque dix. *Diez*. De Santiago. Plus encore treize de
New York. Et une encore de Boston.

— *Veinticuatro* ! Si longtemps dans un avion !

Un vent vigoureux se leva, et Greer se fit une queue de cheval. Elle avait projeté de se couper les cheveux avant le départ
– il ferait chaud dans l'île en février – mais elle avait oublié, et
à présent, elle les avait dans le dos, tout décoiffés et emmêlés.
Elle jeta un coup d'œil dans le rétroviseur extérieur : son visage
étroit était pâle, ses traits tirés par la fatigue du voyage, mais
elle retrouvait le même front haut, les mêmes yeux bruns de
toujours. C'était curieux – rien dans son expression ne révélait
la tristesse de cette année passée. Rien qui permît de deviner
ce qu'avait fait son mari, et qu'elle était veuve de fraîche date.
Elle avait l'air jeune, en bonne santé, un peu débraillée, mais
plutôt calme et posée, pas du tout la physionomie de quelqu'un
qui essaie de tout recommencer à zéro.

Greer regarda du côté du littoral, où l'eau miroitait dans la
lumière, tranchant sur la morosité du paysage. Elle avait beau
avoir lu quantité de choses sur l'appauvrissement de la diversité
de l'île, la vue de la roche brute la stupéfiait. Seules des herbes
pâles – de la famille des *Gramineae*, ces monocotylédones
têtus – avaient réussi à s'acheminer jusqu'ici.

Au départ, il n'y avait aucune vie dans l'île, songea Greer, mais, avec le temps, elle avait accueilli des graines ou des spores venues d'ailleurs. Le magma était riche en chaux, en potasse et en phosphate, des nutriments à la base de la vie végétale. Lorsque, en 1883, l'éruption du Krakatoa, en Indonésie, ne laissa rien de vivant dans l'île tout entière, il ne fallut que trente-huit ans à cette dernière pour redevenir luxuriante. Cette explosion fut, pour les naturalistes, comme un rêve devenu réalité, comme assister à la naissance d'une île. Des hordes de chercheurs observèrent l'apparition de chaque nouvelle fougère ou fleur sur le paysage transformé en immense pierre ponce, jusqu'à la restitution de l'ancienne forêt. Bien entendu, ils n'étaient qu'à quarante kilomètres de Java, qui est une serre débordante de flore et de faune. Alors que l'île de Pâques se trouve à deux mille cinq cents kilomètres du fournisseur le plus proche, les îles Pitcairn. Quoique, si vous faisiez le calcul, elle aurait dû être couverte d'arbres. Deux millions d'années suffisent amplement à la tâche. Alors comment expliquer cette terre désolée ? Le premier suspect était l'extinction. Une catastrophe qui aurait anéanti l'œuvre de millénaires d'hospitalité.

— Hanga Roa, annonça Mahina.

Elle bifurqua vers l'intérieur des terres en faisant hurler la boîte de vitesse avant de finalement se décider à rester en première.

— Hanga Roa, répéta-t-elle.

Elles étaient arrivées dans l'unique ville de l'île. De petites maisons bleu pâle au bout de chemins bordés d'une profusion de cendriettes poussiéreuses (*Senecio cineraria*) et de grandes capucines oranges (*Tropaeolum majus*). Un grand cyprès ombrageait trois chiens endormis, dont les oreilles bougeaient au rythme de leurs rêves. Mahina vira à main gauche sur une route secondaire, celle-ci semée de bâtiments rectangulaires en ciment coiffés de tôle ondulée ; des magasins, apparemment. Comme surgis de nulle part, des enfants se mirent à courir devant la Jeep et firent ainsi la course jusqu'au cocotier solitaire au bout de la rue.

Mahina les gronda en rapa nui, puis se tourna vers Greer :

— Nous avons l'église, le *correo* pour les lettres, l'école. On est petit mais on a tout ce qu'il faut. Je crois que ça va vous plaire.

— J'en suis sûre, lui assura Greer.

— Et voilà *mi residencial,* déclara Mahina en tournant de nouveau à gauche et en parquant la Jeep sous un eucalyptus *amygdalina* odorant.

Elle ajouta :

— Ici, c'est l'avenida Policarpo Toro. Pour aller au laboratoire, vous descendez Te Pito O Te Henua Street, vous prendez à gauche sur Atamu Tekana Street. Si vous voulez, je vous ferai un plan.

Devant eux s'élevait un bâtiment de plain-pied en ciment. Les fleurs roses de deux arbres corail flanquaient la porte de bois sombre. Une modeste pancarte indiquait, en lettres confectionnées avec de l'adhésif noir : RESIDENCIAL AO POPOHANGA.

Une fois descendue de la Jeep, Mahina se mit en devoir d'extraire du coffre les sacs de Greer. Cette dernière protesta, mais Mahina insista, soulevant ses deux gros sacs avec une force inattendue. C'est alors que d'une ligne de buissons sortit un vieux monsieur qui se frottait les yeux sous sa casquette de base-ball d'un rouge délavé. Manifestement la discussion sur qui porterait les valises l'avait tiré de sa sieste. D'un ton ferme, mais que Greer jugea tendre, il dit quelque chose à Mahina en rapa nui tout en montrant les sacs avec de grands gestes. D'après la façon dont s'enchaînaient haussements d'épaules et soupirs, ce n'était pas la première fois que se jouait cette scène. Après avoir inspecté la Jeep, la trouvant sans dommages, il adressa un large sourire à Mahina. Laquelle, ne trouvant pas ça drôle, fit signe à Greer de la suivre dans le bâtiment. En pointant par-dessus son épaule vers le vieil homme, elle spécifia :

— Ramón Ligaros Ika. *Vamos,* Ramón ! s'écria-t-elle à l'instant où il prenait les sacs de Greer pour leur emboîter le pas.

Un délicat concert de clochettes salua leur entrée dans une grande salle. L'air y était frais, les murs sombres. Au plafond étaient suspendues deux rangées de globes en verre verts pris dans les mailles d'un filet en cordes. Mahina déposa avec soin son chapeau sur le bureau à côté de la porte. Du tiroir du haut, elle sortit une clé attachée à un jeton de poker blanc. Greer la suivit de nouveau de l'autre côté de la salle, dans une cour luxuriante : des brachychitons, des bambous, un grand cyprès. Et au milieu de cette masse végétale : une statue presque grandeur nature de la Sainte Vierge, les creux des plis de sa robe bleue tout écaillés. A l'autre bout, le long d'une véranda étroite comme une galerie, étaient alignées quatre portes. Mahina la conduisit jusqu'à la dernière, fit tourner la clé dans la serrure et poussa le battant d'un coup de hanche.

La chambre était petite. Un grand lit et deux tables de chevet en osier occupaient tout un pan du mur opposé. Au-dessus du lit, un portrait de la Vierge. A côté de la porte, une table et une chaise qui avaient l'air en acajou. Des rideaux en toile de jute obscurcissaient l'unique fenêtre.

— Bien ? demanda Mahina.

— Très bien.

Greer avait besoin de six mois pour prélever des échantillons et effectuer ses analyses, mais elle passerait le plus clair de son temps dans son laboratoire.

— Bien pour la *doctora* ! sourit Mahina. Bien sûr, pas de piano. Pas de ping-pong. Et d'autres *residenciales* ont de plus jolies couvertures. Mais on n'est pas loin à pied du laboratoire. *Sí* ? Et je fais la meilleure cuisine.

Ramón roula des yeux et déposa les sacs de Greer au pied du lit.

— C'est parfait, lui assura Greer.

— La salle de bains est là, indiqua Mahina en montrant d'un geste une porte étroite à côté du bureau. Quand vous voulez l'eau chaude pour vous doucher, il faut l'allumer de l'extérieur. Je vais vous montrer. Et on pourra vous donner une autre lampe. Ou on peut enlever la table. Et si vous n'aimez pas cette chambre, on peut vous en trouver une autre.

La pièce était si petite que Greer eut du mal à imaginer qu'on pût y caser un autre meuble. Mais d'après l'expression de Mahina, elle comprit que d'autres avant elle avaient montré plus d'enthousiasme.

— Ça m'ira très bien. C'est merveilleux.

Le côté spartiate de son nouveau logement lui convenait en effet plus qu'elle n'aurait su le dire. Sa maison de Marblehead était devenue un tel capharnaüm avec tous ces meubles, ces livres, ces objets, sans compter les montagnes de boîtes en carton encore ouvertes contenant les vêtements de Thomas dont elle ne savait que faire. Oui, c'était en fait de tout ce désordre qu'elle avait eu besoin de s'éloigner.

— Le dîner est servi à huit heures, précisa Mahina en l'embrassant de nouveau sur les deux joues avant de s'éclipser.

Greer posa son sac à main sur le bureau et ôta ses sandales en cuir en s'aidant seulement de ses doigts de pied. Le plancher était agréablement frais. De son sac, elle tira et déballa soigneusement un bocal d'apothicaire et le leva contre la lumière ; sa graine de magnolia flottait toujours, brillante et charnue, dans son bain d'eau salée. Cette graine avait été son cadeau de mariage de la part de Thomas – ils allaient voir combien de temps elle allait durer dans l'eau de mer. Huit ans jusqu'ici, beaucoup plus longtemps qu'ils ne l'avaient prévu. A une époque, elle l'avait traitée comme un talisman, l'emmenant partout avec elle sur le terrain, la gardant sur sa table de chevet en Belgique et en Italie. Mais quand les recherches de Thomas s'affolèrent, quand Greer cessa de partir en campagne pour rester cloîtrée dans le laboratoire de son mari, elle avait laissé le bocal prendre la poussière sur la cheminée de Marblehead. En deux ans, il n'avait pas bougé de plus de quelques millimètres, puis, quand elle avait fait ses bagages pour ce voyage, elle s'était dit qu'elle ne pouvait pas l'abandonner. A présent, elle regrettait sa décision. Sa vue lui rappelait trop vivement les premières années avec Thomas, du temps où il aimait encore la science, et où il l'aimait, elle.

Greer posa le bocal et leva les yeux sur le portrait de la Vierge Marie. Il existait une graine dérivante appelée la graine de Marie, *Merremia discoidesperma*, qui avait battu tous les records de distance parcourue par une graine : plus de deux mille quatre cents kilomètres.

A genoux sur le matelas défoncé, Greer se dandina jusqu'à la tête de lit, décrocha le portrait et le posa à l'envers sur l'osier de la table de chevet.

C'est mieux ainsi, songea-t-elle en commençant à défaire ses bagages.

*

Tard dans l'après-midi, Greer prit le chemin du labo. Ramón l'y avait déjà conduite un peu plus tôt avec son matériel, mais à présent, plus réveillée que prévu, elle projetait d'explorer le village. Sur le chemin de terre battue, elle fut suivie un moment par des chiens errants qui finirent par se désintéresser d'elle. Un coq chantait au loin. Elle passa devant un bâtiment arborant une pancarte à l'enseigne de HÔTEL ESPÍRITU, un nom qu'elle reconnut pour être celui d'un autre établissement logeant des scientifiques. La porte d'entrée laissa le passage à un couple d'âge mûr, en pleine discussion, les doigts posés sur les pages ouvertes du même guide. Ils portaient tous les deux des chemises hawaïennes plus ou moins identiques.

— *Iorana !* s'écrièrent-ils.

— *Iorana*, répondit Greer.

— Ne me dites pas, je vais deviner, dit la femme. Américaine. Côte est.

— Je suis impressionnée, commenta Greer, se demandant ce qui l'avait trahie.

— Tu vois, reprit la femme en se tournant vers son mari. Dix sur dix. C'est un don chez moi, je me tue à te le répéter. Je devrais travailler pour le Département d'Etat ou une ambassade quelconque. Comme détectrice de compatriotes.

Puis, agitant le guide en l'air, elle ajouta :

— Alors, qu'est-ce que vous pensez de ces machins ?

— Comment ?

— Les *moai*.

— Je viens d'arriver, l'informa Greer. Il y a quelques heures à peine.

— Ah, fit la femme en faisant un signe du menton à son mari, elle va avoir un de ces chocs ! Vous allez voir ça, c'est moi qui vous le dis. Les photographies ne sont rien à côté. Ils sont é-nor-mes.

— Les photos sont petites, admit Greer. J'imagine que les statues sont beaucoup plus grandes.

La femme plissa des paupières, puis sourit :

— Très drôle.

Après les avoir salués d'un « Bon séjour ! », Greer tourna le coin de la rue et poursuivit sa route devant une autre rangée de maisons. Chacune était dotée d'une vaste arrière-cour. Des poules caquetaient et s'ébrouaient dans de minuscules poulaillers en fil de fer. Des goyaviers (*Psidium*) et des taros (*Colocasia*) poussaient sur d'épaisses pelouses. Car c'est seulement dans le village, dans des jardins bien entretenus, à l'abri du vent, que les plantes semblaient s'épanouir.

Un peu plus loin, elle retrouva les bâtiments en ciment. Aucune enseigne n'indiquait leur usage, mais Greer décela dans chaque façade des indices de leur fonction ; elle reconnut ainsi la poste et la banque ; l'épicerie grâce à l'apparition sur son seuil d'une femme aux bras chargés d'un filet à provisions gonflé de conserves. Greer y entra et s'arrêta pour permettre à sa vue de s'accommoder à l'obscurité. Un rouquin lui souriait de derrière le comptoir.

— *Iorana.*

— *Iorana*, répliqua-t-elle.

Il était pâle, les joues éclaboussées de taches de son. Elle avait lu que la population de l'île était métissée. Les premiers voyageurs notaient déjà que certains Pascuans avaient le type polynésien, et d'autres européen, ces derniers s'appelant les *Oho Tea* : « cheveux clairs ». C'était une des raisons pour lesquelles les origines de cette population restaient mystérieuses. Le mélange de races ouvrait quantité de possibilités.

Greer fureta entre les sacs de riz et de graines, les boîtes de bonbons, une énorme pyramide de pêches en conserve. En convertissant les prix en dollars, elle trouva les prix élevés, surtout pour les pêches. Sans doute fallait-il y voir la conséquence du fait que ces denrées étaient importées du continent. Elle détacha une banane de son régime et choisit quelques boîtes de biscuits pour son labo, puis transporta le tout jusqu'au comptoir. Elle avait changé de l'argent à l'aéroport de Santiago et pouvait donc tendre à l'épicier une poignée de pesos.

— *Inglesa* ?

— Américaine.

— Ah. New York ? Los Angeles ?

— Massachusetts. Marblehead.

De derrière son comptoir, il tira un vieil atlas écorné.

— Vous me montrez.

Greer jeta un coup d'œil à la carte de l'Amérique du Nord et vit que des petits X noirs avaient été tracés sur Los Angeles, New York et Salt Lake City.

— Ici, dit-elle en pointant vers la côte est. Marblehead. Massachusetts, c'est l'Etat

— *Riva riva*, répéta-t-il en prenant le crayon derrière son oreille et en traçant un X sur le littoral. Marblehead. Une île ? *Sí* ?

— Une péninsule.

— Pé-nin-sule. *Riva, riva.*

Il referma l'atlas et compta très doucement sa monnaie.

— *Gracias*, dit-elle.

— *Iorana.*

Dehors, dans la lumière déclinante, elle éplucha la banane et continua à marcher dans la direction du laboratoire. Elle avait emporté une brochure défraîchie avec un plan de l'île, Mahina ayant entouré l'endroit où se trouvait le labo. Cette brochure proposait en l'espace d'un court paragraphe un résumé des grandes pages de l'histoire pascuane : la légende de l'arrivée du premier roi, Hotu Matua ; la construction des *moai* aux dimensions extraordinaires ; le *rongorongo*, l'écriture hiéroglyphique indéchiffrée ; la visite du capitaine Cook ; le renversement des *moai* ; l'émergence du culte de l'homme-oiseau ; la guerre entre les longues-oreilles et les courtes-oreilles ; le cannibalisme dans les grottes de l'île ; la disparition de l'expédition scientifique britannique ; le mouillage pendant huit jours de l'amiral von Spee au cours de la Première Guerre mondiale. Pas la moindre allusion, bien sûr, à l'histoire géologique du pays ni à la disparition de sa forêt. Incroyable comme peu de cas est fait de la terre elle-même. Comme si ce caillou de cent soixante-cinq kilomètres carrés n'était qu'une scène dressée pour des acteurs humains arrivés sur le tard, leur spectacle n'ayant duré, en temps géologique, qu'un battement de cils.

Greer poursuivit sa route, écoutant le bruit lent et régulier des sabots d'un cheval au loin. Une petite brise soulevait la poussière rouge du chemin. Invisible, un chien aboyait. La tranquillité lui rappela Mercer, la ville du Wisconsin où elle avait grandi. Les soirs d'été, avant le dîner, elle se rendait à pied à l'épicerie, et regardait les femmes balayer leur véranda, les hommes aux manches de chemises relevées pousser leurs filles sur des balançoires en pneu sous les grands érables. Une ville paisible, où il ne se passait pas grand-chose ; ainsi du moins était-elle restée dans son souvenir. Et le calme de cet endroit avait la même qualité, comme si les catastrophes du passé avaient été mises sous scellé, rendues intouchables.

Le bâtiment sans fenêtres s'élevait devant elle comme un moellon géant. Rien n'avait été tenté pour déguiser son usage utilitaire. Il n'y avait là ni goyavier, ni cyprès, ni *Nasturtium,* ni

marguerites. En lettres blanches, sur la corniche, était indiqué :
SOCIEDAD DE ARQUEOLOGÍA DE AMÉRICA DEL SUR. Greer avait organisé d'avance son labo par l'intermédiaire des services de cette
SAAS, laquelle avait édifié ce local pour les scientifiques
quelques années plus tôt. C'était un peu une arnaque : alors
qu'ils payaient la location et leur propre matériel, les chercheurs s'engageaient, dans leurs publications, à remercier la
société de son hospitalité. L'autorisation de travailler sur l'île
de Pâques émanait en réalité du gouvernement chilien, le
membre le plus actif de ladite société.

Greer pénétra dans un long couloir dénudé. Des noms écrits
à la main sur des fiches en carton ornaient les portes ; le sien
surgit à mi-chemin, sur la droite : DR FARRADAY. Elle ouvrit et
tripota l'interrupteur jusqu'à ce que les trois tubes fluorescents
s'allument. Ses caisses étaient bien rangées, le cylindre du carotteur en équilibre par-dessus le tout. Sinon, le labo était presque
vide. Les murs en ciment poreux avaient été badigeonnés de
blanc, le sol rudimentaire peint en rose – corail ? – dans le
dessein, sans doute, d'y mettre une touche de gaieté. Deux
longues tables métalliques, avec chacune un tabouret en bois
placé sous son plateau, étaient alignées le long des parois de
chaque côté de la pièce. Dans un coin, un évier en inox dans
lequel pendouillait l'embout d'un tuyau d'arrosage vert s'alimentant sans doute en eau à l'extérieur. A côté, un petit réfrigérateur blanc pour ses échantillons. Une colonne d'étagères
vides s'élevait au-dessus d'une des tables. Sur la dernière trônait
un vase à bec poussiéreux, seul et unique objet scientifique
dans cet environnement, et tel le crâne dans une peinture de la
Renaissance, il avait l'air de dire : *A la Science.*

Il y avait bien assez de place pour son matériel. Elle contempla ses caisses à ses pieds ; il lui fallait des outils – une pince à
levier, un marteau – pour les ouvrir. Et le bâtiment semblait
désert. Elle jeta un coup d'œil à sa montre : six heures et demie.
A la première heure demain matin, elle demanderait à Ramón
un levier. Elle posa ses provisions sur la table du fond et après
un dernier regard à la ronde dans la pièce sépulcrale, se
retourna pour sortir. En essayant de fermer la porte, elle la
trouva bloquée par une enveloppe qui traînait par terre. Cette
dernière contenait un bref message :

Docteur Farraday,
Il y a longtemps que je suis un de vos fans et je me réjouis
de faire votre connaissance. Je me trouve dans le dernier
bureau à droite au fond du couloir. Je vous signale par ail-
leurs que nous dînons tous à l'Hôtel Espíritu le jeudi à vingt
heures. Venez vous joindre à nous, vous nous mettrez au
courant de vos projets. Iorana ! *Bienvenue !*

Vicente Portales.

Greer glissa le mot dans son enveloppe, ferma la porte et se rendit sur la pointe des pieds au fond du couloir. La dernière carte sur la droite indiquait : DR PORTALES. En dessous, elle reconnut la caisse aperçue à l'aéroport : PORTALES. Et tout d'un coup, la mémoire lui revint. C'était à l'époque où elle récoltait des échantillons au Belize avec Thomas, elle avait lu un article à propos de ses travaux sur les hiéroglyphes mayas. Mais ce qui en ressortait, c'était qu'en dépit de sa jeunesse, il s'était déjà distingué dans le domaine des mongolfières, ou de l'alpinisme, quelque chose de sportif en tout cas.

Greer sortit un crayon de sa poche et prenant appui sur le mur, écrivit sur l'enveloppe : *Merci, mais je m'installe.* Puis elle la glissa sous la porte du Dr Portales.

Revenue à la porte de son propre local, elle sortit la carte de son cadre et entre les mots DR et FARRADAY, inscrivit en petit : GREER.

Un dîner n'aurait pas été déplaisant, mais ce n'était pas Greer qu'il avait invitée. Et le Dr Portales ne serait pas long à s'apercevoir qu'elle n'était pas le Dr Farraday dont il admirait les travaux, mais sa veuve.

Greer sortit du long corridor, la fatigue pesant soudain sur ses épaules, comme si elle venait de nager plusieurs heures d'af-filée et touchait à peine terre ; elle ne songeait plus qu'à une chose : dormir.

4

L'intérieur du navire de guerre était tapissé de velours, le poste de commandement réchauffé par des tapis persans, les parois en acier décorées d'aquarelles du bois de Boulogne dans des cadres dorés. Sur les tables, des coupes de champagne, des jeux de cartes en éventail, des cendriers en jade débordant de cigarettes, des tasses de thé au jasmin. Sur un banc au-dessous d'une carte indiquant les ports à charbon du Kaiser dans le Pacifique était posé un échiquier en onyx, le roi mis en échec pour l'éternité. Les cabines étaient pleines de fumée, de gens, de rires. A l'instant même, un *Kapitänleutnant* racontait une blague :

— Il y a un Anglais, un Allemand et un Chinois, et le génie leur demande à chacun de faire un vœu...

— On la connaît ! s'écrie quelqu'un.

C'étaient toujours eux qui étaient visés : les Anglais, les Allemands et les Chinois – la population des navires de guerre du port de Tsingtao, dans la mer Jaune.

— Pas celle-là...

— Bon, bon, vas-y...

C'est alors que dans l'air saturé de fumée, grésilla la voix oubliée du télégraphe, les craquements de la radio. Après un bruit confus, un officier fit irruption au milieu de la fête. L'aiguille du phonographe fut soulevée.

L'assassinat de l'archiduc, annonça-t-il, avait provoqué la guerre.

Un silence s'ensuivit pendant lequel ils s'entreregardèrent tous. Ce pourquoi ces hommes s'étaient entraînés des années durant, ce qu'ils attendaient depuis des mois, s'était finalement produit.

Les Britanniques se levèrent et époussetèrent le revers de leur tunique. Les Chinois posèrent leur tasse. Une étrange énergie traversait la salle – un nouveau jeu, tous en étaient bien conscients, avait commencé. Et, comme des enfants acceptant de fermer les yeux et de compter jusqu'à dix pendant que les autres se cachent, ils échangent des politesses. Des mains se serrent, des excuses sont prononcées. En allemand, en anglais et en chinois, on se dit au revoir. Bientôt les Allemands, des centaines de jeunes gens à peine âgés de vingt ans, se retrouvèrent seuls au milieu du silence de leur navire richement paré imaginant, sans doute, ce bruit affreux – un-deux-trois-quatre – mais incapable de dire qui comptait et qui était supposé se cacher. Ils se trouvaient en Chine, à des milliers de kilomètres de l'Allemagne, de chez eux. Qu'est-ce que cela signifiait ?

Les hommes se tournèrent d'un air interrogateur vers le vice amiral Graf von Spee, qui, en uniforme d'apparat, faisait son entrée dans la salle de banquet désertée après la fête interrompue par un temps de paix désormais révolu.

— Messieurs, dit-il. Préparez le navire. Dépouillez-le pour la guerre et attendez les ordres.

Les tapisseries furent arrachées des parois, les tapis des sols. Dans la baie, ils jetèrent tout : les fauteuils, les canapés, les pianos, les peintures. Les hommes, penchés sur le bastingage, regardèrent les vases en porcelaine ricocher sur l'eau du port, les guitares et les mandolines faire la pirouette dans les vagues. Ces eaux, où leurs navires étaient à l'ancre depuis des années, semblaient à présent menaçantes. Ce n'était plus qu'une question d'heures avant que les Britanniques tentent d'instaurer un blocus et de les torpiller sur place, et bientôt ce serait aussi au tour des Russes, des Français et des Japonais, peut-être, de se joindre à la course.

Ils savaient qu'il devaient s'échapper – mais pour aller où ?

Au milieu de ce chaos, dans le carré des officiers, un jeune homme perspicace balaya du regard les parois d'acier nues et confia à son ami près de lui : « C'est ainsi que s'écrit l'Histoire. »

A ces mots, von Spee, qui était en train d'étudier la carte, leva les yeux. Et, avec ce zeste d'arrogance qui faisait sa célébrité, il lança à ses hommes : « Et c'est ainsi que nous l'écrirons. »

> *La Flotte du malheur : Graf von Spee*
> *et l'impossible voyage de retour.*

5

Informations recueillies pour le Pr Edward Beazley
par la Société royale de géographie
Lowther Lode, Kensington Gore

Te Pito O Te Henua, ou Rapa Nui,
appelée couramment l'île de Pâques
Océan Pacifique sud
Latitude 28°10 sud, longitude 109°30 ouest

1722 (jour de Pâques) : l'amiral Jacob Roggeveen (Hollande) : Premier contact documenté avec une population nue de race métissée qui vénérait des statues géantes, « accroupies sur les talons, la tête respectueusement penchée [...] Les images de pierre d'abord nous stupéfièrent, car nous ne comprenions pas comment un peuple dépourvu de bois solide comme de grosses cordes avait pu ériger ces statues hautes de dix mètres et d'une grande largeur ». Quelques indigènes avaient les lobes étirés qui leur pendaient jusqu'aux épaules et qu'ils pouvaient rabattre. Les habitants furent qualifiés de gais, pacifiques et bien élevés, mais chapardeurs. Ils vinrent les voir à bord du vaisseau à la nage ou dans de frêles pirogues. A la suite d'un malentendu, un indigène fut tué à bord d'un coup de fusil et une douzaine d'autres trouvèrent la mort. Les Hollandais s'en tirèrent avec la perte d'une nappe et de quelques chapeaux.

*1770 : **Don Felipe Gonzáles (Espagne)** : Rapporta que les Pascuans avaient un système d'écriture. Estima la population à* *trois mille âmes, mais ne vit pas d'enfants. Il signala la présence de colosses le long de la côte. Une déclaration adressée à Sa Majesté Carlos III d'Espagne fut présentée aux indigènes qui « signèrent » de leur nom (des signes étranges et des formes d'oiseaux) « avec toutes les manifestations de la joie et du bonheur ». L'île fut rebaptisée « San Carlos ». Au bout de quatre jours, les Espagnols quittèrent l'île pour ne jamais revenir dans « leur territoire ».*

1774 : Le capitaine James Cook *: Il signala une population décimée et misérable d'environ six cents hommes et 30 femmes. Notant la présence de plusieurs tas de pierres devant des trous dans la terre, il soupçonna que les indigènes se cachaient. D'ailleurs, ceux qui étaient visibles leur bloquèrent l'accès à ces zones. Les colosses n'étaient plus vénérés, et la plupart avaient l'air d'avoir été renversés. Un Tahitien présent à bord, comprenant à moitié le dialecte des Pascuans, conclut que les statues géantes n'étaient pas des images sacrées, mais des objets servant au culte des ancêtres.*

Cook note dans son journal : « Nous avions du mal à nous figurer comment ces insulaires, sans la moindre connaissance de la mécanique, avaient pu ériger des statues aussi stupéfiantes [...]. Ce travail a dû prendre un temps infini, et montre clairement l'ingénuité et la persévérance de ces gens à l'époque où elles furent construites ; les habitants actuels n'en auraient sûrement pas été capables, étant donné qu'ils s'abstiennent même de réparer les fondations de celles qui s'écroulent. »

L'expédition quitta l'île avec une maigre provision de patates douces.

1786 : Jean-François de Galaup, comte de La Pérouse (France) : *Observa environ deux mille personnes dans l'île ; les Français furent admis dans les grottes et les tunnels sous la terre où se cachaient les femmes et les enfants ; il se pourrait que la conduite pacifique du capitaine Cook ait gagné la confiance de la population. Les tentatives d'implanter l'élevage du porc, de la chèvre et du mouton se soldèrent par un échec.*

1864 *: le frère Eugène Eyraud, un missionnaire catholique* *français, s'installa dans l'île ; la majorité de la population se serait convertie au christianisme. Aucune statue n'était plus debout.*

1877 *: Population : 111 (A la suite d'épidémies de variole liées aux raids des marchands d'esclaves péruviens.)*

1886 *: Visite de George S. Cook, chirurgien, United States Navy, à bord du* USS Mohican.

1888 *: Annexion par le Chili.*

La Société *souhaiterait que les scientifiques orientent leurs recherches dans trois directions :*
Comment ces statues monumentales ont-elles été réalisées ? Transportées ? Sont-elles l'œuvre des ancêtres des habitants actuels ou d'une race antérieure qui a disparu ?
Qu'est-ce qui a provoqué la chute des colosses ?
L'écriture observée par Gonzáles a-t-elle des liens avec d'autres formes d'écriture connues ? Qu'a-t-il été inscrit ?
Les indigènes ont-ils des points communs avec les autres Polynésiens ou les Amérindiens ?
Quel est leur régime ?
Quelle est la structure familiale ? Le taux actuel des hommes et des femmes ?
Pratiquent-ils la polygamie ?

On est en mars 1912.
Le paquebot transatlantique de la White Star Line poursuit sa route. Trois épaisses cheminées couronnent le navire. Juste derrière la passerelle, de l'autre côté des appartements du commandant, Alice et Elsa partagent une petite cabine lambrissée d'une belle boiserie. Leurs vanity cases tout neufs sont posés sur la commode ; sur la table trône la cage de Pudding. La pièce est élégante, ordonnée. C'est dans la cabine d'Edward, la porte d'à côté, qu'ils ont empilé les caisses avec les tentes, la sellerie, les ouvrages de référence. « Notre matériel est précieux, nous ne pouvons nous permettre de le laisser bringuebaler dans la cale », explique-t-il à tout passager le voyant

émerger, le front soucieux, de son labyrinthe de caisses. En époussetant son veston, il explique alors : « Nous partons en expédition. »

Edward ne manque jamais une occasion de parler du voyage. Au petit déjeuner, à l'heure du thé, en passant le sucre à l'autre bout de la table raffinée, il dit : « Saviez-vous que nous allons poursuivre jusqu'au Pacifique sud ? » Il lui arrive de demander : « Avez-vous de la famille à Boston ? » ou « Est-ce les affaires qui vous conduisent dans le Massachusetts ? », rien que pour qu'on lui rende question pour question, de sorte qu'il puisse répondre : « Boston n'est qu'une première étape pour nous ! » Il discute avec des architectes, des rois de l'acier américains, des douairières esseulées de Cambridge, déployant auprès de ces étrangers, observe Elsa, une aisance qu'il est incapable d'avoir avec elle.

Au cinquième jour, comme ils trouvent à leur réveil des nuages noirs barrant l'horizon, ils se réfugient dans le salon moquetté de rouge pour jouer au bésigue. C'est alors qu'ils sont abordés par un vieux monsieur qui déclare s'appeler Andreas Lordet de Belgique, voyageur au long cours, ayant pendant trois ans administré la célèbre mine de cuivre Lemaire au Congo, et désireux de se joindre, brièvement, à eux.

Le monsieur s'assied ; il contemple avec lassitude les hublots ruisselants de pluie. Il attend, dit-il, sa femme. Puis, avec une lenteur méticuleuse, il les inspecte : d'abord Edward, puis Elsa, et ensuite Alice. Ses yeux restent un moment attachés à cette dernière, intrigué par le paquet de cartes qu'elle tient à la main, et par sa façon de tenir son jeu devant elle, comme si elle hésitait entre les offrir à la manière d'un prestidigitateur et les serrer contre son cœur. De sa main ridée, rapide comme l'éclair, il fait signe au garçon de lui apporter un gin.

— Le Congo, dit Edward. J'ai passé un temps fou en Afrique-Orientale allemande. Je suis ethnologue et comme vous nous voyez là, tous les trois, nous partons en expédition à l'île de Pâques.

— Ah ! oui, l'ethnologie, répète pensivement son interlocuteur. Hum.

Ses yeux se ferment, ne se rouvrant qu'à l'instant où le serveur réapparaît avec sa commande.

— *Merci**, dit-il au garçon avant d'avaler une grande lampée de gin.

— Bien sûr, reprend Edward, le Pacifique sud n'a rien à voir avec le continent africain.

— L'Afrique ! Ah ! oui ! s'exclame le monsieur pour enchaîner, sans transition, avec la dénonciation de ce qu'il considère comme « la hargne du sauvage », un phénomène à propos duquel il compte bientôt écrire un article dans une revue universitaire. Un ethnologue tel qu'Edward sera sans aucun doute intéressé par ses observations. Et le voilà lancé sur des histoires de vol de revolvers et de bandes d'indigènes, de flèches empoisonnées pleuvant du ciel, terminant chaque récit d'une gorgée de gin, comme s'il était encore sidéré d'avoir réchappé à de tels périls.

— Et pourtant me voilà, vous voyez ? dit-il en posant son verre avec un bruit sonore sur la table. Il se frappe la poitrine avec son poing fermé.

— Il faut de la force. Du courage. De la détermination, surtout. Alors ce genre de révolte n'est plus (il gifle l'air d'une main) qu'une cure contre l'ennui.

— Ne serait-ce pas plus simple pour vous, demande Elsa en prenant une carte sur la table, de rester en Belgique et d'aller au théâtre ?

Il se tourne vers Edward :

— Le théâtre ?

Elsa réordonne ses cartes avec beaucoup de concentration. Elle en a assez de jouer les bons publics pour ce raseur.

— Ce que vous dites du courage est tout à fait vrai, approuve Edward. Quand on est étranger, on rencontre toutes sortes d'expériences nouvelles et troublantes. Le changement de régime à lui tout seul peut vous donner du fil à retordre.

— *Le théâtre** ? répète le vieux monsieur.

Vous n'êtes qu'une brute ! brûle de lui lancer Elsa. Les révoltes en guise de divertissement ! Elle en a assez entendu. Et pourquoi faut-il qu'Edward se montre aussi diplomate ? Elle sait qu'il partage son point de vue – dans son livre, il met l'accent sur la nécessité pour les sujets de la Couronne de respecter

---

* En français dans le texte, comme tous les mots en italique suivis d'un astérisque.

les peuples des colonies. Mais une dispute ? Edward ne le supporterait pas. Elle aimerait lui rappeler son dernier chapitre intitulé : « Vers une plus grande compréhension ». C'est celui qu'elle préfère, la partie de son texte qui l'incite à penser qu'Edward, non seulement décrit et étudie tous les aspects de ces sociétés, mais encore nourrit à l'égard de ces dernières un profond sentiment de sympathie. Son attitude présente, néanmoins, lui fait douter de sa sincérité.

Tout d'un coup, le regard du vieux monsieur glisse derrière Elsa, et il s'exclame :

— Hélène !

Elsa se retourne. Une élégante septuagénaire s'avance vers eux d'un pas vif. Un collier en or orne sa gorge. Elle porte à chaque poignet trois joncs d'or. Edward se lève, et Andreas procède aux présentations. Finalement, la femme s'assied au bord de la chaise et se tourne vers son mari.

— *Nous parlons voyages**, lui dit-il.

— Nous nous rendons dans la Pacifique sud, l'informe Edward. Une expédition pour la Société royale de géographie.

— Ah, *le Pacifique sud**, dit-elle. Attention aux moustiques. J'espère que vous avez une bonne provision de quinine. On ne peut jamais en avoir assez.

Ces gens, se demande Elsa, ne pensent-ils qu'à faire peur aux autres ?

— Quinine ? s'enquiert Alice, qui tient à présent dans sa main presque un paquet entier de cartes à jouer.

— Qui-nine, prononce Mme Lordet. Pour soigner les crises de paludisme. C'est extrait de l'écorce d'un arbre. Trois gouttes à l'heure du coucher.

— Des crises ! s'exclame Alice dont la main s'ouvre légèrement et laisse échapper quelques cartes qui glissent à terre.

La femme penche la tête de côté d'un air méditatif.

— On a des moustiquaires, précise Elsa. Ne t'inquiète pas, Allie.

— Des crises ?

— *Ma chérie**, commence Mme Lordet d'une voix douce. Vous n'avez pas de souci à vous faire. Il vous suffira de dire au moustique de s'en aller et de vous laisser tranquille ! Vous lui soufflez dessus et il s'envole !

Alice sourit et pose ses cartes sur la table.

— Je crois que quelqu'un a gagné la partie ! s'écria Mme Lordet.

Puis, se penchant vers Elsa dans un cliquetis de bijoux, elle murmure :

— Ma nièce d'Anvers... (Elle secoue la tête avec tristesse.) Elle est pareil.

Après quoi, elle propose d'emmener Alice regarder les parties de ping-pong.

— Mon Adèle adore suivre des yeux la balle, déclare-t-elle en mimant le va-et-vient d'un doigt pâle.

— C'est-à-dire, réplique poliment Elsa, Alice a des occupations un peu plus stimulantes... (Qu'ils sont donc fatigants, se dit-elle à part elle, avec leurs préjugés.) Vous pourriez lui demander de vous dessiner votre portrait. Elle est très douée.

— Une artiste !

La vieille dame sourit, hoche la tête avec ravissement, comme si on venait de lui présenter un singe coiffé d'un chapeau haut de forme.

— *Merveilleux*[*] ! ajoute-t-elle.

Un sourire forcé à la bouche, Elsa avance un au revoir poli et dépose un baiser sur les cheveux parfumés d'Alice. Puis elle ramasse sur la table *L'Origine des espèces* qu'elle glisse sous son aisselle. Edward sourit ; le livre, une superbe première édition, est son cadeau de mariage. La nuit avant leur départ d'Angleterre, il lui a présenté une édition de Darwin : cinq volumes, chacun relié d'un cuir bordeaux, dorés sur tranche et estampés sur la page de titre de ses nouvelles initiales de femme mariée : EPB. Elle a transporté celui-ci de sa cabine, au pont et au salon, sans trouver un moment pour lire, et se réjouit d'avoir enfin un peu de temps pour elle.

Elsa gravit les marches qui mènent au pont supérieur mais à peine a-t-elle atteint la venteuse promenade qu'elle songe à rebrousser chemin. Elle se sent malade à la pensée que cette femme va traîner Alice à travers le navire comme un animal domestique. Elsa tente de chasser cette image de son esprit. Son père l'avait toujours réprimandée à ce sujet : son désir de mettre en avant les talents de sa sœur. Alice était Alice, disait-il, quelle que soit la façon dont les gens la voyaient. L'ignorance se retournait contre ceux qui la professaient. Mais Elsa se sentait obligée de défendre l'honneur d'Alice. Même si, pris un à un, les regards dédaigneux des autres pouvaient être ignorés, elle ne pouvait s'empêcher de penser que si on les laissait se multiplier, ils finiraient par étouffer sa sœur. En plus, Elsa soupçonnait à moitié son père d'être trop fatigué, trop vieux, pour s'offusquer. Elle ne l'avait vu hors de lui qu'une fois dans sa vie : elle avait neuf ans et se trouvait avec lui et Alice dans le cabinet londonien du Dr Chapple qui leur expliquait en termes médicaux ce qu'était l'*amentia* – « état de potentialités restreintes... arrêt du développement cérébral... insuffisance des neurones corticaux. » A l'époque, une bouillie de syllabes, mais par la suite des mots qu'elle entendrait souvent répéter au fil des années. Ce qu'Elsa avait en revanche bien compris, c'est que le médecin leur signalait l'existence d'établissements où il leur conseillait d'envoyer Alice : le Royal Albert Asylum à Lancaster, la Sandlebride School for the Feeble Minded. Des endroits qui accueillaient, et cette expression s'était gravée dans la mémoire d'Elsa, *les déficients mentaux*. Elsa s'était finalement levée pour poser la question qui lui paraissait la plus pertinente :

— Pouvez-vous la réparer ?

— Ma petite fille, lui avait répondu le médecin en ôtant ses lunettes et en se frottant le nez afin d'appuyer son verdict, je crains que l'*amentia* ne soit une condition définitive et incurable, même si on peut en atténuer les symptômes grâce à une alternance judicieuse d'activité et de repos.

Son père avait acquiescé en silence.

Après quoi, le médecin s'était mis à griffonner.

— Cependant, prenez la dose que je vous indique de graines de cumin, de gingembre et de sel et tartinez le tout sur du pain avec une noisette de beurre. Cela constitue un remède parfois efficace contre les crises d'hystérie mineures.

Comme son père regardait fixement le plancher, c'était Elsa qui avait pris l'ordonnance.

Mais une fois dehors, en haut des marches devant le cabinet du Dr Chapple, à peine la porte refermée derrière eux, son père avait levé la main et giflé Elsa. Une chose qu'il n'avait encore jamais faite.

— Comprends-moi bien, dit-il, Alice n'a pas besoin d'être « réparée ». Elle a besoin qu'on s'occupe d'elle. Et je ne veux jamais t'entendre traiter la conduite d'Alice de problème ou de défectuosité. Suis-je assez clair ?

Elsa avait baissé la tête. Tout ce qu'elle voulait, c'était aider sa sœur. Elle avait refusé de répondre. N'était-ce pas elle qui prenait toujours la défense d'Alice ? Soudain, un cri perçant avait retenti à côté d'elle : Alice, la main en l'air, le visage rouge de colère, avait commencé à se tortiller et à tourner sur elle-même, tant et si bien que son bras était venu frapper son père dans le ventre avec la force d'une hélice. Comme elle s'apprêtait à recommencer, il l'avait prise par le poignet. Ses yeux étaient injectés de sang.

— Alice. Ma petite Alice.

Mais cette dernière s'était contentée de le manger du regard, la veine de son front battant de rage, sa poitrine étroite hale-tante. Il l'avait lâchée, et une fois encore, Alice avait propulsé son bras contre lui.

— Allie, avait dit Elsa en l'attrapant. Ne t'affole pas.

Leur père abaissait sur elles un regard pensif comme s'il ne savait comment réagir. C'était trop pour lui ; Elsa en avait conscience. Elle ne l'avait jamais vu aussi épuisé, l'air aussi hagard. Avec un hochement de tête, il avait descendu les marches vers le trottoir encombré de passants.

— Elsa, je l'ai tapé ! s'était exclamé Alice en s'arrachant à la poigne de sa sœur. J'ai tapé papa. Tu as vu ?

Elle s'était mise à sautiller sur place.

En tirant Alice par la manche, Elsa avait dévalé l'escalier. Elles s'étaient glissées de chaque côté de lui.

— Père, dit Elsa. S'il vous plaît... Père.

Il ne s'était pas arrêté ; il ne les avait même pas regardées.

— Pardonnez-moi, Père.

— Hum ? Qu'y a-t-il ?

— Pardonnez-moi.

— Elsa demande pardon ! avait hurlé Alice.

Il semblait désorienté.

— Respire à fond, Elsa. Calme-toi. Pourquoi prends-tu tout cela tellement à cœur ?

— Elsa demande pardon !

— Pour quoi, Seigneur ? avait-il dit en levant les yeux au ciel et en exhalant un énorme soupir. Non, personne n'a rien à se reprocher. Allons, rentrons à la maison avant la nuit.

Ils s'étaient hâtés au long des trottoirs en silence, comme si rien ne s'était passé.

Sur le pont-promenade du paquebot inondé de pluie, Elsa entend le grondement des machines, la voix aiguë d'une mère interdisant à son enfant de courir, les murmures d'un couple penché sur le garde-fou pour mieux voir le soleil percer les nuages. La pluie a cessé, mais un vent glacial balaie le pont. Elle fait courir ses doigts sur la rampe froide tout en scrutant l'horizon. Plus d'Angleterre ; plus d'Europe. Est-il vraiment possible de laisser le passé derrière soi ? recommencer à zéro ? Mais Elsa ne connaît que trop bien cette aspiration en elle. Au moment de son départ pour son premier poste de gouvernante, elle s'était figurée que c'était possible, qu'elle allait pouvoir se libérer du carcan de la bienséance et devenir une jeune fille insouciante, comme celles qu'il lui était arrivé d'envier. Mais le carcan était trop bien fixé depuis trop longtemps et, en dépit de ses espoirs, et de ses efforts, il avait tenu bon.

S'asseyant sur un banc protégé de la pluie, elle ouvre *L'Origine des espèces*. Elle en a déjà lu des bribes – son père, bien entendu, l'avait dans sa bibliothèque ; et elle l'avait souvent déniché dans celles de ses employeurs. Mais ce volume-ci était le sien. Reliure en cuir bordeaux, magnifique. Elle sourit à la pensée qu'elle peut en froisser les pages. Ecrire dans la marge. Renverser du thé sur le papier ivoire intact. « Première édition », cela ne signifie pas grand-chose ; ce qui compte, c'est que le livre est à elle, et à ce titre doit porter la marque de l'usage qu'elle en fait. Avec cette idée en tête, Elsa se reporte à l'introduction et écorne entre pouce et index le coin supérieur de la page. Voilà. Elle lève les yeux, peut-être pour s'assurer que personne ne l'a vue. Un geste idiot, certes, mais qui la remplit d'une subite satisfaction, comme si ce petit acte de vandalisme, ou de rébellion, avait l'espace d'un instant compensé la prudence de toutes ses autres décisions.

Elsa se met à lire, en soulignant au crayon les passages qui l'intéressent. Ce qui lui procure aussi un immense plaisir, de sorte qu'elle se demande si elle n'est pas le jouet de quelque instinct primitif. Ses élèves ornaient toujours de leur nom leurs manuels – couverture, dos, pages au hasard – comme s'il était vital pour elles d'archiver leur apprentissage, de marquer le territoire où s'aventurait leur esprit. Suis-je autre chose, s'interroge-t-elle, qu'une écolière espérant voir quelques-unes de ses possessions rappeler au monde son existence ?

Elle poursuit sa lecture.

« Il existe un parallélisme frappant entre les lois de la vie dans le temps et dans l'espace. Les lois qui ont réglé la succession des formes dans les temps passés sont à peu près les mêmes que celles qui au temps présent déterminent les différences dans les diverses zones. »

Elle a l'impression que les mots la traversent comme un flot. *Temps passé, temps présent.* Oui, il y a dans tout cela quelque chose de vaste, plus vaste que ce paquebot et que cet Océan sans fin. Elsa griffonne une note, tourne la page et se prend soudain à sourire. J'adore cela, songe-t-elle. Comme si j'étais un vrai savant. Toutes ces leçons de grammaire, de géographie, de mathématiques envolées : et, maintenant, place à Darwin et sa stupéfiante théorie.

Un éclat de rire la tire de ses réflexions. Un peu plus loin sur le pont, deux jeunes femmes en chapeau de paille se promènent. Leurs yeux sont fixés sur un jeune homme occupé à lire, et quand elles passent devant lui, une explosion de rires l'oblige à lever son regard de sa revue. Voyant qu'elles ont gagné, elles se rapprochent si près l'une de l'autre que leurs chapeaux forment un dais au-dessus d'elles. Il y a chez ces femmes une aisance, une désinvolture qu'Elsa envie. Elle n'a jamais été comme cela. Depuis qu'elle est petite, elle vit dans un état de vigilance permanente. Elle a toujours été responsable d'Alice, et de son père. Alice avait besoin de sa patience. Son père, de son obéissance. Et quand elle était devenue gouvernante, Elsa avait à contrecœur acquis la plus dure pour elle des dispositions : l'humilité. A force, ces obligations avaient distillé en elle un sérieux qui rendaient les autres mal à l'aise. Les hommes en particulier. Après tout, elle n'était pas laide ; sa peau était lisse, ses cheveux châtain soyeux quoiqu'un peu fins. Quand elle se regardait dans la glace, ses traits lui semblaient doux et réguliers, et elle se trouvait tout aussi jolie qu'une autre. Et pourtant, la tension qui se dégageait de sa personne poussait les hommes à regarder plutôt du côté des filles d'humeur plus légère. Même Max, qui partageait pourtant cette gravité, avait, au départ, esquissé devant elle un mouvement de recul.

Plusieurs jours après son retour de Kiel, il était passé dire bonjour dans la salle de classe. Elsa, attablée avec Otto et Huberta, leur faisait réviser les prépositions anglaises, quand il s'était approché et avait posé une main sur la tête des enfants. En baissant les yeux sur leurs livres, il avait demandé à Otto, l'aîné, en anglais :

— Et que penses-tu de la nouvelle gouvernante ?

— *Sehr gut, Papa.*

— L'a-t-on fait venir d'Angleterre pour t'aider à parler l'allemand ?

Il s'était tourné alors vers Elsa, avant d'ajouter :

— Vous êtes bien installée ?

— Oui.

— Les prépositions ?

— Oui, monsieur.

— Excellent.

Là-dessus, il était parti. Un mois entier s'était écoulé avant qu'il ne lui adresse de nouveau la parole. Elle en concluait que ce désintérêt signifiait qu'elle faisait bien son travail. Le personnel était semblable à la fondation d'une maison : il valait mieux ne pas le voir.

Leur conversation suivante avait eu pour sujet une montre à gousset qu'Huberta avait chipé dans le bureau de son père et, lorsque Elsa avait essayé de la récupérer, elle l'avait laissé tomber dans l'escalier en marbre. En la ramassant, Elsa avait constaté que le verre était fêlé. Et plutôt que d'exposer Huberta – qui était capricieuse et maladroite, et lui rappelait parfois Alice – à une réprimande, Elsa avait déclaré à la femme de chambre principale qu'elle avait elle-même brisé l'objet et que le prix de la réparation devait être retiré de ses gages.

Le lendemain, il l'avait interrompu pendant la leçon. Ils avaient, à l'entendre, une histoire de dette à régler.

— Oui, monsieur ?

Elsa avait fermé les livres et posé ses mains dans son giron.

— Ma montre. Qu'est-ce qui vous a pris de la faire réparer à vos frais ?

Huberta, qui se débrouillait de mieux en mieux en anglais, s'était trémoussée sur sa chaise.

— Je ne comprends pas.

Puis, tout d'un coup, la chose lui était apparue : la montre était déjà endommagée quand Huberta l'avait chapardée.

— Monsieur, je vous présente mes excuses.

Il s'était attardé encore un moment, regardant les enfants, les livres, Elsa.

— Je l'ai reçue quand j'avais treize ans.

— Qu'aviez-vous reçu ?

— La montre, elle appartenait à mon père.

— Très bien, monsieur.

— Elle compte beaucoup pour moi.

— Oui, monsieur.

— Pour quelqu'un qui enseigne la conversation, votre anglais est assez limité.

Elsa n'aimait pas être poussée dans ses retranchements. Dans une position comme la sienne, on n'était jamais trop prudent de ce point de vue. Les employeurs étaient des êtres lunatiques. Un jour – mettons qu'il pleuve, ou qu'ils n'aient pas bien dormi – ils vous poussaient à raconter votre vie, ou vous racontaient la leur. Et ensuite, craignant que vous en profitiez pour travailler moins et répandre des ragots, ils devenaient glacials et prenaient de grands airs. Si vous aviez été assez bête pour croire à leur amitié, c'était la gifle assurée. Il était plus simple, et plus sage, de ne jamais se laisser embarquer dans cette voie.

— Sans doute, dit-elle.

— Bien. Continuez. Mais si le besoin s'en fait sentir, n'hésitez pas à leur apprendre quelques phrases complexes.

Ils ne s'étaient plus reparlés jusqu'au jour où elle avait reçu une lettre de son père à propos de la proposition de loi sur les faibles d'esprit. Elsa s'était retirée sur son banc préféré dans le jardin pour la lire, l'air manifestement bouleversé. Et quand Max, qui se promenait, lui avait demandé ce qui n'allait pas et s'il pouvait s'asseoir à côté d'elle, Elsa, trop malheureuse, trop soucieuse, n'avait pas réagi. Alice était si présente dans son esprit qu'elle s'était aussitôt mise à parler d'elle, elle avait décrit ses crises, ses talents, le terme *amentia*, les détails de la législation. Avec une spontanéité qui frisait l'inconvenance, mais cela n'avait pas paru gêner Max. Il semblait intrigué par ce mal dont souffrait Alice, comme s'il s'agissait d'une énigme qu'il lui fallait résoudre. Il s'était caressé la barbe et avait regardé droit devant lui pendant les explications d'Elsa. Le vent bruissait dans l'arbre au-dessus d'eux et les ombres au soleil couchant s'allongeaient tout autour, les isolant dans une sorte de sanctuaire de lumière. Car Elsa avait conscience que nulle part ailleurs il n'aurait pu lui prêter cette oreille attentive. Et c'était chez elle cette perspicacité qui, justement, le mettait à son aise.

Même après d'autres rencontres, quand il s'était mis à emmener les enfants faire de longues randonnées auxquelles il insistait qu'elle participe, passant des heures à leur apprendre le nom des arbres et des plantes, même après qu'il eut réussi à la voir seule à plusieurs reprises, lorsque sa femme, Margarete, était partie rendre visite à des amies, Elsa ne s'était jamais comportée avec lui autrement que comme une employée. C'était une amitié, une relation de simple camaraderie, que ni l'un ni l'autre ne pensaient susceptible de prendre une autre tournure. Il leur était agréable de parler ensemble, et ils éprouvaient l'un pour l'autre une sympathie réciproque, quoiqu'au départ, Elsa n'aurait pas pu dire ce qui lui plaisait chez lui. Max était beau, mais Elsa n'était pas très sensible à ce genre de considération. Il était intelligent, mais elle avait côtoyé de nombreux hommes de cette espèce à l'université. Max, cependant, était le premier à ne pas avoir besoin que l'on s'occupe de lui. De temps à autre, elle l'entendait perdre son sang-froid dans une aile écartée de la maison, sa voix tonnant quelques instants au sujet d'un télégramme transmis en retard, d'une porte laissée ouverte, mais cela ne durait jamais. Il n'avait jamais l'air mécontent, ni fatigué, ni nerveux, et à l'office, les domestiques plaisantaient en disant qu'il les rendrait fous à force de n'avoir besoin de personne. Il y avait en lui une force redoutable qui attirait Elsa. Etait-ce de la jalousie ? Il n'y avait pas moyen de savoir. Et puis, contre toute attente, elle était tombée amoureuse. Elle se demandait parfois si le fait d'avoir été si loin d'Alice ne l'y avait pas autorisée. Si sa sœur s'était trouvée là, ce ne serait jamais arrivé. Elle en est convaincue.

Mais Elsa est heureuse, à présent, d'avoir Alice auprès d'elle. Et peu à peu, ses doutes au sujet de ce voyage s'estompent. Edward a promis qu'ils rebrousseraient chemin s'il se révélait trop pénible pour Alice, mais jusqu'ici, elle est ravie. A Southampton, en quittant le port, elle avait poussé des cris et salué avec de grands gestes la foule rassemblée sur le quai. Elle avait exploré et dessiné tous les ponts du paquebot. Et les agréments du voyage – les livres, les sacs – l'enchantaient. Plusieurs fois par jour, Alice ouvre sa petite sacoche en cuir, en examine le contenu, puis la referme et la range sous son lit. A l'intérieur, elle a rangé un peigne et un miroir, une petite paire de ciseaux pour les ongles de Pudding, une photographie de leur père, le sachet parfumé en soie qu'Elsa lui a acheté, une poignée de craies et de crayons attachés avec un ruban bleu, des jumelles, le bol de bonbons en argent du salon d'Edward (qu'elle dispose sur la commode en évidence chaque fois qu'Edward sollicite d'entrer – « Pas encore ! » s'écrie-t-elle tandis qu'il s'attarde dans l'embrasure de la porte, les mains sur les yeux), et, malgré tous les arguments d'Alice disant qu'elle n'en aurait pas besoin, un dictionnaire allemand-anglais – le même qu'Alice avait vu Elsa glisser dans sa valise lors de son premier départ de la maison.

Bien sûr, la plus longue, et la plus dure partie du voyage est encore devant eux. Le climat tropical, les langues bizarres, les mœurs inconnues. Les périls, elle le sait, n'ont rien d'imaginaire. Mais n'y en avait-il pas en Angleterre ? Toute cette histoire de commission royale sur le sort des faibles d'esprit, les innombrables articles et les propositions, la loi qu'ils avaient essayé de faire passer en douce au Parlement pour rendre l'internement obligatoire, tout cela la terrifie. Son père, pendant les derniers mois de sa vie, avait envoyé trois lettres au *Daily Telegraph* dénonçant la *Revue d'eugénisme, The Journal of the Eugenics Education Society*, et ses idées sur la stérilisation comme moyen de prévenir la propagation de la débilité. « La propagation ! » s'était-il écrié en toussant dans son lit, jetant à terre le périodique. « Ils croient peut-être que c'est comme la variole ? » Le plus effrayant, c'était que le nom d'un des fondateurs de cette revue n'était autre que le Dr William Chapple, celui-là même qu'ils avaient consulté quelques années plus tôt pour diagnostiquer ce dont souffrait d'Alice.

Lorsque, avec l'aide d'Edward, Elsa avait rangé le bureau de son père, elle avait trouvé dans un tiroir les derniers numéros de la revue. Pourquoi les avait-il conservés ? Pensait-il qu'en les gardant à portée de main, il serait en mesure de contrôler leur contenu ? Cela lui ressemblait bien de croire qu'à force d'écrire des lettres de dix pages, le problème finirait par se résoudre. On ne le prendrait pas en flagrant délit d'indolence, il était hors de question qu'il se soumette. Cela dit, cette ardeur à la tâche n'était pas toujours bien orientée. Preuve en était ses investissements considérables, et très mal avisés, dans le textile. En contemplant les livres recouverts de poussière et cet océan de papier – le principal de son héritage –, Elsa songeait : Je suis sans le sou. Sa vigilance ne suffirait pas à garantir qu'Alice ne tombe pas entre les mains de ces médecins déments. Elsa sortit les revues du tiroir et chercha des yeux la corbeille à papier dans le fouillis.

— Je vous en prie, miss Pendleton, lui avait lancé Edward depuis l'autre côté de la pièce. Reposez-vous. Je me charge volontiers de remettre un peu d'ordre là-dedans. Ce genre de chose est toujours une épreuve.

— Je me sens très bien, professeur, avait-elle répliqué d'un ton froid qui le tira brutalement de ce moment de tendresse.

De toute évidence, il était déconcerté par son absence apparente de détresse, par le calme qu'elle avait montré aux funérailles. Pourquoi Edward et les autres s'attendaient-ils à la voir plongée dans l'affliction ? Si elle n'avait pas eu autant d'autres soucis, peut-être en aurait-il été autrement.

— Je cherche seulement un endroit où jeter ces âneries, avait-elle ajouté en regardant autour d'elle.

En réalité, il n'y avait là rien à garder : des valises et des caisses bourrées à craquer de papiers, de livres et de brochures. Finalement, Elsa se résolut à déchirer les revues une à une et à en éparpiller les morceaux sur le plancher.

— Voilà. Maintenant, je ne pourrai plus les confondre avec des choses de valeur.

— Je comprends votre irritation. L'Eugenics Education Society. Une affaire épouvantable.

— Père vous en aura sûrement parlé.

— Un peu. Oui, dit Edward en secouant la tête. C'est scandaleux, vraiment. C'est ce que nous concocte notre corps médical britannique ? Pas une cure, pas un remède, même pas une tentative pour adoucir les souffrances de ceux qui en sont atteints. Mais l'internement ? L'emprisonnement ? La stérilisation ? Grands dieux !

Il avait jeté les mains en l'air.

Cette subite envolée avait étonné Elsa : Edward avait à peine desserré les dents de la matinée tandis qu'ils remplissaient caisse après caisse. Mais la colère s'avérant contagieuse, elle se fit un plaisir d'exprimer sa frustration.

— Ce sont des imbéciles doublés de lâches, professeur. Pas un praticien parmi tous ceux que nous consultons depuis dix-huit ans n'a pu nous expliquer ce qui était arrivé à Allie. Nous avons dû en voir vingt, et aucun n'a su nous dire si elle était née comme ça, si c'était un accident à la naissance. Et, comme ils ont beau faire, ils ne parviennent pas à identifier la cause de cette différence, que décident-ils ? Ils veulent que tous ceux qui sont différents disparaissent, pour la simple raison que leur existence leur rappelle leur propre incompétence.

— A force de ne songer qu'à la Nation, la Grande-Bretagne va trop loin. Le bien-être de la collectivité prend le pas sur celui de l'individu. C'est un trait lamentable de notre culture. Chez les Hoonai et les Mugundi d'Afrique de l'Est, ceux qui naissent avec une infirmité ou une caractéristique sortant de l'ordinaire sont considérés comme des enfants que les dieux ont confiés aux hommes pour qu'ils s'occupent d'eux.

— Je devrais peut-être emmener Allie en Afrique de l'Est.

— Ne vous inquiétez pas, miss Pendleton. Nous ne permettrons pas qu'il arrive quoi que ce soit à Alice.

Oui, pense Elsa, il disait déjà « nous » : « nous ne permettrons pas »... Avant même qu'il ne lui demande sa main, comme s'il s'attendait à prendre Alice en charge. Et avec quelle froideur elle s'était conduite avec lui. Pouvait-elle deviner qu'il allait l'aider à se soustraire à la menace qui alors suscitait chez elle un tel détachement ?

Lorsqu'il avait évoqué ce voyage dans le Pacifique sud, il avait parlé de la protection d'Alice, du havre des rivages lointains.

— Elsa, vous et votre père avez toujours veillé à ce qu'Alice soit entourée de ceux qui l'aiment. Ce voyage, certes, la transportera loin de l'Angleterre, mais elle sera avec les siens, avec ceux qui tiennent à elle. Ce sera bon pour elle. *Desideratum*. Il n'y aura plus aucun risque qu'une horrible législation viennent vous la prendre, nous la prendre.

Il avait raison.

Seulement Elsa espère que les habitants de l'île de Pâques sont aussi tolérants que les Hoonai et les Mugundi.

*

Le soir, ils travaillent dans le petit salon du paquebot.

— Nous allons être savants avant de débarquer, déclare Edward, assis au bord d'un canapé en velours, occupé à trier des papiers.

Il a des cartons entiers de correspondances de membres de la Société royale de géographie. D'autres personnes, ayant appris le départ de l'expédition dans les journaux, ont écrit pour offrir leurs services ; en tout on compte trente-trois dépôts de candidature pour la position d'économe. Des géologues réclament qu'on leur rapporte des spécimens de chaque port d'escale. Certains vont même jusqu'à proposer des théories : « *Je dois vous informer, monsieur le professeur, que votre île mystérieuse est un vestige d'un continent englouti qui porte le nom de Lémurie (voir carte ci-jointe) et dont je suis originaire.* » D'autres transmettent des messages en guise d'avertissement : « *"Les eaux montèrent de plus en plus sur la terre et toutes les plus hautes montagnes qui sont sous tout le ciel furent couvertes. Les eaux montèrent quinze coudées plus haut, recouvrant les montagnes. Alors périt toute chair qui se meut sur la terre ; oiseaux, bestiaux, bêtes sauvages, tout ce qui grouille sur la terre, et tous les hommes." Vous allez parcourir des milliers de kilomètres, alors que la réponse à votre "mystère" se trouve dans les Saintes Ecritures ? Ne provoquez pas Son ire !* »

L'extraction de faits profitables dans ce fatras revient à Elsa. Mais autant chercher une aiguille dans une botte de foin. Et pourtant, elle se prend souvent à lire de longs passages inutiles. « *J'ai toujours voulu voyager. J'ai un jour rêvé d'une île dans le Pacifique. Mon fils, que la phtisie a emporté l'année dernière, souhaitait devenir archéologue.* » Ces aperçus de la vie de gens qu'elle ne rencontrerait jamais sont en quelque sorte une porte qui s'ouvre sur de nouveaux horizons grâce à cette expédition. Aussi, sans se presser, au son d'un tango endiablé qui monte de la salle de bal en contrebas, elle dresse une liste de mots polynésiens. *Bonjour, paix, nourriture, eau potable*, en tahitien, hawaïen, samoan et tongan. Elle épluche tout ce qui concerne le climat de l'île, son régime pluvial et ses moyennes de température. La flore et la faune ont leurs propres listes. Et à mesure qu'elle engrange toutes ces informations, il commence à se former une image de leur mystérieuse destination : des coteaux couverts d'herbage, des centaines de moutons, des vents vigoureux soufflant de l'Océan.

— Je n'ai pas de cahier ! Pourquoi ?

Alice, qui, assise par terre, déplie consciencieusement les lettres pour la pile d'Elsa, s'arrête net. Elle fixe sa sœur :

— Alice doit avoir un cahier.

— Mais tu as ton journal, Allie, avance Elsa.

— C'est vrai. J'ai mon journal. Qu'est-ce que je mets dedans ?

— Tout ce que tu veux, Alice, dit Edward avec chaleur en levant les yeux du tas de papiers épars devant lui – le travail le détend.

— Des dessins. Tu sais, tu devrais être l'artiste officielle de l'expédition, observe Elsa.

— Mon cahier est dans la chambre. Je veux aller le chercher.

Leur cabine n'est qu'à quelques pas, et Elsa permet à Alice de s'y rendre, à la condition qu'elle y aille sans courir, qu'elle prenne ce qu'elle est partie chercher et revienne tout de suite Alice disparaît en un éclair. Elsa ferme son cahier et surveille l'étroit corridor. Lorsque Alice refait son apparition, elle tient son journal dans une main, et la cage de Pudding dans l'autre.

— Allie...

— Il voulait visiter le navire !

— Pose-le derrière le canapé. On est dans un salon. S'il se met à faire du bruit, il faudra le ramener.

— Silence, Pudding. Ou Elsa va se débarrasser de toi.

Alice se campe dans un fauteuil en imitant l'attitude studieuse d'Elsa avec des gestes théâtraux, et étale le cahier vierge sur ses genoux.

— Qu'est-ce que tu vas dessiner ? demande Elsa.

— Qui appartient à l'expédition ?

— Nous tous. Toi, moi et Edward.

Un sourire malicieux plisse les lèvres d'Alice.

— Trois personnes.

— Trois, oui, en effet, Allie.

Alice compte trois pages. Elle regarde Elsa :

— Des portraits.

— Parfait. Trois portraits.

Comme Alice se penche sur son cahier, un jeune couple, habillé avec élégance, passe tranquillement à côté d'eux.

— Bonsoir ! leur lance Edward.

Le couple lui rend son salut, mais Elsa voit bien, à la façon dont leurs yeux scrutent Edward, le tas de feuilles éparses, puis Alice, elle-même et la cage immaculée de Pudding, qu'ils ne savent trop que penser de leur petit groupe. Le perroquet crie, et la femme se saisit du bras de son mari.

— Un oiseau, lui indique-t-il. C'est juste un oiseau.

— Allie, gronde doucement Elsa.

— Pudding ! gronde carrément Alice.

— Je t'ai prévenue. Il faut le ramener.

— Qu'est-ce qu'il y a dans ton cahier, Elsa ?

— Allie.

— Qu'est-ce que tu écris ?

— Des mots dont je me servirai quand nous rencontrerons des gens qui ne parlent pas notre langue.

— Mets-en dans mon cahier.

— Très bien.

Elsa prend le livre sur les genoux d'Alice et écrit :

Iorana : Bonjour
Ahi : Feu
Ana : Grotte

— Tu vas apprendre ces mots de manière à pouvoir les dire quand nous arriverons. Tout le monde aura envie de te parler.

Alice sourit, puis s'empare du cahier d'Elsa sur ses genoux.

— Tu as besoin de dessins.

Sous leurs pieds, une nouvelle chanson démarre. Lente, avec violons. Elsa imagine tous les couples en tenue de soirée qui se tiennent par les mains et se balancent. Elle imagine les deux jeunes femmes qu'elle a aperçues sur le pont dans de longues robes blanches, leurs yeux cherchant l'homme au magazine. Elle voit le couple de Belges évoluant sur la piste de danse, le collier de la femme éclairé par le clair de lune qui entre par le hublot. Mais dès qu'elle pose son regard sur Alice, elle repousse la vision.

— Des dessins. Oui. J'en ai besoin, non ? Tu crois que tu pourrais m'en faire quelques-uns ?

— Peut-il rester ? supplie-t-elle en se tournant vers Pudding.

— Bon, d'accord, Allie. Il peut rester.

*

Au bout de deux semaines en mer, ils arrivent dans le port de Boston et Elsa dit un au revoir silencieux au vaste paquebot, aux élégants inconnus, à la salle de bal, à la salle de jeu, aux promenades couvertes. Debout au milieu du tohu-bohu du pont, derrière les fortifications de leurs caisses, elle observe la houle des merveilleuses retrouvailles : les valises que l'on laisse tomber, les bras qui s'ouvrent tout grands, les noms qui fusent : *Charles ! Clarissa ! Père !* Les malles sont enfournées dans les coffres des automobiles. Les jupes se retroussent dans des petits poings serrés tandis que les chaussures à boucles noires se glissent, l'une après l'autre, à l'arrière de ces mêmes autos. Les portières claquent. La foule devient clairsemée, les autos s'éloignent dans des grondements de moteur. Comme c'est étrange, se dit Elsa, de voir les gens passer d'un contenant à un autre. De paquebot à automobile. Et bientôt, sans doute, d'automobile à appartement, ou maison. Elle avait toujours aimé être dehors, sur son Humber ou se promenant dans Kew Gardens. Le mouvement l'apaisait, lui procurait une sensation de progrès et de liberté. Le soir de la mort de son père, après avoir appris l'état de ses finances, Elsa avait pris la bicyclette d'Alice (la sienne souffrait encore des blessures infligées par l'aiguille à chapeau de sa sœur) et avait roulé dans les rues qui s'enténébraient, plus vite que jamais auparavant, les jambes en feu, comme si en pédalant très fort elle pouvait laisser loin derrière elle le malheur et se projeter dans une vie toute neuve, lumineuse.

Et à présent le mouvement l'emmène bel et bien vers une nouvelle vie. Ils ont traversé l'Atlantique et bientôt longeront à la voile les côtes de deux continents. Elsa brûle de crier à tous ces gens : Nous ne nous laisserons pas enlever par une automobile ! Nous ne nous laisserons pas border dans les lits étroits de maisons bien rangées ! Nous sommes des aventuriers ! Et elle reste debout au milieu des boum ! et des crac !, souriante, la main sur le rebord d'une caisse, jusqu'à ce que monte vers eux sur la passerelle un jeune homme au visage rougeaud qui se présente comme étant Ryan Fitzpatrick.

— Fitzpatrick et fils ? s'enquiert Edward.

— Fils numéro quatre. Le meilleur pour la fin. Je suis venu vous conduire à votre goélette.

Il engage quatre porteurs et les précède le long d'une longue jetée. Ils ne tardent pas à arriver à la hauteur d'une goélette américaine de cinquante-deux pieds de longueur qu'Edward avait réservée d'Angleterre. Ils ont un contrat de location de quatre ans, subventionné par la Société royale de géographie ; deux ans sur l'île et un an par trajet.

— Visitez donc le bateau, leur dit Edward qui doit vérifier un tas de paperasse avec Ryan Fitzpatrick.

Elsa fait descendre à Alice les quatre marches qui mènent à une longue cabine principale. Lambrissée d'un épais bois blond vernis, elle est lumineuse et gaie. L'espace est divisé entre la cuisine – un fourneau et une glacière – et une salle à manger. Le coin salon offre deux canapés à hauts dossiers dans le fond. En tout, la cabine n'est pas plus grande que les combles que lui allouaient ses employeurs. Elle l'avait imaginée plus spacieuse. Mais il y a le pont, où elle passera le plus clair de son temps. Derrière l'escalier, une porte en bois mince s'ouvre sur une cabine carrée assez grande : la cabine du capitaine, équipée d'un seul grand lit. C'est là qu'elles vont dormir, Alice et elle.

— Ça te plaît ? demande Elsa. Comme chez papa quand on étaient petites.

Alice inspecte la pièce.

— Et Pudding, où on va le mettre ? A la maison, il est sur la commode. Mais je n'en vois pas ici.

— On peut peut-être installer un crochet et suspendre la cage.

Mais Alice est déjà sur le lit, à quatre pattes sur le matelas, poussant une trappe dans le plafond.

— Un passage secret !

— Attention, Allie.

Elle pousse l'écoutille qui, avec force grincements, finit par s'ouvrir brusquement.

— Regarde, Elsa ! Regarde !

La tête d'Alice a disparu dans la partie supérieure. L'instant d'après, avec un petit cri, elle se baisse vivement.

— Allie, tu ne dois pas sortir la tête comme ça n'importe comment. Tu pourrais te faire mal. Et Dieu sait si cette écoutille est assez solide.

Mais Alice est rouge comme une pivoine. Elle se penche vers Elsa, les yeux écarquillés, et chuchote :

— J'ai vu Beazley.

Edward engage deux Irlandais, Kierney et Eamonn, pour les emmener jusqu'à l'île, après quoi ils se débrouilleront tout seuls pour trouver un passage pour le Chili. La Société se charge de leur trouver un équipage pour le voyage de retour. Les hommes dormiront dans la cabine avant. Ils sont jeunes, la peau tannée, et très musclés, mais ils sont recommandés comme fiables et expérimentés. Ils se vantent de tous les ports qu'ils ont vus, les vendeurs chinois de San Francisco, les voleurs d'Acapulco, tandis qu'ils chargent la suite sans fin des provisions de charbon et d'eau, de papier et d'encre, de thé et de biscuits, de viande fraîche, de fruits et de légumes, de bandages, d'appareils photo. Kierney, avec force sourires édentés à l'adresse d'Elsa, s'arrête pour examiner chaque pièce d'équipement avant de transporter celui-ci dans le bateau.

— Regarde-moi ça un peu, Eamonn. T'as déjà vu un machin pareil ? s'écrie-t-il en agitant de haut en bas un grand vernier. Tu crois que ça sert à quoi ? Au chirurgien pour tenir la tête des malades à qui il veut ouvrir le ventre ?

— Pose-le donc et arrime-le bien pour qu'il te saute pas à la figure au moment d'appareiller. Tu vois dans cette cale ? Tu vois toute la place vide qu'il y a ? On va la remplir. Toi et moi. Et bavarder va pas avancer nos affaires.

— Aïe ! soupire l'autre en regardant Elsa. On dirait ma mère !

Après plusieurs jours consacrés à s'approvisionner, à faire les bagages, à vérifier l'état du bateau, le 6 avril, les matelots hissent les voiles, et Elsa et Alice voient la goélette s'ébrouer et prendre vie. Edward, très beau et pas peu fier dans son nouveau costume blanc, se campe au poste de pilotage. Au-dessus de leurs têtes, les voiles se gonflent, et ils se glissent hors du port de Boston.

Portés par un vent favorable, ils bénéficient d'une première semaine de navigation parfaite. Installée sur le pont, Elsa étudie les gréements et autres pièces du bateau et apprend à connaître leur nom : guindeau, ce taquet qu'en anglais on appelle *Aladdin cleat*, parce qu'on y suspend une lampe et aussi le tuyau de la cheminée de la cuisine qui porte le surnom de *Charley Noble*. Elle s'accoutume au rythme singulier de la vie à bord, aux brusques revirements de la bôme, à hisser rapidement des voiles alourdies par l'eau. Elle s'habitue à détacher et à arrimer chaque après-midi la théière et la boîte à biscuits, une corvée dont elle a tôt fait de comprendre l'utilité, quand, deux jours après avoir quitté Boston, elle reçoit un melon dans le creux du dos.

Au large du cap Hatteras, ils essuient une tempête. Le pont est balayé par la pluie et un vent violent. La goélette tangue pendant des heures, et Alice court dans la cabine principale se cramponner alternativement à Elsa et à Edward, puis vomit sur les cartes de navigation.

— Eh, dis donc, la petiote ! Un bateau, c'est pas fait pour ce genre de bêtise ! crie Kierney en essuyant les cartes tout en s'éventant à cause de l'odeur. Je préfère être mouillé, au moins je prendrai l'air.

Alice se recroqueville sous les marches.

— Alice, vilaine, marmonne-t-elle. Vilaine Alice. Pas de bêtise.

Ses yeux sont tournés vers son domaine privé intérieur.

— Allez prendre l'air, oui, et prenez votre temps, indique Edward au matelot en montrant le pont d'un geste de la main.

Kierney reste vissé sur place.

— Vous ne voulez pas ? Alors je vous suggère de vous ressaisir ou bien vous n'aurez que trop de temps pour visiter Recife. Je crois que le Brésil vous plaira beaucoup.

Elsa ne peut s'empêcher de sourire : Edward tient bon. Et en plus, pour Alice. Dans la pénombre, Edward remarque son sourire et sourit à son tour, comme à part lui.

*

Juin les trouve au large de la côte du Nord-Est brésilien. A des semaines du port de Recife, le calme plat conjugué à un courant du Sud remontant vers les Guyanes les immobilise. Hormis quelques granulations çà et là, l'Océan étend des eaux lisses à perte de vue. L'air est chaud et épais, le soleil lui-même semble vibrer. Pendant des jours et des jours, Elsa, assise sur le pont du bateau encalminé, contemple les carrés de toile qui ne bougent pas, le cerveau ramolli, les pensées voguant vers sa lettre à Max. Elle l'imagine dépliant les feuillets, examinant à la loupe chaque phrase comme s'il s'agissait d'un code à déchiffrer, les lisant à haute voix, observant leur sonorité. Elle l'a déjà vu étudier des cartons d'invitation comme si c'étaient des charades. Est-ce que ce sera la première fois qu'il pensera à elle depuis des mois ? Ses obligations l'ont-ils distrait à ce point ? Après tout, il n'occupe presque plus ses pensées à elle. Mais à cause de cette stagnation, elle ferme les yeux et songe à lui, malgré elle. Et cela ne fait que l'attrister, et cette tristesse semble perturber Alice. Parfois, en ouvrant les yeux dans la lumière éblouissante, Elsa l'aperçoit, assise de l'autre côté de la bôme, qui la regarde d'un air accusateur, comme si elle savait que l'esprit d'Elsa avait dérivé vers des sphères où elle n'avait pas de place.

Ces regards accusateurs rappellent toujours à Elsa ce qui s'était passé avec Rodney Blackwell. C'était il y a des années, elle avait seize ans, et Rodney, le fils du président de la Zoological Society, l'avait brièvement courtisée. Il l'avait emmenée à des matchs de cricket, à Kew Garderns, au Old Vic voir *Macbeth* et, un jour, après l'avoir supplié, dans un des nouveaux taxis automobiles. Ils se plaisaient, sans plus, dans la compagnie l'un de l'autre. Rodney aimait discuter du *Discours de la méthode*, du *Home Rule* ou des incuries du régime parlementaire. Les idées et les questions politiques le passionnaient. Il ne ressentait rien pour Elsa qui pouvait ressembler à un attachement sentimental, et cela cette dernière le savait. Il était guidé par sa seule curiosité intellectuelle. Enfant, il s'était enduit la main de miel pour se faire piquer exprès par une abeille.

Un soir, debout devant la porte de la maison paternelle, il avait ôté son chapeau et dit : « Elsa, j'aimerais qu'on essaye de s'embrasser avant de se quitter. » Elsa n'avait jamais reçu de baiser et, comme Rodney, quoique à un degré moindre, elle était curieuse, elle avait répondu : « Bon, d'accord. » Il avait fait un pas en avant et avait appuyé sa bouche tendue contre la sienne. Elle avait senti l'odeur de ses cheveux, de son eau de toilette, le bout froid de son nez contre le sien. Quand il s'était écarté, elle avait déclaré : « Voilà. Quelque chose de nouveau. Bon, eh bien, bonsoir, maintenant. » Puis elle avait fermé la lourde porte et gravi l'escalier sur la pointe des pieds jusqu'à sa chambre, et là, elle avait vu Alice, dans sa chemise de nuit blanche, assise sur les coussins au bord de la fenêtre. Alice était restée un moment silencieuse, puis elle avait couru vers elle.

— Je suis Rodney ! Je suis Rodney !

— Allie ! Tu vas réveiller Père, avait répliqué Elsa d'un ton cassant.

Alice avait battu en retraite.

— Excuse-moi, Allie. Viens ici. Sans faire de bruit.

— Pourquoi est-ce que je ne peux pas t'embrasser ?

Elsa avait regardé les cheveux d'Alice, défaits, une couronne de boucles encadrant son petit visage. Ses sourcils étaient froncés.

— Tu veux vraiment m'embrasser ? avait demandé Elsa.

Alice avait acquiescé.

— Bon, si tu veux.

Alice avait marqué un temps, comme si elle n'était pas sûre de cette concession. Puis, tout doucement, elle s'était approchée d'Elsa.

— Je vais être Rodney, avait dit Alice, les yeux brillants, passant une mèche derrière son oreille. Elle avait ajusté sa chemise de nuit, d'un geste nerveux, comme si elle était vraiment Rodney, ou un autre garçon, faisant la cour à Elsa.

— Prête ? interrogea Elsa.

— Prête.

Elles étaient encore à quelques pas l'une de l'autre.

— Veux-tu que je vienne vers toi ? s'était enquis Elsa. Ou c'est toi qui viens vers moi ?

Alice avait hésité.

— Rodney est venu vers moi.

Alice sautilla.

— D'accord. D'accord. Elsa, ferme les yeux.

— Je les ferme.

Dans le noir, Elsa avait attendu en écoutant le froissement cotonneux de la chemise, un léger soupir tandis qu'Alice lâchait l'ombre d'une pensée mystérieuse dans la nuit, puis le craquement du plancher sous les pieds de sa sœur. L'haleine chaude d'Alice avait enveloppé son visage, et ses lèvres, charnues et humides, avaient touché celles d'Elsa pour aussitôt se retirer. Puis elles étaient revenues, plus assurées, se nichant contre sa bouche. Un fredonnement sourd s'était élevé et Elsa avait senti ces ondes sonores dans ses joues. Ce n'était rien de plus ni de moins que ce qu'elle avait fait avec Rodney. Et c'était un baiser plus vrai. Tendre, aimant. Elle avait, au cours de son existence, fait tant de concessions secrètes, intimes, à Alice. Petite fille, Alice suppliait parfois sa grande sœur de lui donner à goûter la nourriture qu'elle avait dans la bouche. Quand Elsa avait eu ses règles, Alice avait été prise de panique en trouvant une goutte de sang dans la salle d'eau et avait insisté pour qu'Elsa lui montre d'où elle venait. De ces moments, Elsa ne parlait à personne.

Quand sa sœur s'était finalement reculée, Elsa avait rouvert les yeux. Un large sourire éclairait le visage d'Alice.

— Tu as aimé ?

— J'en voudrais des milliers, avait dit Alice.

— Des milliers, Allie.

Elsa avait dégrafé sa robe dans la pièce obscure, s'était versé un verre d'eau pour le poser à son chevet. Quand elles s'étaient enfin glissées entre les draps, Elsa avait murmuré :

— Bonne nuit.

— Des milliers, avait marmonné Alice.

Puis Elsa avait soufflé la bougie et appuyé sa joue à la joue glacée de son oreiller.

Après deux semaines de calme plat, une ondée tombe enfin du ciel. Tous s'emparent d'un bol ou d'une tasse et grimpent sur le pont pour recueillir la maigre manne, en sortant la langue pour laper les gouttes. Au bout de quelques minutes, cependant, le ciel change d'avis et leur offre en guise de présent une canicule encore plus sévère car elle est désormais saturée d'une moiteur étouffante. Edward déboutonne le col de sa chemise et descend dans la cale vérifier l'état des provisions. Il remonte quelques minutes plus tard, la mine soucieuse.

— Il va falloir diminuer par deux nos rations jusqu'à ce que nous soyons sûrs d'arriver à Recife à temps.

— Et Pudding ? s'exclama Alice en s'agrippant au bastingage pour se mettre debout. Il faut lui changer son eau deux fois par jour ! N'est-ce pas, Elsa ? Je lui ai toujours donné deux fois de l'eau.

Elle regarde d'un air indigné du côté du soleil, les paupières plissées.

Kierney, accroupi un peu plus loin sur le pont avant, roule des yeux et boit le fond de sa tasse d'eau de pluie.

— Il y a une hiérarchie en mer, miss Pendleton. Et les oiseaux, même ceux qu'on dit « épatants » ne se trouvent pas au sommet.

— Pudding aura son eau, énonce Elsa. Tout va bien, Allie.

Puis, s'adressant au bateau, elle conclut :

— Pour l'amour du ciel ! Nous n'allons pas manquer d'eau.

— C'est déjà arrivé, croyez-moi, intervient Kierney. J'ai vu tout ce que vous pouvez imaginer comme catastrophe.

— On va s'en sortir très bien, déclare Edward. C'est une simple précaution.

Puis, se tournant vers Alice, il ajoute :

— Je donne une part de ma ration à l'oiseau.

Pour la première fois, Elsa s'inquiète. Pourraient-ils vraiment ne plus avoir d'eau ? Elle se reproche d'avoir trop bu, d'avoir trop rempli sa bassine pour se laver. Elle met de côté ce qui lui reste pour la journée en la réservant à Alice. Elle se débrouillera.

Mais le lendemain matin, quand elle monte sur le pont, Elsa a la sensation que le duvet d'un côté de son cou la chatouille. Le mystérieux langage qu'elle a eu le temps d'apprendre pendant tous ces mois, l'écriture silencieuse des vents, s'inscrit à présent sur sa peau. Tandis que l'air frais lui communique ces informations, Elsa s'écrie en se penchant vers la cabine :

— Allie, viens, tout de suite ! Je crois que nous allons avoir un alizé.

De fait, à midi, la goélette bondit sur les lames, soudain frémissante d'une vie intense.

Au Brésil, ils font escale à Recife, à Bahia de Todos os Santos, à Cabral Bay et à Rio de Janeiro. Chaque fois qu'ils mouillent quelque part, ils reçoivent la visite du capitaine du port, du douanier et du médecin. A terre, Edward va voir le consul et se met en quête des derniers numéros du *Daily Graphic* et du *Spectator*. Elsa achète du mouton et des légumes aux marchands ambulants. Une fois la goélette approvisionnée, Alice et elle se promènent dans le port en grignotant des filets de poisson frits enveloppés dans du papier journal, Alice traînant des pieds sous ses longues jupes avec son indolence coutumière. Elsa raffole de ces fins d'après-midi où elles errent parmi un dédale de boutiques, de stands et d'échoppes dorés par l'éclat orangé du coucher de soleil tropical. Et partout où elle va, elle emporte son cahier, à présent noirci de renseignements concernant l'expédition.

Elle se félicite qu'Edward lui permette d'apporter sa contribution. Il semble reconnaître combien son père lui a inculqué de connaissances en matière scientifique et historique, et il la consulte souvent : « Elsa, vous souvenez-vous de la date à laquelle le Brésil est devenu une République ? » Elle espère que, même si elle manque d'expérience sur le terrain, il voudra bien de son aide pour les fouilles, les entretiens et les descriptions des coutumes indigènes. Mais tandis qu'ils voguent vers le sud, comme on lui demande à tout bout de champ de border la voile, de trouver des provisions ou de traduire en portugais des expressions telles que « patiente de santé nette », et à Alice de réparer les voiles, elle se rend compte qu'il n'aura pas le choix et devra faire usage de ses talents. Il a sacrément besoin d'aide.

Elsa sait qu'Edward a mené toutes ses recherches en Afrique seul. Pendant deux ans, il a cheminé à pied du littoral à l'intérieur des terres, a établi un campement et a observé chez les Kikuyus le mariage, la naissance, la mort, les rites d'initiation. Il a constitué un herbier d'herbes médicinales, a chassé le lion et le léopard, a collectionné et analysé des fossiles de primates ; le tout, sans l'assistance d'un seul collègue. C'était il y a quinze ans ; il avait quarante ans. Il avait aussi été un excellent navigateur. Il avait même fait partie de l'équipage de sir Thomas Johnston Lipton – cinq fois vainqueur de l'America Cup –, ce qu'il glisse désormais dans la conversation pour un oui ou pour un non. Mais maintenant, le matin, quand il monte péniblement sur le pont en s'essuyant le front, il a l'air diminué, comme si son corps lui jouait un vilain tour. Plus jeune, il a souvent navigué en solitaire, et il lui suffit d'un coup d'œil pour dire ce qu'il faut faire : border la grand-voile, lâcher le foc, parer à virer. Parfois, il a l'impression de voir se tendre devant lui ses bras d'autrefois, prêts à manœuvrer, comme les fantômes des bras de sa jeunesse. Mais il ne fait jamais rien lui-même.

— Eamonn, et si on hissait le grand foc. Elsa, cela ne vous dérangerait pas de border la grand-voile ?

— Pas du tout, répond Elsa, qui tourne le palan sans effort.

Ses bras se sont musclés, la paume de ses mains est devenue toute calleuse.

— Vous vous sentez bien ? interroge-t-elle.

— A merveille. Je suis dans la meilleure des formes.

— Parce que si vous vouliez travailler en bas dans la cabine, on pourrait s'arranger ici.

Sa sollicitude paraît le blesser, comme s'il s'était figuré qu'après tous ces mois, ses fanfaronnades allaient l'impressionner. Il fixe l'horizon.

— En tant que capitaine, ce bateau est sous ma responsabilité. J'aime bien voir ce qui s'y passe. Encore quelques semaines, Elsa, et vous serez capable de manœuvrer cette goélette. Vous êtes devenue une vraie navigatrice. C'est magnifique. Je ne m'y attendais pas. Ce qui ne signifie pas que j'avais une mauvaise opinion de vous, j'ai toujours admiré vos talents, mais la vie en mer ne convient pas à tout le monde. J'avais seulement, hum...

Il s'interrompt ; ce compliment entre le zist et le zest le paralyse.

— ... Ce que je veux dire, c'est que vous ne devez pas vous faire de souci pour moi.

Fin août, ils voient la côte de l'Uruguay. De nouveau encalminés par un calme blanc, ils ne progressent plus que d'une cinquantaine de kilomètres par jour, dérivant au fil d'un courant qui les pousse vers le sud. Ils tendent la toile au maximum, en vain. A plusieurs reprises, quand le courant disparaît, ils dérivent même vers le nord. Du garde-manger monte une odeur de viande, d'orange, de poisson pourris. Le bateau est entouré d'un nuage de moustiques et, chaque soir, quand ils allument les lampes à huile dans la cabine, il s'ensuit une séance frénétique de gifles et de coups, dont le comique aurait pu désamorcer la tension s'il n'y avait eu la menace de malaria. Tous les soirs à l'heure du coucher, Elsa administre des doses de quinine.

Pendant ces semaines où la mer reste lisse, chacun devient irritable. Edward, en particulier, se montre de plus en plus brusque avec l'équipage. Un soir, alors qu'il est sur le pont, Elsa entend Kierney se plaindre à Eamonn.

— Si le capitaine Beazley et sa femme partageaient la même cabine, peut-être qu'il nous gueulerait moins après.

— La ferme, Kierney. Un calme pareil, y a de quoi mettre en rogne un saint.

— Bon, mais un saint ferait quand même quelques câlins à sa femme.

— Le capitaine est un gentleman, dit Eamonn. C'est tout, Kierney. Tu sais même pas ce que ça veut dire.

— Un gentleman. Une lady. Tu peux dire ce que tu veux, Eamonn, mais si c'est ce que les richards appellent le mariage, on m'y prendra pas à vouloir faire l'aristocrate.

Eamonn rit.

— Tu seras trop occupé à essayer de te faire une poule !

— Tais-toi.

Allongée dans le noir, elle se dit que Kierney a mis le doigt sur la cause de l'agitation d'Edward. Non l'arrangement lui-même – Edward semble tout aussi disposé qu'elle, étant donné les circonstances, à repousser le moment de partager un lit – mais le fait qu'il y ait des matelots témoins, et juges, de cet arrangement. Toute possibilité d'intimité s'était évaporée dès lors qu'ils avaient mis le pied à bord. Kierney et Eamonn, qui passent sans doute leurs congés à terre à prendre des cuites en compagnie de prostituées, regardent sûrement Edward de haut. Une épouse qui dort avec sa sœur : à leurs yeux, cela doit paraître ridicule. Et pour couronner le tout, à Rio, la sœur du consul, qu'une très grave angine avait rendue dure d'oreille – « Voyez-vous, très chers, peu m'importe si on parle devant moi le portugais, l'anglais ou le bantou ! » –, avait pris Elsa et Alice pour les filles d'Edward. En dépit des protestations et des explications, l'esprit brouillé par sa surdité et plusieurs brandys, elle avait insisté pour dire qu'Elsa avait hérité des pommettes ravissantes d'Edward.

Pour passer le temps, Elsa et Alice se couchent à plat ventre sur la poupe et font des concours à qui comptera le plus de poissons. Alice prend un malin plaisir à exagérer. « Combien de requins, Alice chérie ? Cinquante ? Bon, il vaut mieux qu'on ne tombe pas à l'eau. » Elles observent parfois une tortue qui nage tranquillement, et de temps à autre, quand ils traversent des hauts fonds, un poisson volant atterrit à bord, ce qui rend Alice folle de joie. Elle rit de voir ses nageoires battre le bois du pont, jusqu'à ce que la panique de la créature la gagne et qu'elle la rejette finalement à l'eau.

Les damiers du Cap font aussi le bonheur d'Alice. Edward lui tend des petits bouts de viande pour qu'elle les leur lance, s'accroupit derrière son box pour prendre des photographies des oiseaux. Puis, avec un plaisir manifeste, il en prend une d'Alice, les bras en croix au-dessus du bastingage, un sourire illuminant son visage tandis qu'un oiseau au corps bariolé de blanc plonge devant elle.

Alice et Elsa portent des chapeaux à larges bords quand elles sont sur le pont, et quand il y a du vent, elles mettent des fichus, ce qui ne les empêche pas d'avoir pris une teinte plus hâlée. Le soir, Elsa applique de l'huile d'amande douce sur leurs mains, leurs bras, leur cou ; elles sombrent dans le sommeil l'une à côté de l'autre au milieu d'effluves d'air salé et de praline.

A Buenos Aires, ils trouvent des provisions et du courrier en provenance d'Angleterre. Une semaine plus tard, ils font une brève escale à Bahía Blanca, où des femmes indigènes offrent en cadeau à Elsa des œufs de pingouin et des coquillages, puis à Puerto Deseado. La chaleur tropicale est supplantée par un temps clair et venteux. Mais, plus au sud, alors qu'ils se rapprochent de la Patagonie, il fait nettement plus frais ; des marsouins folâtrent autour de l'étrave, des phoques nagent le long de la coque. Deux albatros, leurs grandes ailes blanches formant une douce courbe, tournoient au-dessus de la poupe. Ils suivent en silence le bateau.

Le loch à hélice qui tourne derrière eux indique une vitesse de six nœuds, mais ils ont l'impression de se traîner interminablement dans les jours de plus en plus longs qui annoncent le début de l'été. Elsa et Alice préparent le petit déjeuner à trois heures du matin : à l'aube. Quand elles se couchent à dix heures du soir, le soleil lance encore ses rayons obliques dans leur cabine par le hublot. Une nuit, le perroquet se met à tituber sur son perchoir.

— Tu es malade, Pudding ? Tu es malade ?

— Bravo, Alice. Oiseau épatant. Oiseau. Oiseau.

— Allie, dit Elsa en se levant. Je crois que Pudding a besoin de dormir.

— Oh non. Il est furieux. Je regardais les autres oiseaux et je l'ai oublié. Mais c'est pas vrai, Pudding, c'est pas vrai.

— Ecoute, Allie, dit Elsa en couvrant la cage d'un châle. Il a juste besoin d'être dans le noir pour dormir.

Mais Alice, considérant qu'on lui cache son perroquet, se lève toutes les cinq minutes pour glisser un regard sous le châle.

— Pudding, murmure-t-elle. Où es-tu, Pudding ?

Cette nuit-là, Elsa, incapable de trouver le sommeil, pense : les ténèbres sont comme une couverture trop petite pour vous couvrir entièrement, vous avez beau vous en envelopper, la lumière trouve toujours moyen de se faufiler jusqu'à vous.

Le jour est brumeux, gris, voilé. L'humidité froide rappelle Londres à Elsa. Alors qu'ils en sont si loin. Cela fait huit mois qu'ils sont en mer, et elle ne reverra pas l'Angleterre avant plusieurs années. Le clocher de St Albans, les murs romains, les rues étroites qu'elle parcourait à vélo, la maison de son père. Pour la première fois, elle a le mal du pays.

Plus au sud encore, un vent arctique se met à souffler jusque dans la cabine. Elsa oblige Alice à chausser de gros souliers et à enfiler une deuxième culotte. Le soir, elles se serrent l'une contre l'autre et écoutent leurs dents claquer.

— Frrroid, dit Alice dans le noir.

Elsa pose sa bouche contre le cou d'Alice et souffle très doucement pour la réchauffer avec son haleine. Alice glousse de rire. Elsa recommence sur sa tête. De la vapeur se forme autour de sa bouche. Alice couine de plaisir.

— Je suis ton poêle, énonce Elsa.

Alice se retourne brusquement.

— Alice aussi est un poêle, réplique-t-elle, les yeux pétillants. Chaud, chaud, chaud !

Elle tend les lèvres comme si elle était sur le point de bâiller et se rapproche du cou d'Elsa. Une explosion chaude et moite. Puis un bref bruit de succion, suivi d'une bouffée de froid au moment où Alice inspire. C'est ce que doit sentir une mère, pense Elsa, quand elle surveille la respiration de son enfant. Cela l'apaise.

Puis, le soir du 10 octobre, Kierney s'écrie du haut du pont :

— Les lumières du cap Virgins !

Ils sont arrivés dans le détroit de Magellan. Elsa est à présent assez bonne navigatrice pour se rendre compte que le passage ne s'annonce pas commode : un long sillon serpentant dans les plus violents remous. Max a dit de ce détroit qu'il est le plus terrible adversaire du marin. « Scylla ! Charybde ! Ulysse a eu de la chance de ne pas avoir à traverser le détroit de Magellan ! »

A Tierra del Fuego, ils jettent l'ancre pour deux nuits, en attendant que le vent se calme. Le consul britannique, intéressé par l'expédition, les invite à dîner.

— J'ai toujours rêvé de faire ce voyage. Hélas, ma santé m'en a empêché. L'asthme, voyez-vous.

Tout en buvant son brandy, il leur décrit les périls du détroit, leur conseillant de se faire remorquer par un bateau à moteur.

Mais Edward, que leurs récentes mésaventures ont démoralisé, tient à prouver de quoi il est capable. Il déclare en se redressant :

— Nous ne nous laisserons pas impressionner par des remous.

— Edward, dit Elsa en posant son verre.

Le consul grimace un sourire :

— Vous voyez ? Les dames ont souvent leur petite idée.

— Elsa, réplique Edward, nous ne sommes pas des amateurs. J'ai navigué avec Lipton, qui est considéré comme un grand marin. J'espère que vous avez confiance dans mon jugement en la matière.

— Loin de moi la pensée de mettre en doute votre jugement, observe Elsa d'un ton neutre, consciente qu'elle est en train de jouer les rabat-joie...

Le consul, à sa droite, se dandine un instant dans son fauteuil.

— ... Je trouve seulement que nous devrions mieux étudier la situation avant de déterminer notre route.

— Madame Beazley, intervient le consul. C'est au capitaine qu'il revient de déterminer la route d'un bateau.

— Une route sûre.

— Très bien, on étudiera mieux la chose.

Un silence gêné s'installe. Edward évite le regard d'Elsa.

Mais au troisième jour, ils appareillent. La traversée des premiers chenaux se révèle difficile. L'eau brassée écume sur les épaves rouillées ; coques défoncées et mâts brisés capitonnés de mollusques. Ils sont tous sur le pont en permanence, prêts à tirer des bords.

— N'oubliez pas, ne bordez pas trop la grand-voile, prévient Edward. On ne voudrait pas se faire surprendre par une rafale.

Lentement, le bateau avance dans l'étroit chenal et dès les premiers signes annonciateurs du crépuscule, ils jettent l'ancre ;

au moins Edward admet qu'il n'est pas prudent de naviguer quand on ne voit plus rien.

A 6 heures du matin, ils se réveillent pour franchir le deuxième chenal à marée haute, et débarquent sains et saufs, mais épuisés, à Punta Arenas. Une terre plate, balayée par les vents ; un pays de mouton, herbeux et sans arbre.

— Un remorqueur ! s'écrie Edward en se frottant le genou et en regardant Elsa. Vous voyez, je vous ai amenée à bon port.

— Je vois, Edward. Je m'en rends comptc.

— Je me charge de notre sécurité.

— Je sais.

Et elle songe avec une pointe de remords qu'elle n'aurait pas dû trahir ses doutes. Il a fait preuve de prudence et de gentillesse d'un bout à l'autre du voyage, et elle espère que, lorsqu'ils seront sur place, installés, elle pourra lui prouver sa confiance en lui.

Pendant quinze jours, ils naviguent sur les chenaux de Patagonie, un labyrinthe de fjords, de criques, de baies. Des centaines de pétrels et d'albatros géants tournoient dans leur sillage, l'entrecroisement de leurs ailes formant comme un treillage blanc. Alice s'installe sur le pont arrière, emmitouflée dans une couverture, les bras croisés sur sa poitrine, la tête renversée en arrière. Elle passe ainsi des heures à observer les oiseaux intensément. Eamonn lui a recommandé de se tenir tranquille de peur que les pétrels ne lui « vomissent dessus », ce qu'elles font quand elles ont peur.

Elsa dessine une carte et trace leur route en la comparant à celle de Darwin. Elle lit à présent le *Voyage d'un naturaliste autour du monde*, dévorant les descriptions de Rio de Janeiro, Bahía Blanca, Buenos Aires, les îles Malouines et la Patagonie, tous ces endroits par lesquels ils sont eux-mêmes passés. Les pages gondolent à cause des embruns.

A Isla Descolción, ils sont bloqués par la grêle pendant cinq jours, mais à mesure qu'ils zigzaguent vers le nord à travers le dédale de chenaux, la chaleur revient. Au-dessus d'eux à présent, couronnées de brume, se dressent les cimes enneigées des Andes.

Le jour de Noël. Ils jettent l'ancre dans le golfe de Penas, sur la côte chilienne. Un crachin lave le pont tandis qu'ils dînent de bœuf salé et de pommes de terre à l'eau, un menu de fête. Mais l'air moite a gardé la chaleur de la journée et, pour la première fois depuis des semaines, Elsa transpire sous sa robe. Après le repas, bravant la pluie, Elsa, Alice et Edward prennent le canot et rament jusqu'à terre. Alice insiste pour emmener Pudding. Une fois le canot hissé sur la plage, ils s'enfoncent dans un sentier en lacet bordé d'une végétation gorgée d'eau.

— Elsa ! s'exclame Edward qui marche à quelques mètres devant elles en écartant un rideau de plantes grimpantes pour contempler la bouche noire d'une grotte. On y jette un coup d'œil ?

— Excellente idée ! réplique Elsa en le rejoignant au pas de course.

Quel plaisir de bouger un peu ! Alice, ralentie par la cage de Pudding, reste un peu à la traîne.

De son paquetage, Edward extrait un revolver et une petite lanterne, qu'il allume en faisant un bouclier de son corps contre le vent.

— Prête ?

Tandis qu'il fait mine d'avancer, Alice se faufile devant.

— Coucou, là-dedans ! Coucou !

Elle crie dans la bouche de la grotte.

— Allie, ma chérie, attention, marmonne Elsa en la tirant doucement en arrière. Tu ne peux pas entrer là-dedans comme dans un moulin. Il pourrait y avoir des chauves-souris.

— Des chauves-souris !

— Elles ne te feront pas de mal, Alice, la rassure Edward. De toute façon, il n'y en a sans doute pas. J'y vais le premier, pour être sûr. Prends la main d'Elsa.

— Je ne vais pas dans un endroit où il y a des chauves-souris.

— Allie.

Alice fait non de la tête.

— Alors tu peux attendre ici avec Pudding, rétorque Elsa. Edward et moi n'en avons pas pour plus d'une minute.

— Pourquoi est-ce que vous voulez entrer là-dedans s'il y a des chauves-souris ? Non, Elsa, n'y va pas.

— Nous voulons explorer, Allie. Cela ne prendra qu'un instant. C'est tout. Je te promets que tout ira bien.

— C'est promis ?

— Promis.

Alice considère tour à tour Elsa et Edward puis, finalement, s'écarte d'eux et s'accroupit devant l'entrée de la caverne, posant la cage sur un carré d'herbe. Le perroquet bat des ailes et crie, agité par les gouttes d'eau qui tombent sur lui. Elsa défait sa cape et en fait une sorte de capuche pour protéger la tête d'Alice.

— Tu devrais décrire à Pudding l'albatros que tu as vu.

— Je l'ai déjà fait.

— Et les poissons volants ?

— Oh, je ne crois pas que cela lui plairait. Un poisson, ce n'est pas fait pour voler. Si je lui raconte, il va croire qu'il peut nager. Je vais lui raconter des histoires de chauves-souris, Elsa. D'horribles énormes chauves-souris dans des grottes.

— Allie, tout va très bien se passer. Je t'appellerai une fois à l'intérieur.

Edward tend à Elsa la lanterne et lui prend la main. De son autre main, il tient le revolver.

— On revient tout de suite, s'écrie Elsa.

Dedans, l'air est frais et moite. Leurs chaussures font un bruit mat sur la terre battue ; quelques gouttes résonnent sur les pierres. Les parois sont couvertes de mousse, le plafond est si bas qu'il leur faut se pencher en avant pour se faufiler dans les goulots d'étranglement. Les yeux d'Elsa sont fixés sur le sol devant elle. Bientôt Edward lui lâche la main pour se glisser entre les parois étroites.

— Il n'y a pas de chauves-souris, Allie ! hurle-t-elle en regardant Edward s'accroupir, sortir son revolver et le taper contre le rocher.

Elle tient la lanterne en l'air pour l'éclairer.

— Jusqu'où croyez-vous que ce tunnel descend ?

— A mon avis, nous sommes au bout. Vous entendez cela ? dit-il en frappant encore une fois la crosse de l'arme contre la paroi. Ça sonne creux. Il y a peut-être un autre couloir, quoique je ne voie aucune ouverture.

Elsa se faufile à côté de lui.

— Vous êtes sûr ? insiste-t-elle, déçue que leur petite aventure tourne court.

— Rien n'est plus définitif qu'une muraille de roc.

Elsa balance sa lanterne en demi-cercle au-dessus du cul de sac.

— Je ne vois même pas de fissure.

Edward glisse son revolver dans sa ceinture et prend la lanterne.

— Suivez la lumière, ordonne-t-il en rebroussant chemin et en la frôlant, il tend la main derrière lui pour prendre la sienne.

— Je me débrouille très bien, réplique-t-elle.

Elle s'appuie à la paroi pour garder l'équilibre et pose ses pas prudemment dans les siens. Dehors, le jour est gris, et ils se détournent l'un de l'autre, gêné par ce bref contact physique.

— Seigneur, soupire Edward.

Alice n'est plus à son poste à l'entrée de la grotte. Sur le sol, la cape forme un tas mouillé.

— Allie ! hurle Elsa. On est sortis !

— Alice ! crie à son tour Edward, d'une voix paniquée.

— Elle n'est pas loin, lui assure Elsa. Elle attend sûrement près du canot.

Le plus vite possible dans la végétation mouillée, ils reviennent sur leurs pas en longeant le rivage et en criant le nom d'Alice. Mais quand, enfin, ils l'aperçoivent, elle n'est pas près de la chaloupe mais dedans, et s'éloigne en ramant énergiquement, la tête renversée en arrière comme pour mieux recevoir la pluie sur son visage. La cage de Pudding est à ses côtés, le perroquet bat des ailes comme un fou.

— Alice ! Allie ! Allie !

Leurs voix affolées se bousculent. Mais Alice garde la tête renversée. Sa bouche a l'air de bouger, ses lèvres fines esquissent des formes étranges, mais Elsa ne saurait dire si elle leur parle ou si elle lape les gouttes de pluie.

6

Greer se réveilla alors que le soleil déclinant filtrait à travers la toile grossière des rideaux. Elle s'adossa à la tête de lit, se frotta les yeux et regarda autour d'elle : tables de chevet en osier, murs en ciment. Sur le bureau en face d'elle, une tour penchée de livres empilés à un angle périlleux – *Les Plantes de Polynésie. Le Peuplement du Pacifique. La Théorie de la biogéographie des îles. Manuel de palynologie.* Ah ! se dit-elle, la mémoire lui revenant tout à coup : Rapa Nui.

Elle se leva et tira le rideau. Une lumière dorée inondait la cour, sa végétation éclectique lui rappelant les tableaux du Douanier Rousseau. Greer avait passé un mois à étudier les plantes qui figuraient dans *Le Rêve* après avoir lu un article d'un botaniste du tournant du siècle qui accusait le peintre d'avoir inventé de toutes pièces sa flore tropicale. En des termes virulents, il prétendait que Rousseau avait concocté des végétaux satisfaisants d'un point de vue esthétique : de larges tiges émeraude aux frondes géantes, des fleurs blanches sur des branches d'un noir velouté. Dans *Le Rêve*, Greer a trouvé un rameau de mimosa subtropical dix fois plus grand que nature, une fleur de *Lespedeza striata* et une agave originaire du désert africain. Ces plantes existaient bel et bien, mais pas dans cet ordre, et leur combinaison biogéographique était aberrante, digne de la serre du Dr Frankenstein. D'ailleurs, c'était le titre qu'elle avait donné à son article : « La jungle de Frankenstein ». Elle l'avait envoyé à plusieurs revues de botanique, lesquelles le lui avaient toutes retourné sous prétexte qu'il manquait de pertinence scientifique. Après quoi, elle l'avait fait parvenir à une douzaine de magazines d'art, qui l'avaient de même rejeté, pour manque de pertinence artistique. Il se trouvait à présent dans un tiroir de Marblehead avec un paquet d'autres articles sur les hybrides, un sujet dont personne ne voulait, ou plutôt, comme elle s'en était rendu compte, qui, une fois que vous vous étiez fait un nom dans les cercles scientifiques, suggérait dans l'esprit de vos collègues que vous étiez doté d'un solide appétit intellectuel, mais, quand vous étiez un jeune chercheur, était un signe de flottement et de tendances imaginatives, peut-être même sentimentales.

Greer ferma le rideau, souleva la pile de livres et les éparpilla sur son lit. Elle avait apporté des guides de botanique et de pollens ; ses ouvrages de Darwin, Wallace, Lyell et Linnaeus ; deux volumes contemporains sur l'histoire de l'île avec des extraits des écrits des premiers visiteurs européens. Elle allait cependant avoir besoin des textes complets. Le journal de Roggeveen ou de Cook pourrait, après tout, mentionner la flore pascuane. Quelque part dans son bâtiment, la SAAS avait une bibliothèque assez bien achalandée, sauf que les livres n'étaient pas d'accès facile, nécessitant de remplir au préalable pas mal de paperasse. Il faudrait attendre.

En s'asseyant sur son lit, Greer entendit son estomac gargouiller : elle n'avait rien avalé depuis la banane d'hier. Elle s'habilla d'un cardigan et d'une jupe longue, puis enfila ses sandales. Embarquant ses guides des pollens et *L'Origine des espèces*, qu'il est toujours agréable d'avoir pour compagnon de table, elle se rendit dans la grande salle aux globes vert émeraude. Mahina n'était nulle part en vue. Greer l'appela, puis souleva le rideau de perles derrière le secrétaire et découvrit un bureau vide. Il était dix-huit heures quarante-cinq, presque l'heure de dîner. Aussi, Greer s'installa dans un des fauteuils à haut dossier en osier devant la table de bridge et relut ce passage célèbre de Darwin :

« *On ne peut s'étonner qu'il y ait encore tant de points obscurs relativement à l'origine des espèces et des variétés, si l'on tient compte de notre profonde ignorance pour tout ce qui concerne les rapports réciproques des êtres innombrables qui vivent autour de nous. Qui peut dire pourquoi telle espèce est très nombreuse et très répandue, alors que telle*

autre espèce voisine est très rare et a un habitat fort res-
treint ? Ces rapports ont, cependant, la plus haute impor-
tance, car c'est d'eux que dépendent la prospérité actuelle et,
je le crois fermement, les futurs progrès et la modification
de tous les habitants de ce monde. Nous connaissons encore
bien moins les rapports réciproques des innombrables habi-
tants du monde pendant les longues périodes géologiques
écoulées. Or, bien que beaucoup de points soient encore très
obscurs, bien qu'ils doivent rester, sans doute, inexpliqués
longtemps encore, je me vois cependant, après les études les
plus approfondies, après une appréciation froide et impar-
tiale, forcé de soutenir que l'opinion défendue jusque tout
récemment par la plupart des naturalistes, opinion que je
partageais moi-même autrefois, c'est-à-dire que chaque
espèce a été l'objet d'une création indépendante, est absolu-
ment erronée[1]. »

Etude objective du matériel et jugement neutre, pensa Greer.
Darwin, qui, après vingt ans d'un travail méticuleux, se rue
comme un fou pour publier sa théorie de « la sélection naturelle » avant que le jeune Alfred Wallace le coiffe au poteau !
Voilà une histoire que Greer adorait, une des histoires que
racontait son père. Darwin, cloîtré dans sa maison de Down,
dans le comté du Kent, écrit à Charles Lyell et à Joseph Hooker
pour leur demander conseil : doit-il patiemment composer son
opus sur l'évolution ou bien bâcler une théorie de l'évolution
de bric et de broc avant que Wallace ne rende publique la
sienne ? En fin de compte, il s'était laissé guider par le feu de
la passion. Il manœuvra en toute hâte, se garantissant la gloire
scientifique, mais laissant le doute quant à son usage des lettres
de Wallace mystérieusement disparues, et du manuscrit du
même sur le sujet de la sélection naturelle, que Darwin a reçu
mais a prétendu avoir mis de côté, pour le lire plus tard, comme
si ce sujet l'ennuyait. Mais pouvait-on ne pas être passionné,
songea Greer, par une science qui exigeait des dizaines d'années d'observation rien que pour saisir un seul principe fon-
damental ? La sélection naturelle, une idée si basique, si
« naturelle », justement, qu'elle paraîtra comme l'évidence

1. D'après l'édition de 1896 (Schleicher Frères Editeurs). Traduit sur
l'édition anglaise définitive par les éditions Barbier.

même aux yeux des générations suivantes. Oui, par-dessus tout, la science se nourrissait de la passion des hommes. Mais ce qu'elle admirait chez Darwin, c'était sa faculté de présenter ses idées comme si elles n'avaient aucun lien avec sa propre existence ; il parvenait à vous faire croire qu'il était un observateur neutre. Et c'était ce qui avait toujours posé des problèmes à Greer : elle avait du mal à masquer son intérêt personnel pour le sujet, elle n'arrivait pas à formuler des jugements qui avaient l'air détachés.

Les clochettes au-dessus de la porte tintèrent, et Mahina se présenta sur le seuil avec une mine un peu soucieuse.

— *Doctora ! Holà, doctora !* Vous allez bien maintenant ? Je suis venue pour faire votre chambre à midi, et vous dormiez.

Greer ferma son livre.

— Le voyage a dû me fatiguer. *Cansada.* Mais je me sens très bien à présent. Sauf que je n'ai rien mangé. Si ce n'est pas trop vous demander, pourrais-je dîner un peu plus tôt ?

— Oui. Dîner. On va vous trouver quelque chose.

Mahina ferma la porte. Elle était vêtue d'une jupe blanche et d'un chemisier rose vif orné de boutons en nacre. Un soutien-gorge en dentelle transparaissait sous l'étoffe.

— Venez avec moi, dit-elle et, sans poser son chapeau, elle guida Greer au bout d'un couloir jusqu'à une salle aux murs blanchis à la chaux occupée par quatre tables rondes drapées de nappes à motif floral, soigneusement mises, avec des couverts rutilants.

— Asseyez-vous, *doctora*, ordonna Mahina en tirant une chaise près de la fenêtre.

— Je vous en prie, ne vous donnez pas tant de mal. Je peux manger n'importe quoi. Des fruits, je ne sais pas. Je peux aller les acheter moi-même.

— *Pollo*, annonça Mahina en jetant un regard distrait par la fenêtre. *Pescado* demain soir. Ce soir, *pollo*. D'accord ?

— Parfait.

— Ramón ! hurla Mahina.

Dès que Ramón se profila dans l'embrasure de la porte, elle le bombarda d'ordres en rapa nui, et il s'en fut dans la cour, où l'on entendit bientôt que caquètements et froissement de plumes.

— *Un momento*, dit Mahina.

L'instant d'après, elle disparaissait derrière une porte battante pour ressurgir dans le jardin, dans lequel elle alla de droite et de gauche, cueillant d'une main experte deux avocats et une goyave, qu'elle déposa dans son chemisier dont elle avait relevé un pan. Elle s'agenouilla et, en tirant sur une tige, fit sortir une carotte, qu'elle secoua contre sa cuisse pour la débarrasser de la terre. Bientôt retentirent des bruits de casseroles s'entrechoquant dans la cuisine, suivis de grésillements, et de l'odeur succulente du beurre fondu. Greer inhala à fond, s'enivrant de cet arôme. Un vrai repas cuisiné. Ces derniers mois, elle s'était nourrie de fruits, de biscuits et de fromage, de lasagnes froides. Elle avait dîné plusieurs fois avec des gens du labo de Thomas qui l'avaient invitée à partager une quiche ou un fricot réchauffé. Et une ou deux fois, elle était sortie seule, rien que pour côtoyer des étrangers. Après tout, elle ne faisait que suivre les recommandations qu'on lui prodiguait : « Il faut te remettre à vivre avec les autres. » Mais ce n'était pas aussi facile que cela.

Greer chercha le passage dans Darwin où il est question des habitants des îles océaniques, où il explique les modalités de la flore et de la faune insulaires :

« *Après avoir compulsé avec soin les récits des plus anciens voyageurs, je n'ai pas trouvé un seul témoignage certain de l'existence d'un mammifère terrestre, à l'exception des animaux domestiques que possédaient les indigènes, habitant une île éloignée de plus de 500 kilomètres d'un continent ou d'une grande île continentale, et bon nombre d'îles plus rapprochées de la terre ferme en sont également dépourvues. Les îles Falkland, qu'habite un renard ressemblant au loup, semblent faire exception à cette règle ; mais ce groupe ne peut pas être considéré comme océanique, car il repose sur un banc qui se rattache à la terre ferme, distante de 450 kilomètres seulement ; de plus, comme les glaces flottantes ont autrefois charrié des blocs erratiques sur sa côte occidentale, il se peut que des renards aient été transportés de la même manière, comme cela a encore lieu actuellement dans les régions arctiques [...]. Si les mammifères terrestres font défaut aux îles océaniques presque toutes ont des mammifères aériens. [...] ... aucun mammifère terrestre, en effet, ne peut être transporté à travers un large bras de mer, mais les*

chauves-souris peuvent franchir la distance au vol. On a vu
des chauves-souris errer de jour sur l'océan Atlantique à de
grandes distances de la terre, et deux espèces de l'Amérique
du Nord visitent régulièrement, ou accidentellement les Ber-
mudes, à 1 000 kilomètres de la terre ferme. »

Greer posa son livre. En effet, les îles océaniques n'accueillaient que des plantes et des animaux qui conjuguaient à la
perfection certaines qualités de locomotion et d'endurance.
Quelques années plus tôt, toutefois, elle avait lu quelque part
qu'un éléphant de l'île Sober avait fait, à la nage, la traversée
jusqu'au Sri Lanka, ce qui ne représentait guère plus qu'un
demi kilomètre mais relevait tout de même de l'exploit. Plusieurs touristes avaient photographié la bête épuisée se traînant
sur la plage, se hissant péniblement sur ses nouvelles terres.
D'autres cas de pachydermes nageurs avaient par la suite été
signalés. Aussi pouvait-on conclure que certains mammifères
terrestres avaient bel et bien la capacité de franchir des distances aquatiques. On a souvent vu des rats et des souris dériver sur des bois flottés. Les rongeurs et les chauves-souris sont,
en réalité, les seuls mammifères habitant la plupart de ces îles.
   Mais l'évolution réservait un sort étrange aux créatures qui
parvenaient à fouler ces rives lointaines. Le qualificatif d'« état
plus ou moins modifié » employé par Darwin était un euphé-
misme. Les modifications se révélaient parfois outrageusement
insolites. Les îles engendraient l'excentricité, produisant un
carnaval animalier de mammouths nains, de reptiles géants et
d'oiseaux sans ailes. Le pire étant les insectes : des scarabées
et des cloportes dont les corps s'étaient au fil des générations
boursouflés au point d'atteindre la taille de petits rongeurs.
Heureusement, à mesure qu'ils grossissaient, leurs ailes se rac-
courcissaient, ou pour reprendre l'expression de Darwin, devenaient « rabougries », si bien que ces coléoptères en étaient
réduits à ramper par terre dans la chambre de Greer la nuit,
sans espoir, dieu merci, d'atterrir sur sa figure pendant qu'elle
dormait. Mais pour les oiseaux, se trouver ainsi privés de la
faculté de voler était une tragédie. Le dodo, dont l'ancêtre avait
eu la force de voler jusqu'à l'île Maurice depuis les côtes de
Madagascar sur une distance de six cent cinquante kilomètres,
avait vu ses ailes réduites. Et lorsque les hommes avaient intro-

duit sur l'île des cochons et des singes, les uns et les autres friands d'œufs de dodo, ils n'avaient plus eu aucune chance de survie. Le dernier de ces oiseaux tronqués avait été aperçu en 1681.

— *Bueno*, annonça Mahina en revenant avec une assiette.

— Ça sent délicieusement bon, dit Greer en poussant ses livres de côté. Merci.

Mahina posa sur la table un assortiment de légumes cuits.

— *Pollo* bientöt, *doctora*. Et à boire ?

— *Agua, por favor.*

Une minute plus tard, elle lui apportait un verre d'eau. Son regard se porta vers les livres de Greer.

— La pa-ly-no-lo-gie ?

— L'étude des pollens, dit Greer.

— Ah, *sí*. Vous étudiez les pollens de Rapa Nui ?

— Je vais récolter des échantillons au fond des lacs...

Greer montra avec de grands gestes qu'elle allait plonger un appareil dans le sol et en retirer un peu de terre.

— ... Et voir quel genre de pollen est enterré là-dessous. Comme cela je découvrirai quel type de plantes poussait ici autrefois.

— *Bueno*. J'ai lu des articles de savants sur le pollen du saint suaire de *Jesucristo* ! C'est le pollen, *sí*, qui a montré que c'était bien le suaire de Jésus.

— Vous avez lu ça ? La plupart des gens n'ont jamais entendu parler de la palynologie. En fait, ils n'ont jamais l'occasion de penser aux pollens, sauf s'ils y sont allergiques.

Mahina secoua la tête d'un air plein de fierté.

— Moi, je ne suis pas allergique. Je l'ai lu dans mon magazine de la Vierge Marie. Il arrive deux fois par an, d'Espagne. Celui-ci est arrivé très en retard, presque un an, mais j'ai tout lu.

— Et ça vous a convaincue ?

— Con-vaincue ?

— Vous croyez ce qu'ils disent sur le pollen ?

— Je crois que le saint suaire était celui de Jésus. Mais pas à cause du pollen. Je m'y connais pas assez. Mais je connais assez *Jesucristo*.

— Alors vous ne serez pas déçue si je vous dis que les analyses effectuées sur le suaire ne valent rien. Le pollen qu'on y a trouvé correspond à des plantes de Palestine. Mais il existe plus de soixante-dix espèces de chacune de ces fleurs. Un grain de pollen d'une amarante soi-disant de Jérusalem ressemble à des milliers de grains de pollen de marguerites. En plus, les gens ont toujours déposé des fleurs en offrande devant les reliques ; le pollen se dépose sur les objets.

Greer piqua sa fourchette dans une carotte fumante et la porta à sa bouche.

Une expression de compassion se peignit sur les traits de Mahina :

— La *doctora*, je vois, croit beaucoup en la science. Peut-être pas en *Jesucristo*, ajoute-t-elle en levant un sourcil. Et elle n'aime peut-être pas qu'on se serve de la science pour *Jesucristo* ?

Oh, non, pensa Greer. Quelle idée d'avoir mis ce sujet sur le tapis ! Elle ne contestait pas l'existence de Dieu, mais la pertinence d'une étude. Peu lui importait qu'on crût en un dieu ou en dix. La foi ne jouait aucun rôle dans les sciences. Et elle ne pouvait s'empêcher de penser que la chrétienté qui depuis des siècles s'attaquait aux nouvelles connaissances, avait du culot de se servir d'un microscope pour prouver qu'un objet était sacré. Mais son espagnol était trop rudimentaire pour lu permettre d'entamer une pareille discussion, et en anglais, Mahina ne comprendrait pas. Elle ne voulait pas, toutefois, qu'elle prenne son attitude pour un rejet de sa religion, alors qu'en fait, elle la respectait tout à fait. Il n'est pas facile de garder la foi.

— Mettons que le pollen ne prouve pas que le suaire de Turin ait jamais touché le corps du Christ. Mais il ne prouve pas le contraire non plus. Il faudra attendre les résultats des analyses de l'étoffe, qui déterminera son âge. Les grains de pollen en soi n'indiquaient rien en termes de datation. Le pollen ne vieillit jamais.

Après un instant de réflexion, Mahina dit :

— *Bueno, doctora, bueno.*

Et elle disparut de nouveau dans la cuisine, laissant Greer à ses légumes. Elle revint quelques minutes plus tard avec une assiette de poulet, fumant, lui aussi.

— Maintenant le *pollo. Moa* en rapa nui.

Elle regarda Greer prendre une première bouchée.

— Délicieux.

Mahina sourit.

— En rapa nui : *kai ne ne*. Nourriture délicieuse.

— *Kai ne ne*, répéta Greer.

— *Bueno*. Maintenant vous travaillez, *doctora*. Je vais rester ici, mais ne faites pas attention à moi.

Mahina prit le Darwin et l'ouvrit devant elle à la page qu'elle avait marquée.

Vous êtes ici pour travailler. Un travail important. Je ne vous dérangerai pas.

— Mais vous ne m'avez pas dérangée le moins du monde.

— Une *doctora* a besoin de silence pour travailler. Pour réfléchir. Je vois ça.

Mahina sortit pour ressurgir avec, dans les mains, ou plutôt entre les doigts, quatre verres à vin de tailles différentes. Avec des gestes d'une précision mécanique, elle les plaça sur une table puis partit en chercher d'autres. Après avoir dressé ses tables, elle contempla son œuvre et se frotta les mains.

Tout en gardant le livre ouvert devant elle, Greer l'avait surveillée du coin de l'œil.

— Mahina, vous pouvez vous asseoir avec moi, vous savez, vous ne me gênez pas du tout.

Mahina frappa dans ses mains :

— Ah ! Mahina est là seulement pour travailler.

Sur ce, elle battit en retraite dans la grande salle à l'entrée. Greer termina son repas en silence, cornant les pages intéressantes, puis rapporta sa vaisselle dans la cuisine immaculée où elle la déposa dans l'évier.

De retour dans sa chambre, elle constata que son lit avait été fait, ses chaussures alignées contre le mur et ses sacs de toile noirs empilés dans un coin. Les livres qu'elle avait laissés éparpillés sur le lit avaient été rangés sur une des tables de chevet au moyen d'un serre-livres qui n'avait pas été là auparavant. Et, à côté du portrait de la Sainte Vierge remis à sa place sur le mur, avait été accroché un petit crucifix.

Greer ne put s'empêcher de rire. Voilà un séjour qui s'annonçait plein de surprises.

Elle jeta son Darwin sur le lit, l'abandonnant aux prises avec la religion et sortit d'un de ses sacs une veste et sa lampe de poche.

*

Le bâtiment de la SAAS était de nouveau obscur et désert, et Greer se félicita de ce que les autres chercheurs se conforment à des horaires de bureau. Il y a des années de cela, à l'université, comme il n'y avait en tout que six femmes dans son département, elle n'avait eu accès au labo que très tard le soir, à une heure où personne d'autre n'avait envie de travailler. Et elle s'était si bien accoutumée à la tranquillité, à la nuit et à la solitude, qu'elle trouvait désormais cette habitude difficile à rompre, même quand elle avait accès aux appareils pendant la journée.

Ses caisses étaient à côté de la porte, exactement à l'endroit où elle les avait laissées, mais cette fois, elle avait pensé à se munir d'un levier. A genoux, elle l'enfonça dans le bois friable de la première caisse, puis transporta son assortiment de produits chimiques jusqu'à la table métallique la plus proche de l'évier, où elle rangea les flacons, en veillant à ce que les étiquettes soient bien visibles, dans leur ordre coutumier : hydroxyde de potassium, anhydride acétique, acide sulfurique, acide hydrochlorique, huile de silicone.

Elle était méticuleuse, un trait de caractère qu'elle tenait de son père, professeur de biologie dans le secondaire. Dans le sous-sol de leur maison du Wisconsin, il avait installé un véritable laboratoire de recherche : des flacons soigneusement étiquetés de produits chimiques, des tiroirs codés au moyen de couleurs contenant des spécimens d'ardoise et de grès et des coquillages, des étagères d'ouvrages de référence classés par ordre alphabétique et un magnifique microscope en cuivre qu'il avait rapporté de Hongrie et qui, aux yeux de Greer quand elle l'avait vu pour la première fois, était apparu comme un trésor de l'antiquité.

Presque tous les soirs après le dîner, son père descendait avec quelque chose de nouveau à examiner : un papillon ou une fleur pressée, parfois une mouche morte ou une coccinelle arrivée par la poste dans une enveloppe de Californie ou du Maine ; il écrivait souvent à d'autres professeurs aux quatre coins des Etats-Unis, leur demandant de lui envoyer du matériel organique. Des graines de pissenlit, des sacs de terre, des aiguilles de séquoia sèches, tout cela s'acheminait jusqu'à leur maison de Mercer ; et un jour, de la part d'un enseignant du Tennessee, il avait reçu un paquet accompagné d'un mot disant : « *Cette plante a poussé à moins de trente kilomètres de notre école.* » Dans la boîte, il y avait un paquet de cigarettes.

Tout enfant, Greer était fascinée par ce monde secret et par le mystérieux attirail dont son père s'entourait. Pendant des années, pour la simple raison qu'il avait peur du désordre qu'elle pourrait semer, il lui avait interdit de toucher à quoi que ce soit. Ce qui n'avait fait qu'attiser sa curiosité. Elle s'était figurée qu'il était une sorte de génie. A plusieurs reprises, ayant réussi à persuader sa mère de la laisser l'accompagner quand celle-ci descendait faire le ménage, Greer avait pu inspecter les tiges et les vis à crémaillère en cuivre du microscope, les ravissants flacons en verre de son alchimie personnelle.

Sa mère prenait le laboratoire moins au sérieux. Les éprouvettes et autres lames ne la fascinaient pas. Cela aurait aussi bien pu être des pièces de modèles réduits de bateaux, les fragments d'un hobby paisible de mari ordinaire. Elle préférait la fiction à la réalité, et passait ses soirées sous la véranda avec un roman. Pour elle, le monde était une trame narrative, un lieu de mythes et de légendes. A l'heure du coucher, elle racontait à Greer des histoires d'âmes qui vivaient dans les arbres ; d'amants perdus changés en morceaux de bois, d'enfants pas sages changés en jeunes pousses. Des secrets qu'elles partageaient. « Papa ne voit que par l'objectif de son microscope », disait sa mère, l'odeur fraîche de sa crème de nuit se mêlant à des relents de tabac. « Toi et moi, on voit TOUT ! »

Les souvenirs les plus forts qu'elle gardait de sa mère : son parfum, ses chuchotements le soir au coucher, et sa façon de vous annoncer le moindre événement – « Je sors acheter du beurre » – comme si c'était une confidence. Greer avait neuf ans quand sa mère était morte d'une rupture d'anévrisme.

C'est à cette époque que son père, qui s'efforçait de la consoler, lui avait permis enfin de se servir de son laboratoire.

Deux mois après la mort de sa mère, Greer était revenue un après-midi à la maison avec une grenouille qu'elle venait d'attraper au bord de l'eau. En la tenant en coupe dans ses mains, elle était entrée dans la cuisine en annonçant :

— J'ai attrapé une grenouille, je vais l'appeler M. Harvey.

Son père avait ôté ses lunettes de presbyte et plié son journal.

— Montre-la-moi.

Greer lui avait présenté la bestiole mouillée et visqueuse dont le cœur battait à tout rompre au creux de ses mains.

— Ce n'est pas un monsieur, avait-il dit.

Il avait soulevé la grenouille et réclamé un bol. Puis il avait pressé le ventre de la petite bête au-dessus du récipient. Aussitôt, des petits pois noirs avaient dégringolé.

— Des œufs. Tu veux les regarder ?

Elle n'en croyait pas ses yeux. Elle l'avait suivi dans l'escalier obscur du sous-sol. Il avait tiré sur la chaîne rouillée, et dans la lumière, le désordre l'avait stupéfiée. Des éprouvettes sales encombraient l'évier ; la table était couverte de poussière. Son père avait tiré vers lui son microscope, pris une lame, puis une pince et un compte-gouttes dans un pot.

— Sélectionne quelques œufs et ajoute trois gouttes d'eau, puis place une autre lame par-dessus. Voilà. Maintenant, glisse le tout là, sous l'objectif. Très bien. Doucement, ma chérie. Il ne faut pas les casser. A présent, on attend un peu.

Il avait posé son œil contre l'oculaire pour faire le point.

— Voilà. A toi, maintenant.

Greer s'était hissée sur la pointe des pieds pour regarder dans l'oculaire. Trois ronds bombés avaient surgi dans son champ de vision.

— Qu'est-ce que tu vois ?

— Des cercles.

— Quoi d'autre ?

— Ils sont tout gonflés, avec des bords épais. Comme si on les avait dessinés avec un gros feutre noir.

— Mais qu'est-ce que tu vois exactement ? Qu'est-ce que tu as sous les yeux ?

Sa voix était au bord de l'irritation ; il fallait qu'elle trouve la bonne réponse.

— La vie ?

— Ah, ma chérie.

Elle avait senti sa main, ferme et fière, se poser sur son dos.

— Tu es ma fille chérie, avait-il ajouté.

A l'instant où son cœur se gonflait du bonheur de sa réussite, l'ampoule nue au-dessus d'eux s'était mise à crachoter, et Greer avait entendu de l'eau goutter dans un coin. Portant ses yeux de ce côté, elle avait vu qu'il y avait une fuite au plafond. Sa gorge s'était nouée. Le lieu auquel elle avait si longtemps rêvé d'avoir accès avait disparu, ce seuil qu'elle avait tant rêvé de franchir ne menait qu'au chaos.

Aujourd'hui, après bien des années, elle comprenait le danger qu'il y avait à laisser le chagrin pénétrer dans votre sanctuaire.

Greer ouvrit la caisse qui contenait son distillateur — comme il y avait du pollen dans l'eau du robinet, il fallait la purifier — et assembla soigneusement l'appareil. Elle déballa le centrifugeur et l'installa sur une des tables, puis souleva le couvercle, vérifia la position des huit récipients vides disposés en cercle, et s'assura que rien n'avait été cassé pendant le voyage. Elle sortit sa presse à plantes, essuya chaque pièce et la rangea non loin.

La dernière caisse, celle de son microscope, s'avéra plus résistante. Greer donna un petit coup vers le bas au levier, lequel dérapa sur le bois et dégringola par terre. Au deuxième essai, elle enfonça l'outil plus profondément dans le bois et donna un coup plus fort. Le bois céda, le levier dérapa de nouveau, cette fois pour faire un demi-tour sur lui-même et s'enfoncer dans sa jambe.

— Merde ! cria-t-elle, en sautillant sur sa jambe valide.

Une douleur fulgurante la traversa et, l'espace d'un instant, des larmes lui brûlèrent les yeux, mais en pivotant sur elle-même, elle vit qu'un jeune homme se tenait dans l'embrasure. Le jeune homme de l'avion, l'homme au gâteau.

— Nous avons une trousse de première urgence, dit-il en levant un index.

Là-dessus, il disparut, ses pas s'éloignèrent dans le couloir, et Greer eut le temps de se ressaisir avant son retour. Lorsqu'il revint avec des pansements et un flacon de désinfectant, elle s'était composée une attitude stoïque.

— Ce n'est rien.

— Il faut désinfecter. Pour éviter le tétanos.

Greer était toujours pliée en deux, la main pressée contre son tibia, quoique la douleur se fût déjà estompée.

— Ce n'est rien, vraiment.

— Vous voulez dire : Merde, ce n'est rien !

— En principe, oui.

Il s'accroupit devant elle.

— C'est vrai, ce n'est rien, dit-il. Mais il faut quand même nettoyer, non ?

Il ouvrit le flacon, mouilla une compresse et la lui passa. L'odeur piquante de l'alcool à 90 % lui chatouilla le nez.

— Tout va bien, répéta-t-elle en épongeant la coupure dont suintait un filet de sang. Je vous assure.

— Bien, bien. Hum. Mon anglais n'est pas formidable, je sais, dit-il avec un sourire en coin, mais je comprends le langage corporel. Du sang, une femme pliée en deux, le visage tordu de douleur. Alors quand vous dites, « tout va bien », je suppose que voulez dire : « tout va mal ».

— Très mal, soupira Greer.

— Quelle langue subtile que l'anglais. Vous avez beaucoup à m'apprendre, déclara-t-il en se levant. Un jour, je suis tombé en deltaplane, juste après mon décollage d'un pic au nord de Santiago. A l'atterrissage, c'est ma jambe qui a tout pris. Cassée net. Le plus dangereux, ce n'était pas la fracture, mais la poussière qui se déposait dans la plaie. Le médecin m'a félicité d'avoir vite désinfecté la plaie.

Il indiqua d'un signe le flacon d'alcool.

— Vicente Portales ?

— Cela vous paraît-il bien ?

— Très bien et très embarrassant, répondit-elle en soulevant la compresse et en constatant qu'elle ne saignait plus.

— Vous voyez ? Comme neuf ou presque. Bon, au moins je sais une chose maintenant : vous êtes très occupée à vous installer. Bien sûr, vous n'êtes pas obligée de venir au dîner. Je voulais seulement saluer notre nouvelle invitée, le Dr Greer Farraday, comme je le sais à présent. Et moi, je suis en effet Vicente Portales. Un cryptographe. Et je vous souhaite la bienvenue à Rapa Nui, où vous allez aussi rencontrer le Dr Sven Urstedt et le Dr Randolph Burke-Jones, qui ont tous deux hâte de faire votre connaissance. Vous voulez d'un bon conseil ? Si vous voulez éviter le monde entier, Rapa Nui est un choix de roi. Nul endroit ne s'y prête mieux. Mais si vous cherchez à éviter les gens de Rapa Nui, vous n'y parviendrez pas, parce que, voyez-vous, c'est une toute petite île.

Là-dessus, il s'accroupit de nouveau, sortit de sa poche un

splendide couteau suisse, fit jaillir une lame et en deux temps trois mouvements ouvrit la dernière caisse.

— Pour vous aider à vous installer un peu plus vite, dit-il en rempochant son canif. *Iorana*, Greer.

Elle écouta ses pas diminuer doucement dans le couloir.

— Merci, s'écria-t-elle tout en le sachant déjà hors de portée de voix.

Seul l'écho de la sienne lui revint.

Le lendemain matin, Greer se réveilla à l'aube, appliqua un pansement adhésif propre sur sa blessure et prépara son sac pour la journée : sacs en plastique, cutter, cahier, appareil photo, un vêtement de rechange. Elle se tartina les bras et le cou d'écran total, puis traversa les rues de Hanga Roa encore désertes à cette heure matinale pour aller voir Chico, le cousin de Mahina, qui, paraît-il, pouvait lui louer un cheval. Apparemment, la nouvelle de ses intentions s'était répandue comme une traînée de poudre : ledit cousin, un petit homme à la moustache broussailleuse, l'attendait au milieu de la chaussée, en tenant par la bride un cheval bai qui avait l'air d'avoir la peau sur les os. Il lui fit de grands signes de la main. Une fois qu'ils se furent entendus sur le prix, il l'aida à monter sur la carne et lui tendit une vieille carte de l'île où étaient rajoutées à la main les indications de plusieurs *moai*.

— Le plus beau, c'est celui-ci, dit-il en posant le doigt sur le côté ouest de l'île. Ahu Tahai. Quinze minutes. Pas plus. Et là...

Du bout du doigt, il tapota une étendue de sable sur le côté nord.

— ... C'est le mieux pour nager. La plage d'Anakena. Peut-être deux ou trois heures.

Elle le remercia et donna un petit coup de talon dans le flanc de sa monture. Elle n'était pas montée à cheval depuis des années, depuis qu'elle était petite fille, en fait, mais elle retrouvait avec plaisir la sensation d'avoir un torse plus souple, avec ses pieds pendant en trapèze sous elle. Elle avait souvent traversé seule la campagne à cheval, laissant loin derrière elle la maison de ses parents, réduite à une paillette blanche sur la ligne d'horizon, pour aller pêcher des vairons et des tritons dans la crique. Son père l'avait depuis sa plus tendre enfance nourrie de science. Il ne se lassait pas de lui raconter les merveilles de la nature : des plantes qui attendent des dizaines d'années pour ne fleurir qu'une seule et brève fois, une orchidée d'Asie qui restait en fleur pendant neuf mois. Mais son histoire préférée était celle de ces petites graines en forme de cœur qui, tombées des plantes grimpantes tropicales, se trouvaient emportées par le ruissellement jusqu'à la mer. C'est ainsi que des millions de minuscules cœurs flottaient dans les océans du monde à chaque instant, dérivant pendant des mois, des années, atterrissant parfois sur une plage d'une terre lointaine où elles donnaient naissance à une nouvelle vie. Ces cœurs de la mer étaient si bons voyageurs, disait son père, que les marins s'en bourraient les poches pour se porter bonheur.

Pendant que ses camarades se réunissaient après les cours pour s'échanger des poupées Barbie ou des images de champions de base-ball, Greer partait explorer la forêt, retourner des pierres et des morceaux de bois pourri pour voir quels mondes miniatures s'y cachaient, restant pendant des heures en contemplation devant les araignées, les limaces et les mille-pattes en respirant une odeur de moisi. Ou bien elle fendait les champs à cheval, ramassant des fleurs sauvages, descendant parfois pour suivre une abeille qui butinait de fleur en fleur, s'efforçant de discerner un motif dans ses préférences. Elle s'était depuis longtemps accoutumée à la solitude, à communier en silence avec la nature.

Greer continua lentement au long de la route vers l'extérieur de la ville, avec, sur sa gauche, l'Océan comme un lac de myosotis. Bientôt, des rangées de croix blanches percèrent au milieu des herbes. Sa carte indiquait qu'elle se trouvait à la hauteur du cimetière – fondé par les missionnaires, qui, dès leur arrivée, se mirent à exhorter les indigènes à pratiquer des funérailles chrétiennes. Avant cela, les gens se faisaient enterrer dans les grottes, ou sous les *ahu*, ces longues plates-formes de pierre sur lesquelles, à l'origine, avaient été dressés les *moai*.

Le sentier était bordé de fougères, une plante sans doute présente sur l'île depuis très longtemps. Leurs spores sont parmi les plus légères du royaume végétal, pas plus lourdes qu'un grain de pollen, et peuvent être transportées par le vent sur des centaines de kilomètres. Les fougères avaient été les premières à renaître sur Krakatoa ; trois ans après l'éruption de l'île indonésienne, elles représentaient plus de la moitié des plantes, une proportion bien supérieure que son quinze pour cent habituel. Greer se plaisait à comparer les fougères aux Polynésiens, ces hommes itinérants, aventureux, adaptables, peuplant la moindre langue de terre de ce vaste Océan.

Un peu plus loin, plusieurs figures de pierre géantes gisaient couchées dans l'herbe : les *moai,* ces statues qui avaient fait entrer l'île de Pâques dans la conscience planétaire. D'après la carte de Chico, il s'agissait de Tahai, le groupe de *moai* le plus proche du village. Ils étaient déprimants, jugea-t-elle, avec leurs longs nez écrasés par terre, et leurs dos exposés au soleil. On aurait dit des ruines. Greer tenta de les imaginer debout, comme Roggeveen les avait vus en 1722 ; une rangée de figures humaines monumentales. Mais à présent, elles n'avaient plus rien de majestueux. Greer ne descendit pas de cheval. Elle n'était pas venue là pour les *moai.*

Elle coupa par l'intérieur des terres pour visiter l'ancienne léproserie, là où la terre était supposée être la plus fertile de l'île, et où les lépreux avaient cultivé des fruits et des légumes ; la récolte avait été difficile à vendre au début, mais peu à peu, les gens avaient dominé leurs peurs. Au bout de quelques minutes, Greer se retrouva devant un ensemble de masures abandonnées où jadis avaient vécu une vingtaine de malades de la lèpre. Le dernier était mort quelques années plus tôt. Depuis, les cabanes avaient été livrées aux éléments. Elle fit le tour du hameau jusqu'à ce qu'elle eût trouvé ce qui ressemblait à un champ destiné à la culture, sauta de sa monture et préleva un échantillon de terre. Puis elle dirigea de nouveau les pas de son cheval vers le littoral.

Des douzaines d'autres *moai* couchés jonchaient le bord de mer en contrebas. De loin, on aurait cru voir de simples rochers. Mais à l'aide des jumelles, on distinguait bien la courbe des épaules et le creux des yeux. Les statues d'une hauteur de dix mètres avaient été sculptées dans le tuf volcanique à l'identique : elles ressemblaient toutes à de frêles géants dotés d'énormes têtes rectangulaires. Ni humaines ni ornementales. Seuls leur taille et leur nombre étaient impressionnants. Elle comprenait pourquoi ils avaient tant saisi les Roggeveen, Gonzáles et autres La Pérouse. C'était plus que de l'art, une véritable industrie. Sculpter des centaines de géants de pierre, puis les positionner le long du rivage : l'entreprise dépassait l'imagination.

Le soleil, à présent presque au zénith, tapait sur les bras et les jambes de Greer. Elle mit ses lunettes de soleil. Pendant encore une heure, elle conduisit son cheval au long du sentier caillouteux, s'arrêtant seulement une fois, devant des buissons bas tachetés de baies rouges. Du *Lycium*. La seule plante sauvage au milieu des graminées. Elle en détacha un rameau qu'elle glissa dans un sac en plastique. Des douzaines de chevaux et de moutons paissaient sur ces collines. Elle passa devant deux ranches, obligée de contourner la ligne des clôtures par l'intérieur des terres, et aperçut plusieurs perdrix sautillant dans l'herbe.

A midi, elle avait atteint Anakena, un croissant de sable blanc qui, pour l'heure, accueillait des pique-niqueurs. Le couple américain de la veille prenait un bain de soleil sur un plaid, de part et d'autre d'un transistor. Un peu plus bas, plusieurs femmes en bikini se lançaient un ballon. Des cocotiers ombrageaient les bords de la plage – ils avaient été plantés seulement quelques années plus tôt, avait-elle lu – et trois femmes d'un certain âge, assises au pied d'un des épais troncs velus, s'éventaient avec des brochures de voyage. Elles profitaient de la seule flaque d'ombre que Greer ait vue de toute la matinée. Elle était stupéfaite de voir à quel point la terre était sans défense contre le soleil. Presque comme si l'ombre elle-même faisait partie des espèces disparues. La seule oasis de l'île était cette mince bande de sable avec sa canopée de grandes feuilles palmées. C'était là où Hotu Matua, le premier colon, avait échoué sa pirogue, là aussi où la célèbre expédition britannique avait établi son campement. Greer avait projeté d'y prendre son déjeuner, à l'ombre, mais elle avait changé d'avis. Trop de touristes. Elle n'était pas ici pour prendre des photographies rien que pour claironner aux amis restés au pays : « Je suis allée à l'île de Pâques. » Elle était venue pour essayer de comprendre.

Elle s'éloigna de la plage pour suivre le chemin des falaises le long de la côte. Au bout d'une heure, elle quitta la piste pour s'enfoncer dans les rochers et les hautes herbes. Sa monture avançait lentement. Le vent s'était levé et lui fouettait le visage. Les oreilles pleines de ce long sifflement et du tapage des brisants en contrebas, elle n'entendait plus le bruit de ses sabots. Des oiseaux de mer sillonnaient l'espace au-dessus d'elle en silence. Puis, à un moment donné, le vent tomba et elle perçut un fracas singulier. C'est alors qu'elle vit que les vagues à ses pieds déferlant dans un trou des rochers faisaient une immense gerbe d'eau. D'après sa carte, elle était presque à mi-chemin de Hanga Roa : un bon endroit où s'arrêter pour déjeuner. Un petit sentier descendait jusqu'au bord de l'eau. Elle sauta de son cheval et attacha ce dernier à la tête cassée d'un *moai*.

Après avoir ajusté les bretelles de son sac à dos, elle amorça la descente de la falaise, en prenant garde de ne pas glisser sur les cailloux. Une fois au bord de l'eau, elle ne s'était pas plus tôt soulagée du poids de son sac, que des bruits de pas sur le basalte la firent tressaillir. Elle se retourna vers la falaise et vit un vieux monsieur en pantalon de toile marron et pull-over beige grimper les rochers en direction du sentier, d'un pied plus léger, plus rapide et plus sûr que le sien. Un Pascuan. Ses cheveux étaient épais et gris, ses sourcils en bataille. Il jeta quelques coups d'œil inquiets du côté de Greer, puis disparut. À cet instant, la brise lui apporta une bouffée de viande grillée mêlée à l'odeur sucrée des patates douces. Sur les rochers, à une trentaine de mètres de là où elle se tenait, était posée une assiette avec un couvercle en aluminium bordé d'une écume de vapeur. Curieux, songea-t-elle, d'abandonner ainsi son repas. Décidément, cette île vivait selon des lois et des rites qui lui étaient propres.

Greer s'assit et sortit de son sac le déjeuner que lui avait préparé Mahina : deux bananes, un sandwich au fromage et une bouteille (chaude) de Coca. Au loin, une petite jetée étendait ses rochers dans la mer, festonnée de cordages. A ses pieds, les vagues éclaboussaient la falaise. Avec un plaisir qui la surprit elle-même, elle se laissa envoûter par le rythme du ressac. Greer avait toujours aimé l'Océan, et à Marblehead, ces derniers mois, perdue et triste après la mort de Thomas, c'était encore lui qui l'avait apaisée. Mais ici, devant le grand bleu du Pacifique, dans cet endroit loin de tout, elle ressentait quelque chose de plus que de l'apaisement : la première lueur annonciatrice d'un retour du bonheur. Elle avait réussi à venir ici, sur l'île de Pâques, et elle entamait ses premières recherches en son propre nom. Greer sortit son cahier et écrivit :

« Premier jour : Inspection initiale de la végétation commune de la côte nord-ouest de l'île : beaucoup de graminées et de fougères, sans présence apparente de buissons ou d'autres végétaux. Un spécimen (A1) de Lycium *prélevé à trois kilomètres du village de Hanga Roa. (Ses fruits sont-ils comestibles ? Quels animaux les mangent ? Comment se disperse-t-il ?)*
Le sol est sec et laminé par l'érosion. Environ deux douzaines de cocotiers poussent sur la plage d'Anakena sur la côte nord de l'île, mais au-delà, il n'y a pas...

Le trou dans les rochers d'où jaillissait la gerbe d'eau émit un sifflement strident et elle reçut une giclée des embruns. Greer leva les yeux. Un spectre semblait avoir surgi derrière l'assiette fumante. Une vieille femme, pâle et frêle, pieds nus, dans une robe souillée. Le vent soulevait ses longs cheveux blancs. Elle s'accroupit avec souplesse pour ramasser le plat. Puis elle se tourna vers Greer.

— *Iorana !* cria cette dernière. Du vent. *Viento ! Fuerte !...* Quelques paroles aimables ne coûtaient rien.

— ... Quelle vue ! ajouta-t-elle en montrant l'horizon. *El mar, hermoso.*

La vieille femme porta son regard vers l'Océan.

— *Hermoso !* répéta Greer.

— *Vai kava nehe nehe*, dit la vieille dame d'une voix grave et éraillée, à peine audible dans le rugissement des brisants.

Puis elle se tourna vers la falaise et s'éloigna, pour disparaître presque aussitôt, comme par magie.

Intriguée, Greer se rapprocha de la paroi et remarqua une faille, à peine une fissure. Bien sûr, une grotte. L'île tout entière était pleine de ces vestiges d'un passé volcanique : des tunnels de lave datant d'éruptions vieilles de milliers d'années. Sous l'herbe jaune, sous le sol basaltique, ces grottes constituaient un monde souterrain, tout un dédale de galeries secrètes, où dormaient les squelettes des anciens Pascuans. D'après les traditions orales, ces grottes avaient servi d'abris et de cachettes pendant les périodes agitées ; là-dedans, des familles avaient dormi, fait la cuisine, attendu, et, quand nécessaire, y avaient enterré leurs morts. Les premiers chrétiens, pensa Greer, avaient eux aussi compris l'intérêt de disposer d'un réseau de souterrains, puisqu'ils avaient creusé des catacombes dans les sous-sols de la Rome antique, puis, à l'époque où ils étaient persécutés, s'y étaient réfugiés, aux côtés de leurs ancêtres. Comme c'était étrange, ces mausolées qui devenaient des sanctuaires.

Toutes les grottes de l'île étaient loin d'avoir été répertoriées. Celle-ci, en tout cas, semblait servir de logis à cette vieille femme. Combien d'autres, se demanda-t-elle, étaient encore habitées ?

Greer termina en toute hâte son déjeuner – il se faisait tard – et reprit son rapport sur les observations de la matinée. Elle décrivit en détail le chemin qu'elle avait emprunté, la météo, en précisant le nombre de chevaux qu'elle avait vus. Elle s'était juré de prendre le plus de notes possible sur chaque étape de ses recherches, comme si elle était obligée de rendre des comptes à cette société fantôme qui finançait son programme. Mais à présent, arrivée au bas de la page, Greer ajouta une petite note qui n'avait pas sa place dans un rapport scientifique, le genre de note qui aurait fait hocher la tête à Thomas.

> *« Une vieille femme qui vit dans une grotte est venue récupérer une assiette pleine de nourriture chaude qui avait été laissée dehors par un homme âgé. Elle ressemble à une sorte d'ermite. Intéressant. Elle est pâle, avec des cheveux blancs. Une Oho Tea ?*
> *Vai kava nehe nehe – à traduire. »*

En souriant, Greer referma son cahier, emballa les restes de son repas et reprit le chemin du village alors que le soleil déclinait dans le ciel.

Après avoir ramené le cheval à son propriétaire, Greer traversa à pied les rues de Hanga Roa en direction de la *residencial*. Il était huit heures du soir, et les quelques boutiques le long de l'avenue Policarpo Toro étaient fermées. Au coin, le petit restaurant semblait sortir de sa torpeur. Un homme en chemise marron s'employait à disposer sur le trottoir poussiéreux des chaises et des tables sur lesquelles il étendait des nappes à carreaux, puis des salières et des poivriers. Quelques touristes, déjà assis, se dépêtraient des lanières de leurs jumelles et de leurs appareils photo, empilaient les guides à côté d'eux. Des bribes d'espagnol, d'allemand et d'anglais fusaient ici et là. Sinon, il n'y avait pas âme qui vive. En s'engageant dans la rue Te Pito O Te Henua, elle reconnut Vicente Portales qui marchait vers elle, le journal sous le bras. Greer nota la précision de ses gestes. Il n'était pas grand, mais sa façon de carrer les épaules faisait illusion. Il la salua de la main et s'approcha d'elle avec nonchalance.

— Qu'est-ce que je vous avais dit ? L'île est petite.

— En effet.

Il fixa son sac à dos.

— On dirait que vous avez passé la journée à explorer. Vous vous êtes bien amusée ?

— Oui, il y a beaucoup de choses intéressantes, répondit Greer sans oser avouer qu'elle avait préféré sa méditation devant l'Océan à la vue des célèbres *moai*.

— Le mot est bien choisi : c'est intéressant. Pas beau, non. Mais oui, très intéressant. Peut-être l'endroit le plus intéressant que j'aie jamais vu.

— Vous êtes ici depuis combien de temps ?

— C'est une question piège. Pour le travail, cinq mois. Mais je me rends souvent sur le continent avec Lan Chile, comme vous savez. Bon, mais j'ai hâte de savoir sur quoi vous travaillez. La *sociedad* ne sait pratiquement rien des gens qu'elle accueille, mais je suis d'avis que plus on s'échange d'informations, mieux on avance dans nos recherches respectives. Vous joindrez-vous à moi pour un Pisco Sour ?

Greer avait engrangé assez de questions à propos de l'île pour être tentée d'en parler à quelqu'un qui connaissait déjà le terrain. Et comme il le disait si bien, l'île était petite. Elle consulta sa montre. Mahina l'avait prévenue que le dîner n'était pas servi avant neuf heures ; elle avait une heure à perdre.

— Qu'est-ce que c'est qu'un Pisco Sour ?

— Un cocktail incontournable au Chili.

Ils longèrent la rue jusqu'à l'épicerie où elle avait acheté ses provisions. La porte était close, mais Vicente frappa.

— *Iorana* ! Mario ? Vicente *aqui* !

L'instant d'après, Mario montra un sourire endormi.

— Ah ! Marblehead ! *Iorana* ! *Holà*, Vicente !

— *Una botella de Pisco Sour*, demanda Vicente.

— *Sí, sí.*

Mario s'éclipsa dans les ténèbres du magasin pour ressurgir une minute plus tard avec une bouteille et deux gobelets en fer-blanc.

— *Mauviru*, dit Vicente.

Ils descendirent doucement jusqu'à la *caleta*, où une douzaine de petits bateaux de pêche s'alignaient le long du quai, et s'assirent sur un muret en pierre qui surplombait le port. Vicente étala son journal entre eux deux et le feuilleta rapidement.

— Je l'ai lu, conclut-il en l'aplatissant pour y poser la bouteille et les gobelets.

Puis, posant le doigt sur la date, il ajouta :

— Vous voyez ? Seulement vieux de trois jours. C'est rare à Rapa Nui. Essayons de ne rien renverser dessus.

Il dévissa la capsule de la bouteille en poursuivant :

— Je sais seulement que vous êtes ici pour prélever des sédiments. Vous avez causé du souci à la *sociedad* en exigeant un réfrigérateur. Un de ces bureaucrates pensait que vous comptiez faire la cuisine...

Tout en parlant, il tira un mouchoir de sa poche et essuya les deux gobelets.

— ... On a dit beaucoup de mal sur les goûts de luxe des chercheurs américains. Bien sûr, un de leurs experts s'est empressé de leur expliquer que les échantillons devaient être conservés au frais.

— Je suis ici pour étudier les pollens fossiles. J'aimerais savoir quelles plantes poussaient ici et ce qu'elles sont devenues. Une carotte moyenne obtenue au fond d'un lac contient du pollen vieux de plusieurs milliers d'années.

— Les plantes, oui, acquiesça-t-il en versant la boisson opaque dans leurs gobelets, une part importante de l'énigme. Cela apportera une pièce supplémentaire à notre puzzle.

— Et vous ?

— J'essaye de déchiffrer le *rongorongo*.

— Les tablettes gravées de signes mystérieux ?

— Personne n'a encore réussi à déchiffrer cette écriture. Mais si on comprenait ce qui est inscrit sur ces planchettes de bois, on comprendrait ce qui est arrivé à cette île.

— De quel bois sont-elles faites ?

— Voilà bien une question de botaniste ! Nous pensons que pour certaines, c'est du bois de *toromiro*. D'autres sont en laurier, en myrte, en frêne même, je crois. Bien sûr, il n'en reste que vingt et une. Les missionnaires du XIXᵉ siècle avaient obligé les Pascuans à les brûler. Il y en aurait un grand nombre caché dans les grottes, mais on ne les a jamais retrouvées.

— J'aimerais beaucoup les voir. Je veux dire, inspecter le bois dont elles sont faites.

— La prochaine fois que vous êtes en Europe. A Londres, Paris, Berlin, Vienne, Leningrad. Elles sont dans des musées là-bas. Il n'en reste que trois dans notre hémisphère. Deux à Santiago et une à Concepción. Je les ai d'abord vues à Santiago, il y a des années. D'ailleurs c'est ce qui m'a donné l'envie de les déchiffrer. J'étais jeune, et l'énigme était pour moi comme un défi. Mais aujourd'hui...

Il lui tendit son gobelet, en disant :

— Votre Pisco Sour, *señora*.

— *Gracias*.

Vicente attendit qu'elle porte le gobelet à sa bouche. La boisson avait un goût acidulé, et très alcoolisé, un peu comme une Margarita avec du jus de citron.

— C'est bon, souffla-t-elle.

— Le Pisco est une liqueur fabriquée à partir du muscat de la vallée d'Elqui, ce que nous appelons la Zona Pisquera, au nord de Santiago. C'est une région somptueuse, parfaite pour les randonnées ou le parapente, où se déversent les eaux des Andes. Le Pisco est la boisson nationale au Chili. Mais en général les étrangers aiment ajouter un peu d'amertume, ils trouvent que c'est trop sucré. Et trop fort. *Pisquo* est un mot aborigène qui signifie « oiseau en vol ». On pense que c'est à cause de la sensation d'ivresse que ce vocable exprime. Dans une minute, vous allez comprendre...

Il sourit et prit une gorgée, les yeux sur son gobelet.

— ... Alors, que pensez-vous de notre petite taverne de Rapa Nui ?

— Très agréable.

Il y avait, dans le plaisir évident qu'il prenait à rester là assis sur ce muret à verser une boisson forte dans des gobelets en fer-blanc, quelque chose qui fit penser à Greer qu'il venait d'un milieu fortuné. Comme si les choses simples ou primitives de la vie représentaient pour lui le vrai luxe.

— S'il n'y a plus de tablettes sur l'île, pourquoi restez-vous ici ?

— Vous voulez dire que ce n'est pas le genre d'île sur laquelle on a envie de rester indéfiniment ? En effet, c'est une excellente question...

A ses intonations, elle devina qu'il se l'était posée des centaines de fois.

— ... Bien sûr, au départ, j'avais l'espoir d'en trouver. Mais j'ai abandonné. Voyez-vous, si l'écriture n'est pas alphabétique, si elle est symbolique, alors les symboles étaient peut-être à l'origine des représentations des objets des anciens de Rapa Nui. Le meilleur moyen, bien entendu, de déterminer les relations éventuelles entre les signes et le monde réel, c'est d'étudier ce dernier. La langue est en rapport avec la vie. Elle est engendrée par elle. Par exemple, les Rapa Nui ont aujourd'hui une nouvelle expression : *peti etahi*. Ce qui veut dire, littéralement, « pêche numéro un » et qu'ils utilisent pour exprimer leur contentement. Ce mot *peti* est entré dans la langue tout récemment, depuis que les navires chiliens importent dans l'île des pêches en boîte. Avant, ces fruits étaient inconnus. Maintenant, c'est le nec plus ultra ! Tout ce qui est bon désormais est qualifié de *peti etahi*.

— Et vous avez trouvé des liens ?

— De nombreux symboles ont trait aux oiseaux, ou plutôt à des créatures mi-hommes mi-oiseaux. D'autres sont des poissons. Et un grand nombre, aussi surprenant que cela puisse paraître, ressemblent à des arbres.

— Des arbres ? C'est étonnant en effet.

— Evidemment, il s'agit de mon interprétation. Le *rongorongo* est une énigme, la plus extraordinaire de l'île. Les *moai* amènent du tourisme. Mais le *rongorongo*, eh bien... On parle de quelque chose qui ne s'est produit que cinq fois au cours de l'histoire du monde.

Vicente leva le poing en l'air, et compta sur ses doigts :

— En Mésopotamie, au Mexique, en Egypte et en Chine. Ce sont les quatre endroits où a été INVENTÉE l'écriture. Partout ailleurs, elle est le résultat d'un emprunt, ou d'une adaptation. Nous avons là quatre cas de création pure. Plus celle qui s'est produite ici, sur mon île préférée...

Il leva son pouce avant d'ajouter :

— Le numéro cinq. Et la seule écriture à ne pas encore avoir été déchiffrée.

— Votre tâche.

— Oui.

— On dirait une évolution convergente, fit observer Greer.

— Du jargon de biologiste ?

— On parle d'évolution convergente lorsque deux espèces différentes ont évolué similairement alors qu'elles sont séparées dans l'espace et dans le temps. Prenez le cactus américain et cette plante grasse africaine, *Euphorbia cryptospinosa*. Un océan les sépare, mais vous jureriez qu'ils appartiennent à la même famille. Les mêmes tiges gorgées d'eau, les mêmes auréoles. C'est comme l'herbe au lait et les pois de senteur. Ils n'appartiennent pas à la même famille, mais il n'y a qu'un botaniste sur dix capable de différencier leurs fleurs. Même les graines ailées des érables, des frênes et des *tipuana tipu*. Ce ne sont ni les mêmes espèces, ni les mêmes lieux, mais elles présentent toutes la même forme de samare. Ce sont des solutions trouvées de manière indépendante chez ces organismes dans le but de résoudre le même problème.

— Au même titre que la création de l'écriture.

— Exactement.

— Et cette solution n'est apparue que dans cinq endroits. Dont cette île, dit-il en frappant le muret du plat de la main. C'est incroyable.

— Oui, approuva Greer. Espérons maintenant que les tablettes ne se révèlent pas aussi peu porteuses de sens que le cunéiforme. Des listes de commissions, des livres de compte. Ce serait formidable si elles nous apprenaient vraiment quelque chose.

Elle fit cliqueter son gobelet contre le sien et but une grosse gorgée. L'alcool lui brûla les tempes. Elle se passa la main dans les cheveux.

— Roméo aime Juliette, Antoine aime Cléopâtre, quelque chose de palpitant dans ce genre.

— Pas Roméo donne à Juliette quatorze poulets.

— Combinez les deux, Roméo donne à Juliette quatorze poulets parce qu'il l'aime, et vous tenez... le début d'une saga.

Vicente éclata de rire. Greer, sentant son regard insistant, se pencha légèrement de côté. Elle ne voulait pas flirter avec lui. Elle se sentait juste un peu ivre.

— Le déchiffrement me paraît un excellent projet, dit-elle en posant son gobelet. Un véritable défi.

— Ce serait bien de savoir ce qu'ils racontaient, fit observer Vicente, pas mécontent de laisser passer ce moment d'embarras. Mais même si nous parvenons à déchiffrer leur écriture, il ne reste presque plus rien à lire. Tant de choses ont disparu de l'île. Vous voulez savoir pourquoi les *moai* sont encore là ? Parce qu'ils sont trop lourds pour être déplacés.

Ce fut au tour de Greer de rire.

— Tous les premiers voyageurs sont repartis avec des objets précieux, reprit-il. Les indigènes ont échangé leurs objets artisanaux contre des chapeaux et des foulards. C'est une vraie tragédie. Qui sait ce qu'il y a encore ici ? Pour l'instant, je m'emploie à obtenir des informations qui permettraient de localiser d'autres tablettes. Vous avez entendu parler de la flotte allemande qui a jeté l'ancre ici pendant la Première Guerre mondiale ?

— L'amiral von Spee. Oui, il se trouve qu'il était aussi naturaliste. Il notait toutes les plantes qu'il voyait dans tous les ports où il faisait escale.

— Je n'ai pas lu cette partie de ses écrits. Je me suis concentré avant tout sur sa correspondance et son carnet de bord. Les détails de sa cargaison. Un naturaliste, oui. Et un érudit. Il a participé à la première expédition coloniale allemande en Afrique de l'Est. Il fut promu vice-amiral en 1912, et envoyé avec son escadre à Tsingtao, où il se trouvait quand la guerre a éclaté. Un vrai gentleman. Bien sûr, il est mort quand toute sa flotte a coulé au large des îles Malouines. Il a commis une erreur fatale en tentant de prendre la fuite. Personne ne sait pourquoi.

— La peur n'est-elle pas une raison suffisante ? Si je me souviens bien, il avait toute la flotte britannique à ses trousses.

— Et la française, et la russe, et la japonaise. Mais c'était un grand amiral, Dr Farraday. Vraiment remarquable. Des hommes de cette trempe ne s'effrayent pas si facilement.

— Vous vous trompez.

— D'après ses officiers, et même ses adversaires, von Spee ne connaissait pas la peur.

Mais ne pas avoir peur, pensa Greer, était une sensation, non une qualité permanente propre à tel ou tel individu. Personne, même le plus courageux des hommes, ne pouvait éviter la peur. Qui aurait pu imaginer que Thomas Farraday pût craindre à ce point l'échec ?

— Quoi qu'il en soit, il s'est arrêté ici, répliqua Greer, qui s'amusait trop pour gâcher ce moment, ce gentleman botaniste amiral qui ne connaissait pas la peur. A l'île de Pâques. Quel rapport cela a-t-il avec le *rongorongo* ?

— Il paraîtrait, et j'espère que les archives le confirmeront, que la flotte était partie avec des trésors de l'île. La légende voudrait que des objets précieux aient disparu avec les navires de guerre. J'espère que ces objets – des tablettes, j'en suis sûr – ont été acheminés tout de suite vers l'Allemagne.

Greer leva la tête ; les étoiles commençaient à scintiller dans le ciel nocturne. Une brise fraîche roulait sur l'Océan. C'était un moment idéal, cette conversation, dans ce lieu inconnu, avec un inconnu. Elle se mit en tailleur sur le muret.

— Les Allemands admettront-ils qu'ils les détiennent ?

— Non, répondit Vicente. Je ne crois pas qu'ils voudront reconnaître qu'ils sont coupables de recel. Mais si je trouve dans les archives de quoi prouver qu'ils les ont, ce sera une autre affaire.

— Et vous souhaiteriez qu'ils les restituent à l'île ?

— Oui, dit Vicente. Sauf qu'il y a le Chili. Le Chili, voyez-vous, va les revendiquer. Le Chili estimera qu'elles lui appartiennent.

— Ce ne sera peut-être pas l'avis des Pascuans.

— Je suis chilien. Beaucoup d'habitants de Rapa Nui sont chiliens, ou ont des Chiliens dans leur famille. Il n'y a pas de conflit entre Rapa Nui et le Chili. Pas encore. Mais les Pascuans ont de plus en plus l'impression que nous n'avons rien à faire chez eux. Ils nous traitent de *mauku*, ou, en espagnol, de *pasto*. Vous savez ce que cela veut dire ? « Mauvaise herbe ». En d'autres termes, nous sommes de néfastes envahisseurs.

— Il y a beaucoup d'herbes ici. De l'espèce végétale. Et n'oubliez pas que ce qui est mauvaise herbe pour l'un, est fleur pour l'autre.

— Toujours est-il que les Pascuans sont jaloux de leur île. Elle leur appartient, après tout. Pendant les années cinquante et soixante, le gouvernement leur a interdit de voyager. Certains allaient jusqu'à voler des barques à la marine chilienne, ou fabriquaient des youyous ou des pirogues, pour s'en aller à Tahiti, sans instrument de navigation. C'était abominable, vous ne pouvez pas savoir, quand le village se réveillait le matin pour s'apercevoir que tant d'hommes s'étaient comme envolés...

Vicente hocha la tête avant de reprendre :

— Quelquefois, ces fugitifs n'en parlaient même pas aux leurs, de peur qu'ils les empêchent de partir. La plupart de ces embarcations se perdaient en mer. Encore un horrible chapitre de l'histoire de l'île. Des hommes de valeur, des hommes qui auraient pu être à la tête de leur communauté, perdus.

— Vous ne m'avez pas l'air très pro-chilien.

— J'adore Rapa Nui. Dans mon cœur, je suis d'ici. C'est la vérité, ce que je ressens là tout au fond de moi, dit-il en posant la main sur sa poitrine. Je voudrais les voir prendre possession de leur île. Mais même si je parviens à débrouiller le *rongo-rongo*, il y aura des rancœurs. Je ne suis pas un Pascuan. Je serai toujours un *pasto*.

— Vous croyez vraiment que vous pouvez y arriver ? A le déchiffrer ?

— Sans doute, sinon je n'essayerais même pas. Mais j'attends du matériel neuf. Ma pierre de Rosette.

— C'était une dalle de basalte, vous savez. L'île est en basalte. C'est de bon augure.

— Espérons-le, dit Vicente en vidant le peu qui restait dans son gobelet.

Le ciel était noir à présent, et les étoiles brillaient si fort qu'on eût dit qu'elles se déversaient sur la terre. Un lointain réverbère donnait une vague lumière, mais Vicente avait disparu dans l'ombre. Greer sortit sa lampe de poche de son sac à dos, l'alluma et la posa entre eux sur les pierres du muret.

— C'est mieux comme ça.

— Ah s'exclama-t-il en riant, Dr Farraday, vous vous habituerez vite au noir ici. Je ne possède même pas de torche électrique.

Il prit la lampe et tourna l'objet dans sa main pour l'examiner, puis s'enquit :

— Et vous ? Vous allez recueillir des échantillons ? Un travail qui semble prometteur.

— Oui, une fois que vous avez passé le stade du carottage qui est très pénible.

— Beaucoup de réflexion saupoudré d'un peu de dur labeur physique. Cela me plaît.

— A moi aussi, jusqu'au moment où je me retrouve dans la vase d'un marécage jusqu'aux genoux.

— Ici, il n'y a pas de marécage.

— Je suis certaine que les lacs des cratères vont me donner du fil à retordre.

— Les lacs de cratère ?

— Les échantillons doivent provenir d'un lieu humide. Le pollen peut se conserver dans l'eau pendant des milliers d'années.

— C'est vrai, dans les cratères, il y a de l'eau. Mais tout le reste est si sec. Et vous avez une idée de ce que vous cherchez ?

— Je préfère ne pas avoir d'idée préconçue, de peur que cela ne biaise mes analyses. Mais je suis très intriguée par le fait qu'il n'y a pas d'arbre indigène, pas de buisson non plus. Quelque chose est arrivé, une éruption volcanique, un tremblement de terre, qui a détruit toute la végétation.

— Ici, je vous dis, tout finit par disparaître, même les plantes.

— Apparemment. Il faut que j'examine des échantillons de pollen prélevé à des profondeurs diverses, que je compte les grains, que j'analyse leur composition. A partir de là, je pourrai commencer à déterminer à quoi ressemblait l'île autrefois.

— Un beau projet, approuva Vicente. Je suis un admirateur de la science botanique. Quand on se trouve soi-même dans une impasse, les recherches des autres ont l'air beaucoup plus excitantes, plus importantes, vous ne trouvez pas ?

Greer rit doucement.

— Les graminées ont toujours plus de chlorophylle...

Comme Vicente haussait les sourcils, elle ajouta :

— En langage de botaniste : l'herbe est toujours plus verte...

— Ah, oui, je connais cet adage. Comme c'est vrai ! Je suis de plus en plus fasciné par l'histoire de la flotte allemande. Pourquoi sont-ils venus ici ? Qu'ont-ils fait ? Connaissez-vous cette sorte d'obnubilation ? Quand vous ne pouvez plus penser à rien d'autre ?

— Dans ces cas-là, opina Greer, je me dis que c'est nécessaire, puisque toute cette matière grise sert un objectif. Le vôtre est de déchiffrer une énigme.

— Cela vous intéresserait de voir des photos des tablettes ? En échange, je vous aiderai avec vos carottes. J'ai toujours voulu voir comment on s'y prenait. J'étais, comme vous le savez, un fan de Thomas Farraday.

Vicente marqua une pause pour la regarder avant d'ajouter :

— Il était votre mari ?

— Oui.

— J'ai lu beaucoup de choses sur lui.

Pas assez pour savoir qu'il est mort, songea-t-elle.

— Je suis désolé de ma méprise. Je vous ai prise pour lui. Aussi, ils avaient seulement écrit : Dr Farraday. Alors j'ai supposé... J'espère que vous me pardonnerez.

— Bien sûr, dit Greer.

Il ignorait que tout le monde commettait la même erreur. Mais d'avoir parlé de Thomas avait soudain assombri son humeur. Elle consulta sa montre.

— Je vous prie de m'excuser. Le dîner est servi à neuf heures. Et il faut encore que je classe mes notes.

— Ah ! ce serait dommage de faire attendre les petits plats de Mahina.

— Vous connaissez Mahina ?

— Dr Farraday, tout le monde connaît Mahina. Une femme remarquable. Je me répète, me direz-vous, mais c'est une toute petite île.

— En tout cas, merci pour l'apéritif, et la conversation, rétorqua Greer en poussant son gobelet contre le sien.

En se levant, elle remit son sac sur son dos. La tête lui tournait un peu. De l'alcool à jeun après une longue journée au grand air, ce n'était guère raisonnable.

— On se reverra au labo, et ailleurs ! lança-t-elle.

— Voyez-vous, Dr Farraday, si je reste assis sur ce mur, c'est qu'à mon avis, vous préférez rentrer seule.

— Vous êtes perceptif.

— A côté du *rongorongo*, le reste est un jeu d'enfant.

Il était charmant, et si courtois. A un autre moment, elle aurait été ravie qu'il la raccompagne.

— Je suis d'humeur solitaire, lui expliqua-t-elle.

— C'est votre droit. Cela dit, ce n'est pas facile pour moi.

Au Chili, un homme ne doit pas laisser une femme rentrer seule chez elle.

— Eh bien, une Américaine rentre seule chez elle tous les jours de sa vie.

— Bien, je me le tiens pour dit. Mais si vous étiez à Rome...

— Ça, c'est une autre histoire, dit-elle avec un sourire. Quand on a affaire à des Italiens...

— Ce que vous insinuez là, depuis une minute, est une insulte à mon pays et à ma virilité, Dr Farraday. Que va-t-il nous rester pour les mois qui viennent ?

— Le travail.

— Je vois que vous allez avoir une très bonne influence sur moi. Très bien, soupira Vicente en remplissant son gobelet et en tournant une page de son journal, les yeux plissés pour voir dans la pénombre. Ah, il y a eu une élection hier. On ne saura pas qui a gagné avant la semaine prochaine, quand l'avion reviendra. Vous voyez comment ici tout se charge de mystère ?

— Bonsoir, Vicente.

Il leva son gobelet :

— *Salud, mi amiga.* J'ai hâte de savoir ce que vous allez découvrir grâce à votre microscope.

— Moi aussi, moi aussi, dit Greer.

Et elle suivit le maigre faisceau de sa lampe de poche pour remonter la rue.

7

D'emblée, le problème avait été celui de l'approvisionnement.

Les deux mille officiers et simples marins qui s'étaient tournés vers von Spee pour recevoir ses ordres avaient besoin d'eau et de nourriture. L'artillerie, de munitions. Et surtout, les cinq croiseurs blindés ne peuvent pas bouger sans charbon.

Le charbon : ce combustible fossile fait de débris de végétaux vieux de plusieurs millions d'années allait décider du destin de von Spee. Le *Scharnhorst* à lui tout seul, le navire amiral de von Spee, brûlait près de vingt-cinq pour cent de sa capacité de deux mille tonnes en une seule journée. Au bout de moins d'une semaine en mer, il devait jeter l'ancre pour remplir ses soutes. Mais l'empire germanique n'avait qu'un seul port à charbon fortifié dans tout le Pacifique : Tsingtao, le port que l'escadre justement fuyait. De l'autre côté de cet Océan, se trouvaient plusieurs *Etappen*, dans des pays neutres qui entretenaient des contacts commerciaux avec les Allemands, ainsi que sur des îles comme Apia, Yap, Rabaul – toutes des colonies allemandes. Mais les Alliés ne tardèrent pas à s'en emparer et à réduire au silence le télégraphe et les transmissions radio, privant von Spee de ses éventuelles sources d'approvisionnement.

Le 6 août 1914, l'escadre allemande d'Extrême-Orient, la *Kreuzergeschwader*, appareilla pour un long et pénible voyage à travers le Pacifique, avec pour destination la base de Wilhelmshaven, en Allemagne, la mère patrie. Ils avaient à

présent contre eux la Russie, la Grande-Bretagne et la France,
dont les flottes étaient en passe de bloquer les océans du
monde aux marchands et aux marins germaniques. Seules les
eaux de la Baltique, à des milliers de kilomètres de là, restaient sûres.

« *A partir d'aujourd'hui,* écrivit von Spee dans son journal, *je
suis seul.* »

En quittant Tsingtao, il laissait derrière lui tout espoir de
communication avec son pays. La portée de la radio du navire
était seulement de quelques centaines de kilomètres, et les sta-
tions télégraphiques étaient peu nombreuses et éloignées les
unes des autres. Seul, coupé de son commandement, von Spee
n'avait d'autre solution que de suivre les ordres, désormais
étrangement prophétiques, que le Kaiser avait jadis donné à
son état-major des mers lointaines en cas de guerre :

> *A partir de cet instant, il ne compte plus que sur lui-même*
> *pour prendre ses décisions [...] La tension continuelle lami-*
> *nera l'énergie de son équipage ; la responsabilité déjà lourde*
> *du commandant sera encore alourdie par la position isolée*
> *du navire ; des rumeurs de toutes sortes et les conseils de*
> *gens bien intentionnés rendront parfois la situation sans*
> *espoir. Mais il ne doit jamais montrer un seul moment de*
> *faiblesse. Il doit garder tout le temps en tête que l'efficacité*
> *de son équipage et l'aptitude de ce dernier à supporter les*
> *privations et les dangers dépendent surtout de sa personna-*
> *lité, de son énergie et de la manière avec laquelle il fait son*
> *devoir...*

Aussi von Spee fit-il son devoir. Il décida de traverser le
Pacifique, de contourner le continent africain et de rentrer en
Europe.

La première halte de l'escadre pendant ce long voyage fut
Pagan, une des petites îles des Mariannes qui appartenaient
alors à l'Allemagne. Ils y trouvèrent du bétail, des cochons, des
légumes, de la farine, du whisky, du vin et du tabac. Les
hommes descendirent à terre, écoutèrent les chants nocturnes
indigènes, regardèrent la lune se lever. Ils étaient prêts à croire,
pendant ces quelques jours, que la guerre n'avait pas encore
commencé.

Mais quand les quatre navires ravitailleurs qu'ils attendaient

n'arrivèrent pas, pour la bonne raison qu'ils avaient été cap-
turés par les Alliés, tous, en particulier von Spee, comprirent
que la chasse était ouverte.

La Flotte du malheur : Graf von Spee
et l'impossible voyage de retour.

8

En faisant des moulinets avec ses rames, Alice se dirige en zigzaguant vers la goélette. Kierney, debout à la poupe, secoue la tête, l'air de ne pas en croire ses yeux.

— Eamonn, monte donc voir. On dirait que la demoiselle en a eu assez de sa perm ! Y a de la mutinerie dans l'air, ma parole !

Dès qu'Alice, enfin, arrive à la hauteur du bateau en se répandant en cris de joie, Kierney et Eamonn la hissent à bord, toute trempée, et l'enveloppent dans des couvertures. Kierney saute ensuite dans la chaloupe pour aller chercher Elsa et Edward.

— La demoiselle a l'étoffe d'un capitaine, dit-il en riant alors qu'il ramène à bord Elsa et Edward silencieux. Au début, j'étais étonné qu'elle aime tant les oiseaux. En plus, elle connaissait leur nom et tout. Et puis elle aime le dessin. Et elle dessinerait plutôt bien. Elle a fait un portrait de moi avec un de ces damiers du Cap sur l'épaule. Mais je pensais pas qu'elle aimait ramer. Elle a beaucoup de cordes à son arc, cette petite, je vous dis que ça.

La pluie tombe plus drue, grêlant l'eau autour d'eux.

— Kierney, taisez-vous, ordonne Elsa.

— Je faisais juste un compliment à votre sœur ! Tout ce que je veux, c'est qu'on soit contents !

— Kierney.

Le ton d'Edward est ferme. Il lève le doigt en l'air : un glaive acéré.

Elsa fixe des yeux Alice, assise à la proue de la goélette, sa tête mouillée s'agitant au-dessus de la montagne de couvertures. Alice a toujours été imprévisible, mais ça... Partir seule à la rame. Elle pensait à quoi ? Un courant aurait pu l'emporter. La chaloupe aurait pu chavirer, et elle se noyait. Pourquoi n'a-t-elle pas obéi à Elsa quand elle lui a demandé d'attendre ? Elsa aurait-elle dû préciser qu'elle ne devait pas prendre la barque ? N'essaie pas de rentrer à la rame toute seule ! Devait-elle sans cesse prévoir le désastre afin de l'éviter ?

Elsa sent sourdre en elle une colère lente. Nous y revoilà, pense-t-elle. Elle qui avait tant espéré se voir débarrassée de ce souci pendant ce voyage. L'équation semble simple : désormais, chaque fois qu'Alice avancera d'un pas dans le chemin de l'excès, Elsa devra en faire un dans celui de la prudence. L'équilibre est à ce prix. Elsa n'y peut rien.

Bien sûr, sa colère n'est pas dirigée contre Alice mais contre elle-même. Alice est toujours irréprochable ; ceci, aussi, est un élément de l'équation, une constante. C'est la faute d'Elsa si elle se berce, à tort, de l'espoir qu'Alice est capable de changer. Comment avait-elle pu croire que parce que plusieurs mois s'étaient écoulés sans incident, sa sœur avait gagné en maturité ? Pourquoi continuait-elle à se bercer du faux espoir que le temps allait avoir prise sur Alice comme il avait prise sur les autres ? Alice a toujours vécu hors du temps. Les moments et les événements pour elle ne se cumulent pas, ils ne s'additionnent pas jusqu'à provoquer un changement.

Il faut que je sois plus attentive, se dit Elsa. Ce voyage ouvre de nouvelles fenêtres à Alice, et il est essentiel que j'arrive à anticiper ses réactions.

Alors qu'ils grimpent sur le pont, Alice jette ses couvertures et entoure les arrivants de ses bras mouillés.

— Beazley ! J'ai pris le bateau !

Elsa s'écarte, prend sa sœur par les épaules.

— On est en mer, Allie. L'eau est glaciale. Et beaucoup plus profonde que tu crois. Tu ne peux pas partir comme cela toute seule ! Jamais !

— Tout va bien, dit Edward. Là...

Il se poste derrière Alice pour lui emmitoufler la tête dans une serviette.

Alice, debout entre eux, cille des paupières, l'air ensommeillé.

— Alice va bien, murmure Edward. Ne la troublons pas davantage.

— Elle ne me quittera plus un instant.

— Elle va rester avec nous toute la journée, n'est-ce pas, Alice ?

— Tu ne me quittes plus, dit Elsa.

Alice acquiesce avec indifférence. Comment est-ce possible qu'Elsa puisse la tenir dans ses bras, la nuit, dans la cabine, en ayant la sensation d'être si proche d'elle, alors qu'à présent, elle se sent si loin ? Les décrochages mentaux d'Alice ont toujours produit sur elle cette impression inquiétante d'être abandonnée. Enfant, c'était un peu comme si on l'avait laissée seule dans le noir, et elle pinçait, en vain, Alice pour tenter de la faire sortir de son état second. Maintenant elle a envie de la secouer pour l'obliger à recouvrer ses esprits. Elsa a besoin qu'Alice comprenne qu'elle ne peut pas la protéger toute seule.

Elle est bouleversée de voir que deux sentiments à ce point opposés, l'entente parfaite et l'éloignement le plus radical, peuvent coexister dans les rapports entre deux personnes.

— Elle avait sans doute besoin de se dégourdir un peu, suggère Edward. Nous serons plus attentifs à l'avenir.

Il s'efforce de l'apaiser, mais elle lui en veut de penser aussi aisément que, comme il y a plus de peur que de mal, tout va bien.

— C'était une idée affreuse, déclare-t-elle. Ce voyage. Ce bateau. Ce que nous avons entrepris.

— Elsa, je vous en prie, ne vous mettez pas dans un état pareil. Nous sommes presque arrivés.

— Cela ne va pas nous assurer la sécurité.

— Cela réduira le nombre de variables.

— Qu'en savez-vous ?

— Vous rendez-vous compte que nous y sommes presque ?

Valparaiso est à un peu plus de quatre cents kilomètres au nord. Et rebrousser chemin à ce stade, Elsa le sait, n'est pas moins dangereux que de poursuivre jusqu'au bout.

Sous la main d'Elsa, Alice semble tout à coup petite et frêle, d'une inquiétante légèreté.

— J'ai besoin, Edward, que vous m'aidiez à la surveiller.

— Vous pouvez compter sur moi.

Elsa, presque machinalement, embrasse le front d'Alice.

— Restez avec elle. Je vais dans la cabine. J'ai besoin de me reposer un peu.

Mais dans l'étroite cabine, Elsa a du mal à retrouver son calme. En esprit, elle revoit le sentier dégouttant d'eau qui mène à la grotte. Alice assise à côté de Pudding, la cape d'Elsa drapée sur ses épaules. Comme si en étudiant pas à pas le déroulement des faits, une solution finirait par s'imposer. Elsa se tourne dans le lit, remonte la couverture en laine rêche jusqu'à sa tête, puis la repousse. Elle ne mérite pas de dormir. Depuis qu'elle est petite, elle a la conviction que protéger Alice est une mission que lui a confiée une instance supérieure. Et quand un jour Alice était tombée dans l'escalier, ou quand elle s'était cogné la tête contre le montant d'une porte, ou encore quand une bande d'enfants s'était moquée d'elle, Elsa s'était reproché d'avoir échoué. De sorte qu'elle s'imposait des pénitences : elle se privait de dessert quatre soirs de suite, passait une semaine à dormir sans oreiller, une fois même, elle avait déposé sa poupée préférée sur les marches de l'église Blessed Mary avec un mot : « *Pour une enfant plus méritante.* » Car comment accepter un pareil sacrifice, sinon en se persuadant qu'il fait partie d'un dessein du Très-Haut ?

Elsa sort du lit et remonte sur le pont, où Alice est toujours assise dans ses couvertures, contre le bastingage.

— Je vous croyais fatiguée ? s'étonne Edward.

Elsa se passe la main sur le visage pour en effacer toute trace de sommeil.

— Jamais, répond-elle.

*

Il ne leur faut que quatre jours pour atteindre le port vociférant de Valparaiso. Des eaux bleu marine surgit une forêt de mâts ; au long des quais, c'est une cacophonie d'espagnol, d'italien, d'anglais et de français. C'est ici qu'ils vont se préparer pour « la dernière ligne droite », leurs derniers quatre mille kilomètres d'océan. Tout ce que contiennent les soutes doit être inventorié et complété. Kierney et Eamonn arpentent le port, palabrent avec les skippers, les capitaines, les cuistots, en quête d'un nouveau contrat. Ils doivent les accompagner jusqu'au bout et ensuite prendre le bateau de la compagnie chilienne, qui, chaque année, vient chercher la laine produite par l'île, et qui les ramènera à Valparaiso. Le navire doit effectuer son voyage annuel dans trois semaines. Mais dès leur première nuit, Edward apprend par le consul qu'il est en réalité parti la veille.

— Il ne devait pas appareiller avant plusieurs semaines, dit Edward. Nous allons être obligés de hâter notre départ si nous ne voulons pas que nos marins se retrouvent coincés dans l'île pendant une année entière.

En deux jours, à toute allure, ils se réapprovisionnent, obtiennent les permis nécessaires auprès des autorités chiliennes pour poursuivre leurs recherches archéologiques et postent leurs dernières lettres – toutes professionnelles, constate Elsa, regrettant qu'à ce tournant de son existence elle n'ait personne à qui écrire : « *C'est la dernière ligne droite, on y est presque.* » Elle regrette de ne pouvoir écrire à Max.

La veille de leur départ, pendant que l'équipage est à terre, Edward et Elsa, assis sur le pont, s'emploient à vérifier une dernière fois leur équipement.

— Je voudrais vous remercier, Elsa. Je n'aurais pu rêver meilleure assistante.

— Mais cela a été tellement passionnant, ça l'est toujours. Tellement plus palpitant que le Hertfordshire.

— Vous rendez-vous compte que nous allons vivre l'aventure de notre vie ?

Il a l'air plein de santé et d'ardeur, un homme rajeuni en comparaison à ce qu'il avait été en Angleterre. Le fait d'avoir affronté avec succès les dangers du détroit et de les avoir amenés jusqu'ici l'a revigoré.

— Nous allons vivre ensemble des choses extraordinaires, ajoute-t-il.

Et en se penchant en avant, il embrasse Elsa sur la bouche. Après tout ce temps, après toutes ces soirées où Edward lui serre la main, ou dépose un baiser sur son front, Elsa est sidérée par cette subite passion. Elle laisse échapper un petit rire. Edward se recule.

— Je suis désolé, je ne voulais pas...

Il se met à enrouler un cordage.

— Ce voyage va nous faire du bien, j'en suis persuadé. Vous serez aussi libre que l'air. Vous n'avez pas besoin d'un diplôme. Votre curiosité suffit.

— Vous n'avez aucune appréhension ? s'enquiert Elsa.

— Vous oubliez que ce n'est pas ma première expédition. Mais je me rappelle que lors de mon premier voyage, à Bali...

Il lève les yeux vers le sommet du mât, tout d'un coup perdu dans ses souvenirs.

— ... J'assistais un ethnologue confirmé qui ne supportait pas le moindre signe de nervosité. Et moi, j'avais les nerfs en boule. Et puis, quand nous sommes arrivés, tout a changé. Le lieu imaginaire a été supplanté par un vrai endroit, des vrais visages. Rien n'est pire que d'envisager l'avenir...

Il se tourne vers elle à présent, pour lui faire face.

— Mais nous y serons bientôt, sur l'île, et tout va changer.

— Je sais ce que vous voulez dire. Moi aussi, j'ai une angoisse irraisonnée. En fait, je n'arrive pas à croire que tout ce qui nous arrive est vrai.

— Votre père serait fier de vous.

Elle prend une profonde inspiration. Il y a un moment de silence. Ils regardent les commerçants du port remballer leurs marchandises, comme s'il s'agissait des derniers vestiges de la civilisation s'éloignant avec leur charrette bringuebalante.

— Visiter un pays inconnu est une expérience extraordinaire, Elsa. Vous allez voir. La peur n'a jamais le dessus sur la curiosité.

Le lendemain matin, ils lèvent l'ancre. Comme il n'y a pas l'ombre d'une terre où faire escale entre Valparaiso et l'île, ils doivent parcourir toute cette distance en trois semaines. Elsa, inquiète à l'idée que l'équipage va bientôt les quitter, a du mal à dormir. Après tous ces mois passés en compagnie de ces hommes, une étrange angoisse l'étreint à la pensée de les perdre. Ce n'est pas une question d'individu, de personne. Quand elle quittait un poste de gouvernante, elle redoutait toujours de dire adieu aux enfants, même si ces derniers avaient été de vrais monstres. Elle ne pouvait s'empêcher de lâcher des promesses, auxquelles elle croyait, des promesses ridicules : « Je viendrai vous voir au printemps. » « Venez me voir dans le Lancashire. » Et, à présent :

— Eamonn, promettez-moi de passer nous dire bonjour si vous ne mouillez pas loin de l'Angleterre.

— Madame Beazley, rappelez-vous du vieil Eamonn quand vous déterrerez votre trésor.

Non pas qu'elle se soit prise d'affection pour l'équipage. Elle s'est simplement habituée à eux. Et la vie conjugale, jusqu'ici, s'est résumée à faire chambre à part. Sa conduite envers Edward dépend pour ainsi dire de l'équipage, puisque leur présence justifie sa réserve. Une fois qu'ils ne seront plus là, quelle raison y aura-t-il à se montrer aussi pudique ?

Pendant quinze jours, ils naviguent en pleine mer, et l'idée qu'ils sont sur le point de toucher au but obnubile Elsa. Cette langue de terre, au bout de milliers de kilomètres, cette île qui leur est inconnue lui apparaît fidèle à sa légende : bientôt ils seront jetés sur le sable de ses plages comme un vœu exaucé.

Au dix-huitième jour, sous le soleil implacable de midi, plusieurs oiseaux de mer tournoient autour de la goélette. La terre est proche. Mais tandis qu'Elsa guette sur le pont, les yeux sur les voiles gonflées et bordées à fond, elle a soudain l'impression qu'ils n'ont pas parcouru tant de distance que cela. Le bateau lui paraît semblable à une créature possédant sa propre volonté, et l'Océan et le vent, comme des conspirateurs ourdissant de mystérieux projets. Cela devrait calmer son angoisse : si elle parvient à croire qu'une main invisible les a guidés jusqu'ici, elle peut croire en leur chance, et au bonheur d'Alice.

Le lendemain soir, alors qu'elle veille dans la clarté chatoyante de la lune encore basse dans le ciel, Elsa aperçoit une ombre à l'horizon.

— Allie ! Edward !

Il n'y a aucune lumière à terre, seulement les petites fumées de feux de camp sur le point de s'éteindre.

Nous y sommes, se dit Elsa.

— Nous allons mouiller au sud de la jetée, déclare Edward. Ce n'est pas prudent d'aborder pendant la nuit.

Ils ralentissent leur allure. Edward prend la barre pendant que Kierney et Eamonn ouvrent le coffre à mouillage et libèrent l'anneau d'étrave. La voile se met à faseyer. Tandis que le bateau dérive vers la côte, s'élève le fracas des vagues se brisant sur les rochers.

— Parez à mouiller ! crie Edward.

Les hommes font tourner à toute allure le levier de guindeau, la lourde chaîne de mouillage s'ébroue tandis que l'ancre amorce sa chute, et plonge dans les profondeurs ténébreuses de la mer.

Une fois les voiles affalées, les écoutes nouées sur leur taquet, un vent d'épuisement souffle sur le pont. Ils s'écroulent tous contre le bastingage, sans un mot, comme si le fait de parler allait les tirer de leur rêve triomphal d'amerrissage. Ils tendent l'oreille pour mieux entendre le bruit doux de l'onde lapant la coque, le crac-crac-crac cadencé du bateau tanguant dans la nuit, le bois usé par les éléments élevant sa douce complainte.

Au bout de quelques minutes, la voix d'Edward brise le silence.

— Il faudrait songer à descendre dormir un peu. Nous avons une longue journée demain devant nous.

Elsa se lève péniblement, prend Alice par la main et la guide vers leur cabine. Edward lui emboîte le pas. Sans échanger une seule parole, ils se préparent à aller se coucher. Comme des papillons de nuit, les bonsoirs volent dans l'obscurité.

Et cette nuit, pour la première fois depuis qu'ils ont quitté Southampton, Elsa rêve de Max. Il est à St Albans, il se promène dans la maison vide de son père, à sa recherche. Il traverse en trombe le salon, la chambre, la bibliothèque, il l'appelle par son nom, Elsa, Elsa, Elsa, comme une psalmodie, El-sa, en passant de pièce en pièce, sa voix s'enflant, se multipliant en des centaines de voix, toutes débitant sur une seule note : El-sa-El-sa-El-sa.

Elle se réveille, le front inondé de sueur. Le bateau flotte comme un bouchon avec des craquements qui n'en finissent pas. Soudain, son estomac se serre. Au-dessus d'elle, dodelinant dans le cadre de la trappe ouverte, un visage brun. Ses yeux, blancs dans le clair de lune, la dévisagent silencieusement, la scrutent, puis regardent Alice, et évaluent l'espace étroit qui les sépare. Elsa passe un bras autour de sa sœur endormie. Elle songe à appeler Edward à l'aide, mais elle a trop peur d'effrayer leur visiteur. Puis la mémoire lui revient.

Elle murmure, à tout hasard, le cœur battant d'espoir :

— *Iorana ?*

Un sourire éclaire la figure au-dessus d'elle.

— *Iorana*, s'entend-elle répliquer d'une voix forte.

Alice remue dans son sommeil. Puis des douzaines de voix résonnent dans la cabine, dans le salon, sur le pont, dans l'eau autour d'eux, entonnant à l'unisson :

— *Iorana.*

Bonjour.

Dans le noir, les filins fixant le cylindre du carotteur au dos du cheval formaient comme une immense toile d'araignée qui ballottait sous ses yeux. L'aube pointait à peine et Greer fermait la marche d'une caravane de trois chevaux qui montaient le sentier nord le long du littoral. La bête du milieu transportait les objets les plus volumineux. Ramón montait devant. Ils cheminaient en direction du Rano Aroi, le volcan qui présentait le plus petit cratère de l'île.

Greer allait avoir besoin de plusieurs jours pour réunir une première série de prélèvements, et elle avait hâte de s'y mettre. Un carottage, quand il est bien fait, est une opération complexe, et elle ne s'y était jamais aventurée jusqu'ici sans Thomas. Ils avaient toujours travaillé en tandem, que ce soit à ski ou à traîneau, creusant des trous au fond de lacs gelés, se tenant en équilibre sur des radeaux de fortune pour plonger leur appareil dans les marécages. Pendant leur lune de miel en Toscane, ils avaient pris la voiture pour monter dans les Apennins, afin d'y prélever du grès. C'était à l'époque où ils étaient heureux ensemble, où Thomas était lui-même, et tandis qu'ils piochaient dans la montagne, ils plaisantaient. « Pourrais-tu, cher mari, toi qui es si fort, donner un bon coup sur ce rocher, là ? – Avec grand plaisir, ma petite femme ! » Au lit, la nuit, après avoir fait l'amour, en attendant que vienne le sommeil, ils se parlaient en chuchotant des couleurs des sédiments, de la texture de la roche. C'était un plaisir partagé, cette extraction de morceaux d'histoire, cette « confession » que leur pioche arrachait à la terre. De retour au labo, montrant du doigt un échantillon, Thomas lui adressait un clin d'œil : « Emmène-le dans la salle d'interrogatoire. » Mais cette animation, cet émerveillement devant tout ce qu'ils découvraient, s'étaient évanouis depuis des années.

Greer se déplaça légèrement sur sa selle. Elle portait ses vêtements de campagne : un pantalon en toile kaki, un sweat-shirt, des bottes en caoutchouc. Son sac à dos, qui pesait lourdement contre elle, contenait son cahier imperméable, un appareil photo, une grande bouteille d'eau, une trousse de première urgence, une paire de gants épais, trois rouleaux de papier aluminium, et ses sacs en plastique. Sur ses genoux, étaient posés trois tubes d'extension en zirconium qui étincelaient dans les premiers rayons du soleil.

Greer savourait cette longue randonnée matinale vers son site d'échantillonnage et s'efforçait de sentir l'excitation monter en elle à la perspective de ce qui l'attendait, une chose que Thomas n'aurait pas pu faire. Il était devenu tellement obnubilé par les résultats, que la recherche elle-même lui semblait une corvée. Elle se demandait encore, toutefois, à quel moment il avait perdu de vue la démarche scientifique, pourquoi cet homme qui avait jadis fait preuve d'une telle rigueur avait opté pour la facilité ?

Elle tenta de se concentrer sur le paysage. Tandis que le ciel lentement s'éclaircissait, les ombres déchiquetées se révélaient être en réalité des rochers et des pancartes. La mer d'obsidienne devint bleue. A trois kilomètres de la ville, quand elle bifurqua vers l'intérieur, le soleil commençait à tracer un long champ de lumière scintillante sur le Pacifique.

— Rano Aroi ! s'exclama Ramón en montrant d'un geste l'espace qui s'ouvrait devant eux.

C'étaient leurs premiers mots depuis une heure. Quelque chose dans l'obscurité avait rendu leur silence naturel.

— Magnifique, dit Greer. *Magnífico.*

Il arrêta son cheval et contempla le cratère :

— *Sí, magnífico.*

Au loin, le cratère s'élevait en douces pentes herbeuses, comme un poing qui aurait surgi des profondeurs de la terre. Pas un arbre, pas un buisson n'obstruait la vue. Sous les fines écharpes des nuages matinaux, seul le cratère se dessinait devant eux : son premier terrain.

Le sentier se perdait dans la plaine jonchée de roches volcaniques. Les chevaux avancèrent d'un pas prudent.

Il était tout juste sept heures trente passées quand ils attachèrent leurs montures à un rocher, détachèrent le carotteur et la plate-forme, et hissèrent le tout jusqu'au bord du cratère. Greer était en nage. Elle portait son sac à dos et les tubes d'extension. Le carotteur, les tubes, tout cela avait été conçu par des hommes, pour des hommes, et il fallait une force herculéenne pour les déplacer. Même Ramón soufflait comme un phoque. Il ne cacha pas son soulagement quand elle lui déclara, à moitié en espagnol, à moitié par signes, qu'il avait fait sa part, et qu'à partir de maintenant, elle pouvait se débrouiller sans lui. Il avait quartier libre. Une opération de carottage était en effet une opération trop délicate pour qu'on laisse un néophyte s'en mêler. Une erreur était vite commise ; les données pouvaient être gâchées par le moindre geste malencontreux. Ramón alla s'allonger sur un coin d'herbe et, un bras plié sous la nuque, se plongea dans la lecture d'un vieux livre de poche.

Greer sortit son appareil photo et prit plusieurs clichés du cratère, dont les bords avaient du mal à tenir dans le cadre de son objectif. En contrebas, le lac était recouvert d'un épais tapis de joncs de *totora*, cette plante d'eau douce dont les indigènes se servent pour fabriquer des paniers, des nattes et des toitures. Les premiers explorateurs avaient déjà noté sa présence sur l'île. Il était d'ailleurs étrange qu'elle seule pousse encore en abondance. Quel genre d'extinction massive avait ainsi laissé en réchapper ses chouchous ? Une profusion de fougères semblait logique. Mais ces roseaux n'étaient guère du genre voyageur. C'étaient des plantes à graines, et leur seul espoir de se déplacer à travers une étendue aquatique consistait à se nicher dans les plumes ou l'estomac d'un oiseau, un procédé beaucoup moins sûr que de dériver au gré du vent. Greer allait devoir analyser leurs rapports avec les espèces qui poussaient sur le littoral ; et de la sorte, déduire depuis quand ces plantes étaient là. Si elle trouvait non loin des spécimens de la même famille, le *totora* était un nouvel arrivant. Si elle ne lui trouvait que des cousins éloignés, il était présent dans l'île depuis des milliers d'années, évoluant en autarcie.

Greer ouvrit son cahier, nota la date, l'heure, le site, la météo et ensuite descendit dans le cratère. Elle glissa la moitié du socle du carotteur sous son bras et se servit d'une extension de zirconium comme canne. L'eau fraîche lui léchait les genoux. Les roseaux, avec leurs deux mètres de haut, la dépassaient de plus d'une tête, lui rappelant les champs de maïs de son enfance, un univers d'épaisses tiges vertes coiffé d'échappées de ciel. Mais les roseaux étaient fragiles et se cassaient comme un rien sous ses pas. Elle ne tarda pas à tracer un sentier. Tandis qu'elle s'enfonçait dans la végétation, perdant de vue la côte, Greer se remémora des histoires de scientifiques se blessant pendant qu'ils prélevaient des échantillons. Fractures du bras, enlisements dans des marécages. Bien sûr, Ramón se trouvait à portée de voix. Si la moindre chose lui arrivait, il lui suffisait de crier.

Arrivée à mi-chemin du cratère, Greer dressa sa plate-forme sur un tas de roseaux brisés. Le soleil tapait fort. Des gouttes de sueur lui tombaient dans les yeux. Elle s'accroupit pour asperger son visage d'eau, puis ôta sa casquette, la plongea dans l'eau froide du lac et s'en recoiffa. Le contact de ce peu de fraîcheur lui fit du bien.

Elle retourna ensuite chercher son carotteur et les autres tubes de zirconium. Quand elle eut achevé ses deux trajets aller-retour, Greer était haletante. Il y avait longtemps qu'elle n'avait pas transporté son matériel. Elle se pencha en avant, les mains sur les cuisses et contempla le site : la plate-forme, le carotteur, les tubes. A mesure que son souffle lui revenait, elle prenait conscience du silence, un silence que ne froissait que le clapotis minuscule de l'eau contre ses bottes. Me voilà, songeat-elle, au milieu d'un cratère sur l'île la plus isolée du monde. Des joncs se dressent tout autour de moi ; je ne vois que le ciel. Pas une voix, pas un froissement.

C'était cela la solitude, se dit-elle, extrême, impitoyable. Et l'image qu'elle a d'elle-même debout, là, la remplit soudain d'effroi... C'est donc à cela que la vie se résume ?

Il lui fallait rompre le silence. Il fallait qu'elle bouge.

Greer se planta à côté de la plate-forme et fit glisser le carotteur dans le trou du milieu. Elle mit ses gants matelassés et positionna le piston.

— Allons, dit-elle, calmée par le son de sa propre voix. Vas-y, fais-le. Il suffit de le faire.

Et sur ces paroles, Greer pesa de tout son poids contre le

cylindre métallique, se jetant en avant de toutes ses forces tandis que le dispositif s'enfonçait profondément dans la terre mouillée.

— Ah, regarde, c'est le Dr Farraday ! Toujours si affairée ! Elle va régler ce problème une bonne fois pour toutes. S'il vous plaît, docteur, venez vous joindre à nous.

Le soleil était sur le point de se coucher, une brise rafraîchissante balayait l'île, et Greer se dirigeait à pied vers sa *residencial*. Elle réfléchissait au travail qui l'attendait : encore quelques jours de prélèvements, suivis de semaines entières de nettoyage et d'analyse. Son projet l'intimidait plus qu'à l'époque où elle était encore à Marblehead. Il lui avait fallu cinq heures pour extraire une carotte de sédiments ; après avoir manœuvré le piston pendant une heure, elle s'était finalement couchée à plat dos, et avait donné des coups de pied aux poignées de l'appareil. Ensuite, à son retour chez Mahina, un peu découragée, elle avait dévoré son repas de bonne heure avant d'aller porter ses échantillons au labo. A présent, elle n'avait plus qu'une idée en tête : prendre une bonne douche et un repos bien gagné.

— On dirait que la journée à été rude sur le terrain !

Depuis une table pliante installée devant l'hôtel Espíritu, Vicente lui faisait de grands signes. Une torche brûlait à chaque coin de la table. Deux hommes, l'un tout en muscles, l'autre maigre et un peu voûté, étaient assis en face de lui. On était jeudi, se souvint-elle. Le soir du dîner des chercheurs.

— Une journée seulement ! J'ai l'impression que ça a duré une semaine ! répliqua gaiement Greer, s'efforçant de ne pas montrer sa fatigue.

Elle fit glisser les bretelles de son sac à dos sur ses épaules, et le posa sur le sol.

— Ces joncs, poursuivit-elle, sont plus coriaces que des lianes en caoutchouc. Whou ! Et ce soleil, une vraie fournaise. Et quand vous montez un peu, il souffle un vent à décorner les bœufs !

Elle fit un effort de volonté pour se taire, consciente de son euphorie après une journée de solitude. Ramón n'avait pas desserré les dents, même sur le chemin du retour, et son espagnol n'était pas assez bon pour qu'elle puisse le sortir de sa réserve, d'autant qu'il était timide. Il avait surtout paru intéressé par les carottes. Quand elle était remontée du cratère, il avait posé son livre dans l'herbe. Quand elle avait déballé un de ses échantillons, il avait ri, comme si l'idée d'avoir prélevé des bouts de la planète lui paraissait très drôle.

— Dr Greer Farraday est notre nouvelle palynologue, annonça Vicente.

Le plus petit de ses deux compagnons, vêtu d'une chemise grise, se contenta de faire un signe de tête affirmatif. Des lunettes, épaisses comme des presse-papiers, écrasaient son nez. Le deuxième homme, blond et bronzé, se leva immédiatement. Il était grand. Un t-shirt jaune moulait son torse, inscrit d'un :

Swede e π

— Sven. Sven Urstedt, dit-il en lui tendant une main ferme. Météorologue. Géologue amateur. Signe astrologique : Poissons...

Ses yeux, qu'il avait grands et bleus, inspectèrent Greer des pieds à la tête.

— ... Nous insistons pour que vous vous joigniez à nous.

Ravie de cette distraction qui l'empêchait de se faire du souci pour son travail, Greer s'assit. Comme le jeton de poker de la clé de sa chambre qu'elle avait mise dans sa poche lui entaillait la cuisse, elle posa le tout sur la table.

— Je demande à voir, je renchéris d'un, dit Sven en sortant sa propre clé, attachée à une patte de lapin, et en la posant à côté de la sienne.

D'un pichet jaune il lui versa un verre de ce qui ressemblait fort à un Pisco Sour.

—... Pour vous éclaircir les idées. Maintenant. Des iris violets, enchaîna-t-il. Est-ce que cela signifie quelque chose ?

— Signifie ?

— Tu désarçonnes le témoin ? intervint Vicente.

— Oui, mais des iris violets, qu'est-ce que ça veut dire ?

— Ce que Sven se demande, c'est si les fleurs qui s'appellent des iris et qui sont violettes ont une signification. Comme les roses rouges. Ou les roses noires.

— Pour offrir, vous voulez dire ?

— Exactement, acquiesça Vicente.

— Pas que je sache, répondit Greer. Mais il faudrait poser

la question à un fleuriste. Les programmes universitaires ont coupé le budget des cours d'art floral.

— Dr Farraday, les fleurs sont faites pour être coupées ! s'exclama Sven.

Greer rit.

— Arrête, Sven, dit Vicente. On ne s'en sortira pas. Le Dr Farraday ne sait pas.

— Alors, si elle ne sait pas, on peut en déduire que les iris violets n'ont pas de signification. Sinon, ça se saurait. Du moins je le suppose, puisque c'est le but, n'est-ce pas, de communiquer quelque chose ?

Greer songea que Sven n'avait pas tort.

— Il semblerait, à ce propos, ajouta Vicente, que von Spee savait quelle signification elles avaient. « Elles iront parfaitement sur ma tombe », c'est une déclaration qui a une sacrée portée.

— Von Spee était déprimé. Lunatique. Pour l'amour du ciel, les Allemands ne prennent jamais rien à la légère...

Sven fit tourner son Pisco dans son verre puis posa ce dernier sur la table.

— ... Un bouquet et... il coule sa flotte.

Il grimaça un sourire, fier de sa dernière trouvaille.

Vicente se tourna vers Greer. Il portait une chemise bleu marine qui rehaussait sa peau mate.

— Nous parlons de l'amiral von Spee. Je suis tombé sur des documents qui...

— On en a terminé avec l'amiral. On va l'embêter à mourir.

— Bon, concéda Vicente.

L'homme en chemise grise ne l'avait pas encore regardée.

— Et les iris tout simples ? reprit Vicente. Est-ce qu'une signification leur est attachée ? Comme au lis ?

— Vicente ! s'écria Sven. Je te préfère cent fois t'obnubilant au sujet du *rongorongo*. Ça vaut le coup de chercher un sens là-dessous. Mais, les fleurs... Je ne peux pas t'aider.

Le lis, en anglais Lily. Lily Bethany Greer, c'était ainsi qu'elle figurait à l'état civil. Mais en grandissant elle avait pris en grippe le prénom de Lily, d'autant qu'il prêtait le flanc à des blagues de botanistes qu'elle préférait ne pas avoir à supporter. Il valait mieux un nom androgyne comme Greer. Aussi, dès son inscription à l'université, elle s'était fait appeler Greer Sandor, le nom de son père, mais à l'envers. Et quand elle s'était mariée, Greer Sandor Farraday. Quoique Thomas, dans l'intimité, l'avait toujours appelée Lily.

— Très bien, soupira Vicente. Changeons de sujet. La SAAS s'agite à propos d'une conférence.

— Ça fait deux ans qu'ils s'agitent à propos d'une conférence, fit remarquer Sven.

— Mais cette fois, ils menacent d'envoyer quelqu'un de chez eux.

— Parce qu'ils ont des êtres humains chez eux ? Je croyais que la SAAS était dirigée par des machines. Je n'ai jamais vu une société d'archéologie aussi peu intéressée par l'archéologie. Ils se préoccupent des éclairages, des mémos, des brochures d'instructions. Le mois dernier, j'ai reçu une caisse entière de stylos à bille. Alors que ça fait un an que j'essaie d'avoir accès aux renseignements transmis par le satellite de la météo chilienne. Après tout, c'est mon travail. Les changements climatiques dans le Pacifique sud. Les courants océaniques et leurs rapports avec les migrations polynésiennes. Et qu'est-ce qu'on m'envoie ? Soixante-quinze – le nombre est exact – stylos à bille bleus.

— Bon, Sven, s'ils envoient quelqu'un de chez eux, ta situation va peut-être s'améliorer, observa Vicente. Tu pourras au moins lui faire part de tes récriminations.

— Oh ! je leur en ai fait part. Bon, ne parlons plus boulot, dit Sven en esquissant un geste comme s'il chassait une mouche. Greer, vous avez l'air d'une musicienne. Vous jouez sûrement d'un instrument. Le hautbois, je suppose.

— Je n'ai aucune oreille.

— Sven aurait voulu être chanteur d'opéra, informa Vicente. C'est son rêve depuis toujours...

— Ma vision, corrigea Sven en adressant un grand sourire à Greer.

— Sa vision de notre talent potentiel pour le théâtre ou la musique, ou le sport. Hélas, il est le seul à posséder ce don.

— C'est vrai. Vicente détient le record de celui qui a effectué le plus long voyage en ballon à air chaud au-dessus des Andes, mais à quoi cela vous sert sur une scène ? Son talent exige un matériel sophistiqué et pas mal d'argent.

— Je crains que cela ne soit trop vrai, admit Vicente avec un haussement d'épaules.

C'est alors que le troisième homme fit entendre sa voix :

— Un talent pour le sport ?

— Oui, le sport, Burke-Jones. On a besoin de quelqu'un qui s'emploie à nous entraîner, tu ne trouves pas ?

L'homme, son regard toujours attaché à la nappe, acquiesce. Ses cheveux, d'un blond pâle tirant sur le roux, avaient sans doute été bouclés, jadis. A présent, ils couvraient à grand-peine son crâne et ne bouclaient que sur son front, et encore, ils étaient si fins qu'on les aurait dits dessinés. Derrière le verre épais de ses lunettes, ses yeux étaient gonflés de fatigue.

— Au croquet, avança Vicente. Ou au badminton. Des sports anglais, bien sûr.

— Je parie que Burke-Jones sait manier la raquette.

L'intéressé concéda un sourire.

— Parfait, décréta Sven. Maintenant, Dr Farraday, quoique j'aie du talent pour dix, ce serait formidable d'avoir une partenaire...

— Tu parles, grommela Vicente. Je vous souhaite de ne jamais l'entendre bramer.

— ... Une âme sœur amoureuse des arts, une artiste, continua Sven.

Greer se demanda si leurs réunions étaient toujours aussi dynamiques, presque chorégraphiées, ou bien si, comme dans les expériences sur la théorie des quanta, sa présence avait influencé les résultats. A moins que ce ne soit l'effet du manque de distraction dans l'île : une sorte de danse verbale, de numéro d'acrobatie en mots.

— Je peux vous réciter le nom de toutes les familles de l'ordre des Urticales et des Magnoliales. A l'envers si vous voulez, dit-elle. Mais je ne pense pas que cela vous amuserait longtemps. Vous pourriez en faire une chanson, sans doute. Mais la principale vertu de cette liste consiste à être souveraine contre l'insomnie. Un peu comme quand vous comptez les moutons, mais pour mentalités obsessionnelles et obnubilées par les détails.

— La taxonomie ! s'exclama Sven, les yeux brillants. En effet, c'est un domaine très intéressant.

Greer remarqua que Burke-Jones, derrière ses grosses lunettes, était en train de l'observer.

— Vous avez un regard d'inquisiteur, lui lança-t-elle. Mais je crains de n'avoir rien à avouer.

— Je vous présente Randolph Burke-Jones, dit Vicente. Notre ingénieur. Et notre architecte. C'est lui qui doit nous expliquer comment les Rapa Nui ont fait pour transporter les *moai*.

Burke-Jones baissa de nouveau les yeux. Devant lui, les vestiges de trois cocktails tropicaux montraient des bouts d'ananas écrasés, des rondelles d'orange flétries enfouies sous une forêt de cure-dents colorés. Où avait-il trouvé tous ces cure-dents ? Ne se servaient-ils pas tous au pichet ?

— Vous êtes anglais ? interrogea Greer.

Il leva brièvement les yeux. La lumière des torches éclaira un instant ses traits.

— En effet.

— Ne vous laissez pas avoir, intervint Sven. Les Anglais font semblant d'être très convenables et bien élevés. Mais pas lui. Pas Burke-Jones. C'est une forte tête. Quoiqu'il cache bien son jeu.

Burke-Jones tira doucement les fines pailles de ses verres à cocktail, les disposa avec soin les unes à côté des autres sur la table, puis se mit en devoir de cueillir de même les cure-dents. Greer se prit soudain pour cet individu d'un élan de sympathie : voilà un homme qui n'avait pas peur d'étaler son excentricité.

Vicente tapota l'épaule de Greer :

— Alors, vous avez prélevé votre carotte ?

— Six mètres de tourbe très mouillée et très fibreuse. On devrait pouvoir remonter à au moins six siècles.

— Et vous allez pouvoir analyser les pollens de chaque période ?

— Oui. Mais cela prendra un certain temps. Il faut maintenant trier, nettoyer, traiter. L'extraction de grains de pollen est une opération pénible. Ensuite il faut les compter. Rien que de les identifier prend parfois plusieurs semaines...

En prononçant ces mots, elle prit de nouveau conscience de son extrême fatigue. Comment avait-elle pu se lancer seule dans une aventure pareille ? Comment avait-elle osé, après avoir travaillé en équipe dans un laboratoire pendant des années, croire qu'elle était capable, toute seule, de prélever des échantillons de pollen sur une île à des milliers de kilomètres de toute civilisation ?

— ... Mais c'est pour la bonne cause. Je finirai par obtenir un tableau précis de la diversité de l'île en ces temps reculés.

— Splendide ! s'écria Sven. Ou, comme ils disent en espagnol, *espléndido* !

— Et voilà ! annonça Burke-Jones.

En se tournant vers lui, Greer vit, sur la table devant lui, un tipi miniature confectionné à partir des pailles et des cure-dents.

— La patte du maître ! dit Sven en lui donnant une grande claque dans le dos. Ah, regardez, voici venir don Juan !

Sur ce, Sven ferma les yeux, leva le visage vers la lune et se mit à entonner l'air de *La Bohème* : « *Che gelida manina* ».

Un vieil homme passa devant eux. Les épaules étroites, les manches de son pull roulées sur ses poignets. Il marchait penché en avant, ce qui lui donnait un air pensif. Greer crut reconnaître le vieillard qu'elle avait chassé sans le vouloir de l'entrée de la grotte.

— Qui est-ce ? s'enquit-elle.

— Luka Tepano, répondit Vicente.

— Alias don Juan, précisa Sven.

— Luka est le serviteur dévoué de l'ermite de l'île.

— Bon, si vous préférez, Lancelot.

— La vieille femme de la grotte ? interrogea Greer.

— Guenièvre, acquiesça Sven. Sur la fin.

— Vous avez déjà bien exploré ! approuva Vicente. Oui. Ana vit dans cette grotte depuis on ne sait combien de temps. Les gens de l'île prétendent qu'elle est une des vierges Neru oubliées, les jeunes filles que l'on enfermait dans les grottes pour qu'elles soient bien pâles pour les fêtes religieuses. Des femmes étaient chargées de leur glisser de la nourriture. Les indigènes qui avaient été réduits en esclavage par les Péruviens sont rentrés avec la variole, de sorte que quatre-vingts pour cent de la population est morte en l'espace de quelques semaines. Les vierges Neru ne furent pas mises au courant. Les femmes qui leur donnaient à manger sont mortes, et les jeunes filles sont mortes à leur tour, de faim.

— Mais c'était en... ?

— 1877.

— Elle ne peut quand même pas être aussi vieille, fit remarquer Greer.

— N'oubliez pas, dit Sven, souriant, qu'elle a évité de s'exposer au soleil.

— Elle est anglaise, laissa tomber Burke-Jones.

— Oui, dit Vicente. Certains Rapa Nui pensent qu'elle est anglaise. D'autres disent même allemande, abandonnée ici par la flotte. D'autres encore prétendent que c'est une *tatane* – un esprit des grottes. Bien sûr, les gens de l'île se servent de ces grottes comme abri depuis toujours. Il existe aussi une tradition d'excentriques et de prophètes qui vivent à l'écart du village.

— Qu'est-ce que signifie..., s'enquit Greer en sortant son cahier de son sac, *vai kava nehe nehe* ? C'est du rapa nui ?

— Oui, confirma Vicente, cela veut dire « le bel océan ».

— Ah, fit Greer, déçue. Et cet homme ? Il lui apporte de la nourriture ?

— Luka s'occupe d'elle. On dit quelquefois que c'est son fils. Elle aurait été fille mère et à ce titre bannie du village par sa famille. Il y a ici énormément d'histoires d'unions illégitimes, d'enfants séparés de leurs parents. Il existe entre eux tant de liens de parentés, qu'ils ne savent plus qui ils peuvent courtiser.

— Luka est amoureux d'elle, déclara Sven.

— Sven, voyez-vous, a un faible pour les femmes plus âgées que lui. Et par conséquent, croit que c'est vrai pour tous les hommes.

— Combien de grottes sont encore habitées ?

— Difficile à dire, répliqua Vicente. Il y en a de fort bien cachées. Un grand nombre, je crois, ont été explorées. Mais celle d'Ana est la seule, à ma connaissance, à être habitée. Ces grottes, voyez-vous, peuvent se révéler plutôt dangereuses. Il y a là-dedans des scorpions et des veuves noires. Il faut être d'une grande prudence. Si vous entrez dans l'une d'elles, prenez soin de laisser un vêtement à l'entrée pour indiquer aux gens où vous êtes.

— Si les indigènes y ont vécu, on trouve sans doute des traces de feu et des détritus. Peut-être même des fossiles.

— Des ossements, précisa Sven. Des tas d'os humains. Hommes, femmes, enfants.

— Le Dr Farraday a besoin de fossiles de plantes, Sven. Elle s'intéresse au pollen.

— C'est ma spécialité.

Sven prit une gorgée de son cocktail.

— Et votre mari aussi ?

— Oui, dit Greer.

Quelque chose dans la qualité du silence qui s'ensuivit lui indiqua qu'ils avaient déjà soulevé cette question, celle de son mari, un peu plus tôt.

— Je voudrais de nouveau vous présenter mes excuses, pour votre mari, riposta Vicente. Nous autres, nous avons du mal à nous tenir au courant de ce qui se passe dans le monde. Tous mes regrets.

— Merci.

— Oui, c'est une nouvelle terrible, approuva Sven.

— Pour lui, surtout, fit observer Greer.

Mais elle n'avait pas plus tôt prononcé ces mots, qu'elle se rendit compte qu'ils ne parlaient pas de la disgrâce de Thomas, mais lui offraient tout simplement leurs condoléances. Peut-être ne se rappelaient-ils même pas en détail le scandale. Les gens qui n'étaient pas du métier oubliaient vite. Ils se souvenaient à peine du renvoi de Harvard de l'éminent Thomas Farraday pour une obscure affaire, et tout ce qui les intéressait, la seule question qu'on lui posait à ce sujet était : avait-elle été au courant ?

— Il faut que j'y retourne, décréta-t-elle en se levant, aussitôt imitée par Vicente et Sven.

Burke-Jones ôta ses lunettes, les essuya avec un mouchoir et les posa de nouveau sur son nez pour examiner son tipi miniature.

— Si vite ? s'étonna Vicente.

— J'ai besoin de prendre une douche et de dormir. Demain, je retourne sur le terrain, et le surlendemain aussi.

— Vous nous tiendrez au courant de l'état de vos recherches, dit Vicente. Comme vous le savez déjà, nous devons nous épauler en toutes occasions. Nos travaux ont tous des liens entre eux. Il ne faut pas l'oublier. A bientôt...

Et, touchant son coude, il chuchota :

— Alors, les iris ? Ça ne veut rien dire ?

— Ça pourrait dire beaucoup à la personne à qui vous les offrez, répondit-elle.

— Ah, je vais y réfléchir. Bonne nuit, Dr Farraday.

— Bonne nuit, dit-elle en hissant son sac sur son dos.

La *residencial* n'était qu'à deux pas. Les rues respiraient la tranquillité. Les petits bâtiments en ciment bleu et blanc, séparés par des gouffres de ténèbres, semblaient endormis. Le seul bruit dans la nuit était celui de ses sandales sur le pavé. Puis, contre toute attente, d'une des maisons sortit un jeune couple, des gens de l'île, bras dessus bras dessous. La jeune fille caressait son collier de coquillage blanc tout en parlant à son compagnon, lequel, manifestement, l'écoutait intensément. Ils avaient l'air follement heureux. Confiants. Ils sourirent à Greer quand celle-ci passa devant eux.

A Ao Popohanga, Mahina trônait derrière son bureau dans la grande salle, occupée à remplir une page d'un grand registre.

— *Buenas noches, doctora* ! Comment cela s'est passé pour votre travail ? Ramón dit que vous étiez très contente de ce que vous avez rapporté.

Difficile de se figurer Ramón disant beaucoup plus.

— Oui, acquiesça Greer. J'ai obtenu un beau prélèvement.

— Vous avez travaillé toute la journée au Rano Aroi. Vous n'étiez pas loin de Terevaka. C'est le point le plus élevé de l'île. Un jour, prenez le temps de grimper jusque là-haut. Je vous y emmènerai. Mais pour le moment, vous avez trop à faire, *doctora*... Ah ! On a déposé pour vous un tas de livres !

De derrière son bureau, Mahina sort une pile de vieux bouquins.

— Pour moi ?

— Oui, de la part du *señor* Portales.

— Merci, dit Greer, soudain de meilleure humeur.

Du travail, tant mieux. Elle n'avait pas encore sommeil. Un peu de lecture l'aiderait à dormir, histoire aussi de lui rappeler que ce qui l'attendait n'était pas à cent pour cent du dur labeur physique.

— Merci mille fois, Mahina.

— Moi aussi, j'ai des livres, rétorqua Mahina en montrant du doigt une bibliothèque vitrée contenant une étagère de vieux volumes reliés en cuir, les lettres sur les tranches à moitié effacées.

— Si vous en avez besoin, je vous les prête. Je les tiens de mon père.

— Merci. Bonsoir, à demain.

Dans sa chambre, Greer commença par prendre un bonne douche brûlante puis elle se mit au lit et étala autour d'elle un éventail de textes : le journal de Roggeveen traduit en anglais, le journal de bord relié pleine peau du capitaine Cook, *Le Voyage autour du monde* de Jean-François de Galaup, comte de La Pérouse, des extraits de manuscrits de Pierre Loti, le journal de Paymaster Thomson de l'*USS Mohican*.

Dans le volume de Roggeveen, elle trouva une feuille de papier avec un mot :

> « *Vous allez découvrir entre ces pages, j'en suis persuadé, des passages qui vous seront précieux. Vous serez à même de converser avec les premiers explorateurs de l'île, sauf les Anglais qui ont égaré leurs journaux et ne peuvent, hélas, pas nous aider. Vous parlez français et espagnol ? J'aurais dû vous poser la question. Je peux vous traduire Loti et La Pérouse et Gonzáles, si nécessaire.*
> *Vicente.* »

Eh bien, pensa-t-elle en arrangeant ses oreillers dans son dos, Vicente était vraiment très attentionné. Néanmoins, elle trouvait curieux qu'il n'ait pas fait allusion à ces livres devant les autres, comme si c'était une affaire privée.

Un courant d'air frais gonflait le rideau. Greer remonta la courtepointe sur sa poitrine. Elle feuilleta le journal de Jacob Roggeveen, lequel décrivait en détail son séjour depuis sa première vision de l'île jusqu'à son départ. Il avait débarqué à Rapa Nui en 1722 en mission pour la compagnie des Indes orientales des Pays-Bas. C'était le jour de Pâques, et du pont de son navire, Roggeveen crut d'abord que l'île était totalement composée de sable :

> « *... Nous avons pris l'herbe sèche et le foin ainsi que des broussailles brûlées pour un sol d'une nature aride, parce que, vue de loin, cette terre donnait l'impression d'une végétation aussi rare et maigre qu'il est possible de l'être.* »

Rien de plus, dans les notes prises par Roggeveen, sur le paysage. Mais ce peu était cependant utile : de l'herbe sèche, une végétation rare et maigre. Une île si aride qu'il l'a crue recouverte de sable. Cela signifiait qu'en 1722, elle ne présentait guère plus de flore qu'aujourd'hui. L'extinction massive, si elle avait eu lieu, s'était produite avant l'arrivée de l'amiral hollandais.

Greer poursuivit sa lecture, et un autre passage retint son attention :

« Pendant la matinée, le capitaine Bounan a fait monter à bord un indigène pascuan, avec son embarcation, grâce à laquelle il était arrivé jusqu'à notre navire ; il était tout à fait nu, sans le moindre bout de tissu pour cacher ce que la décence ne saurait montrer. L'infortuné semblait très heureux de nous rencontrer et se montra ébloui par l'architecture de notre vaisseau. Il nota en particulier la solidité de nos espars et de nos gréements, les voiles, les pièces d'artillerie, ces dernières qu'il examina avec une attention soutenue, ainsi que tout ce qui lui tombait sous les yeux [...].

» Un grand nombre de pirogues convergèrent vers nos navires ; ces gens firent étalage d'une grande cupidité pour tout ce qu'ils voyaient, et d'un culot qui les poussa à prendre les chapeaux et les casquettes sur la tête même des marins, après quoi, ils sautaient à l'eau avec leur butin. Car ils étaient des nageurs hors pair, comme le montraient les innombrables visiteurs qui vinrent nous voir à la nage depuis la côte [...].

» Quant à leurs embarcations, elles sont minables et mal construites ; fabriquées à partir de planches et d'une mince charpente, qu'ils sont assez habiles pour coudre ensemble à l'aide de fibres [...] Mais comme il leur manque la connaissance, et surtout le matériau, qui leur permettrait de calfater les nombreux interstices de leurs pirogues, celles-ci prennent grandement l'eau.

» Au matin, nous partons dans trois bateaux et deux chaloupes, pilotés par 134 hommes, tous armés de mousquets, de pistolets et de coutelas [...]. Nous avons avancé en ordre serré pour escalader les rochers, qui sont innombrables au long du littoral, jusqu'à l'endroit où commence la plaine. Là, nous avons fait des signes de la main aux indigènes, qui se pressaient autour de nous en grand nombre, pour qu'ils s'écartent et nous laissent passer [...]. Nous avons continué un peu plus loin, afin de laisser la place à ceux qui se trouvaient derrière nous et former ainsi une véritable armée,

quand, tout d'un coup, à notre stupéfaction, quatre ou cinq
coups de feu furent tirés à l'arrière, accompagnés d'un cri
vigoureux : « 't is tyd, 't is tyd, geeft vurr » [le moment est
venu, Feu !]. Là-dessus, simultanément, plus de trente coups
retentirent, et les Indiens, sidérés autant que terrifiés, prirent
la fuite, laissant derrière eux 10 ou 12 morts, sans parler des
blessés... »

Apparemment, Roggeveen n'avait pas d'autre explication à offrir pour cette explosion de violence.

Greer ferma le livre et le posa à côté d'elle. Combien de fois dans l'histoire du monde, se dit-elle, cela s'était-il reproduit ? Des explorateurs armés abordent un rivage inconnu et ouvrent le feu. Les *moai*, le *rongorongo*, l'extinction de la flore. Rien de tout cela n'importait vraiment. L'île de Pâques était semblable à tous les lieux isolés de la planète : après des siècles de vie à l'écart du monde, ce dernier l'assassinait. Mais que pouvait-on faire ? Toute l'histoire et la préhistoire – la naissance des espèces, les migrations humaines, les grandes découvertes – n'avaient-elles été qu'un jeu de chaises musicales ? Une frontière avait été franchie, une colonie conquise, une île explorée. Un serpent lové sur un bois flottant dérivait jusqu'à une rive nouvelle, un arbre à pain traversait les mers dans les bras d'un naturaliste, un mammouth franchissait un pont de terre entre deux continents. La musique continue, les positions changent, et, au final, une chaise est emportée. Une ressource a disparu, et quelqu'un se retrouve sans rien. L'extinction, le génocide, la survie du plus fort. Quelqu'un, toujours, doit quitter la partie.

Greer sentit une mélancolie familière s'emparer d'elle. D'habitude, elle réussissait à la chasser en sortant marcher sur la plage, ou en s'enfermant dans une salle de cinéma, mais à présent, il ne lui restait plus qu'à espérer que le sommeil allait s'en charger. Elle posa les livres au pied du lit, éteignit la lumière et ferma les yeux. Les bruits de la nuit – ailes de phalènes battant les carreaux, rires lointains dans la rue – s'intensifièrent. En se tournant sur le ventre, elle enfouit le visage sous un de ses oreillers pour étouffer le son, mais les idées continuaient de tourner dans sa tête.

Elle dirigea ses pensées sur les écrits de Roggeveen, passant en revue ce qu'il avait observé. Avec quoi les indigènes avaient-ils construit leurs pirogues ? Quelles conséquences le troc avec les Occidentaux avait-il eu sur cette population isolée ? Comment des gens capables d'édifier et de transporter des statues monumentales pourraient-ils ne pas savoir calfater une embarcation ? Quel fut l'effet psychologique de la violence déployée par les hommes de Roggeveen ?

Un bruissement de feuilles dans la cour interrompit le fil de ses pensées, et Greer, une fois de plus, se retourna, ajusta la courtepointe et se coucha sur le côté avec le coussin sur l'oreille. Ces derniers mois, elle avait oscillé entre l'insomnie et un sommeil comateux. Après une journée dans le cratère et l'apéritif des chercheurs, elle aurait dû s'écrouler.

Elle se mit à chuchoter le nom des familles de l'ordre des Urticales.

Urticacea, ortie. *Urtica dioia*, ortie dioique. *Boehmeria nivea*, ramie blanche.

Ulmaceae, orme. *Ulmus americana. Ulmus parvifolia. Ulmus rubra. Ulmus alata. Ulmus procera.*

Moraceae, le figuier...

Le figuier. Greer s'arrêta net. Le figuier étrangleur de la forêt humide amazonienne. Jeune pousse, il grimpe au tronc d'un arbre et suce l'eau et les minéraux de son tronc, se hissant vers la lumière. Une fois ses racines implantées dans le sol, ces dernières s'épaississent et se durcissent, se ramifient pour former des branches et des feuilles, qui étouffent l'arbre hôte, l'étranglant jusqu'à ce que mort s'ensuive. Si bien que le figuier finit par avoir l'air d'un monstre, bulbeux, tordu dans tous les sens, ses racines plongeant comme une tumeur dans la béance inerte de celui qui lui a offert l'hospitalité. Si vous lui coupiez le tronc, ce que Thomas avait fait une fois devant ses élèves, et devant elle, elle qui n'avait jamais vu pareil phénomène, vous retrouviez la victime à l'intérieur.

— Voilà le travail. La nature n'est pas toujours belle, avait déclaré Thomas en pointant sur l'enchevêtrement de racines.

Ses yeux avaient parcouru la jeune assemblée.

— On ne doit jamais idéaliser le monde naturel. Ce qu'il faut, c'est rester lucide devant lui, voir ce qu'il en est, pas ce qu'on voudrait y voir. Les plantes n'ont pas de beauté en soi, ni d'innocence. L'*Artemisia absinthium* lâche du poison par ses feuilles : il suffit d'une bonne pluie et toutes les plantes voisines

sont mortes. N'y voyez ni bien ni mal. C'est seulement un méca-
nisme qui se déclenche pour assurer la survie de l'individu. La
plus grande fleur du monde est celle du *Rafflesia arnoldi,* une
plante parasite de l'archipel malais. Elle vit à l'intérieur de
lianes dont elle perce l'écorce pour produire cette fleur énorme,
qui pèse dix kilos et a un diamètre de près d'un mètre, et sent,
malencontreusement, la chair en putréfaction. Ceci marque la
différence entre le botaniste et le reste du monde, ne l'oubliez
pas. Quand nous regardons une plante, nous avons conscience
qu'elle souffre de manque, qu'elle doit s'adapter, muter parfois.
Les autres – vos parents, vos amis – voient seulement un bel
objet coloré. Quelque chose qui embellit leur jardin ou leur
balcon. Ou bien ils considèrent qu'elle a été placée pour leur
émerveillement devant eux par leur dieu judéo-chrétien.

Thomas avait huilé à la perfection son numéro de scientifique
pragmatique, et aimait produire son petit effet sur les étudiants
de première année en botanique. Mais Greer, en assistant à la
scène ce jour-là, n'avait pas compris le drame sous-jacent, son
drame à lui. Il lui était simplement apparu sous les traits d'un
irréductible cynique, un homme qui avait si longtemps scruté
le monde à travers son microscope qu'il n'en percevait même
plus la beauté. Jamais, se dit-elle, elle ne deviendrait comme
lui : aussi dure. Toutefois, quelque chose dans son attitude
l'avait mise au défi et l'avait poussée à lui prouver que le monde
était, en dépit de tout ce qu'il en disait, magnifique. Aussi, le
lendemain de cette conférence, elle avait commis un geste qui,
d'ailleurs, avait donné le coup d'envoi à leur histoire d'amour :
elle avait glissé sous la porte de son bureau un extrait du poème
de Whitman, *Chant de moi-même*, un de ses préférés.

Allongée dans son lit, ce que Thomas avait dit à propos du
figuier étrangleur lui paraissait à présent de l'ordre de l'épou-
vante. Elle l'avait entendu prononcer ces paroles des douzaines
de fois, car il les avait répétées à chaque nouvelle fournée d'étudiants depuis qu'ils étaient mariés. C'était son discours favori.
Mais elle n'avait jamais imaginé que ses convictions pourraient
aller au-delà du monde des sciences naturelles, et contaminer
sa vie, leur mariage.

Greer sentit une vague nausée lui monter aux lèvres. Elle
rabattit les couvertures et se leva. Sur le bureau était posée la
petite graine flottant dans son univers liquide. Huit ans. Elle
n'aurait pas dû l'apporter jusqu'ici.

Elle mit ses sandales, passa une jupe sur sa chemise de nuit, prit une lampe électrique et sortit. La véranda était silencieuse, mais tandis qu'elle se glissait sans bruit à travers la cour, elle remarqua, le long du feuillage, un éclair blanc : là, devant la statue de la Vierge Marie, Mahina se tenait agenouillée en prière. Ses yeux étaient clos, ses mains jointes semblaient tenir une photographie.

C'était donc là que Mahina puisait sa sérénité. La prière permettait aux gens de se réconcilier avec le passé. Mais Greer n'appartenait à aucune église, aucune foi, et par des nuits telles que celle-ci, alors qu'elle ne trouvait pas le sommeil, elle ne voyait pas comment échapper à la solitude.

Greer ouvrit doucement la porte du bâtiment principal et s'évada dans la nuit vers le laboratoire.

10

Dans l'ombre des anciens Polynésiens, les Allemands se frayaient un passage à travers le Pacifique : Eniwetok, l'atoll de Fanning, Samoa, Bora Bora, Tahiti.

Ils se ravitaillèrent en charbon là où c'était possible, alimentant les soutes des navires à l'ancre sous un soleil de plomb. La nuit, ils vivaient dans les ténèbres impénétrables de leurs croiseurs, car une seule petite lumière aurait suffi à trahir leur présence aux yeux d'un navire de passage. Sans activité ni distraction, ils étaient livrés à leurs seules pensées.

Non seulement les navires des flottes britannique et française surpassaient en nombre les leurs, mais encore les Alliés possédaient des réserves inépuisables de ports à charbon. Et avec l'entrée en guerre du Japon, leurs chances étaient d'autant plus minces.

A l'amirauté, à Berlin, les espoirs en faveur de la survie de von Spee s'amenuisaient. Le kaiser Whilhem, plein de sympathie pour ce commandant solitaire, avait tenté de lui faire parvenir un message d'encouragement. « Que Dieu soit avec vous dans l'âpre combat qui s'annonce. » Mais von Spee, hors de la portée des transmissions radio à Tsingtao, ne l'avait jamais reçu. Il opérait dans la solitude, sans moyen de contacter son pays, ni les navires de ravitaillement, ni les autres navires de guerre de son escadre.

Il avait besoin de trouver un point de rendez-vous, un endroit dans le Pacifique où il serait en mesure de rassembler ses navires. Pour cela, il lui faudrait rompre le silence radio, risquer l'interception de son message dans l'espoir de rallier ses forces. Un péril nécessaire.

Restait à déterminer où. En étudiant la carte, en cherchant un port sûr, il ne tarda pas à trouver l'endroit idéal, une terre sur laquelle il avait jadis lu des livres, une terre qu'avait explorée le capitaine Cook, où d'étranges statues géantes bordaient le rivage. Un lieu où l'on ne pouvait pas être plus loin du reste du monde : l'île de Pâques.

La Flotte du malheur : Graf von Spee et l'impossible voyage de retour.

11

Sur une mince bande de sable du côté nord de l'île, ils montent leurs tentes.

Tout ce que contient la soute doit être transporté en barque jusqu'à terre en dépit de la houle. Dans la goélette qui tangue, Elsa se tient pour ne pas tomber et, un peu sonnée, détache caisses, sacs et seaux.

Elle a du mal à se remettre des événements de la veille au soir. Les visiteurs indigènes – quarante, elle les avait comptés – avaient refusé de quitter le bateau avant de s'être lassés de leur cérémonie de bienvenue. Laquelle comportait des échanges compliqués de bois sculptés et de friandises, de bananes et de tabac, de taro et de thé. Dans l'excitation, le chapeau d'Edward se trouva troqué contre un poulet affolé ; puis, quelques secondes après, le propriétaire chagrin le lui arracha pour se le réapproprier. Mais quand Alice monta la cage de Pudding sur le pont, un murmure d'admiration mêlée de crainte parcourut la foule, et le propriétaire du poulet s'avança et suggéra, avec force battements de bras, qu'ils échangent le poulet contre le perroquet. C'est alors qu'Edward était intervenu en disant : « Pas pour manger. C'est un animal domestique. Un ami. *Un amigo.* » Son refus avait manifestement vexé le groupe, mais peu après, Alice s'étant mise à envoyer des baisers à Pudding et ce dernier éructant force « Oiseau épatant ! », l'affront fut supplanté par la plus profonde des stupeurs. Après quoi, un homme, les bras noircis de tatouages, coiffé d'un chapeau rouge à boutons de cuivre, s'improvisa chef de chœur. Toutefois, il interrompit le concert avec un reniflement de mépris lorsque les garçons les plus jeunes, distraits par la découverte du corset d'Elsa, s'avisèrent d'écorcher les paroles.

Dans un mélange d'espagnol et de tahitien, Edward tenta de rallier des bonnes volontés pour les aider à déménager le lendemain. « Porter ? *Llevar ?* » Comme les indigènes le fixaient avec des yeux ronds, il souleva avec des gestes exagérés une caisse de viande en conserve.

— Vous voyez. Por-ter. Travailler. *Anga ?*

— *Tangata rava-anga*, dit Elsa.

Un jeune garçon à la tignasse hérissée s'avança d'un pas et prit la caisse des bras d'Edward.

— *Maururu*, grommela quelqu'un pour dire merci.

Un peu plus tard, alors que l'aube pointait et que les indigènes, ayant regagné avec courtoisie leurs pirogues en multipliant les *iorana* tout en inspectant les brassées de biscuits, haricots et cigarettes qui s'empilaient sur leurs genoux, dirigeaient l'éperon de leurs embarcations vers le rivage, Edward avait déclaré :

— Il fallait s'y attendre...

S'en allait en effet avec leurs visiteurs un mois de provisions.

— ... C'est le meilleur moyen de gagner leur confiance. Vous verrez. Ils vont sans aucun doute nous offrir l'hospitalité. C'était la même chose, au début, avec les Kiyukus.

A présent, le jour est levé. Kierney et Eamonn doivent se dépêcher d'aller retrouver le navire de la compagnie chilienne qui mouille près du village de l'autre côté de l'île. Epuisée, les nerfs à fleur de peau, Elsa se tient debout sur le pont de la goélette et leur dit au revoir. Elle n'a aucune envie de les voir s'attarder, ou alors seulement quelques jours. Tandis qu'ils chargent leurs sacs sur la barque, elle leur donne des extras de thé et de café.

— Vous êtes certains que vous allez réussir à trouver ce bateau ? Vous devriez peut-être attendre un peu que nous partions le chercher tous ensemble. Pour être sûr.

— S'il y a une chose que je sais trouver, madame Beazley, réplique Eamonn en sautant dans la barque, c'est un navire qui m'attend pour lever l'ancre.

Un sac en toile vole par-dessus le bastingage et tombe tout droit dans la barque.

— A la mer, encore ! hurle Kierney derrière elle.

Il pique un petit galop sur le pont et, s'aidant d'une main au garde-fou, bondit par-dessus le bastingage pour se rattraper à l'échelle. En marquant une pause, il regarde derrière Elsa, vers Edward et Alice qui s'emploient à déballer une caisse dans la cabine du bas.

Avec un grand sourire, il lui chuchote :

— Il n'est pas trop tard pour venir avec nous.

— Vous me proposez, réplique-t-elle en riant, après avoir parcouru trois mille sept cents kilomètres, de retourner à Valparaiso ?

— Ça pourrait être amusant, dit-il en lui adressant un clin d'œil. Vous auriez besoin de vous amuser un peu.

— Kierney, après tous ces mois, n'avez-vous aucun sens des convenances ?

Comme il ne détourne pas son regard, elle se sent rougir.

— Apparemment pas, riposte-t-il en prenant les boîtes de thé et de café à ses pieds. Mais j'ai de très bons yeux...

Puis, en riant, il saute dans la chaloupe :

— ... Bonne chance au capitaine Beazley et au revoir aux deux mesdames Beazley !

Edward surgit alors sur le pont :

— Les hommes sont prêts ? Parfait.

Il descend à son tour l'échelle, écarte la chaloupe de la coque et rame vers la côte. Elsa regarde les deux hommes sauter sur la plage et courir en haut des dunes, leurs sacs en toile en bandoulière, leurs bras chargés de boîtes. Au sommet de la colline, une demi-douzaine d'indigènes à cheval dirigent les opérations. Kierney et Eamonn, en montrant la mer avec de grands gestes, s'approchent d'eux. L'instant d'après, ils distribuent les boîtes qu'elle vient de leur donner et enfourchent des chevaux derrière les indigènes, en tenant leurs sacs sur leurs genoux. Les animaux surchargés marchent à pas lents le long du littoral, s'éloignant peu à peu au loin, puis disparaissant tout à fait.

Les quelques indigènes restant observent l'activité à bord du navire et les efforts d'Edward pour faire virer de bord la goélette à la rame, mais ils ne font pas mine de vouloir lui prêter main forte. Ils se contentent de le saluer de la main.

Un peu plus tard, en remontant de la chaloupe, le visage brûlé par le soleil et ruisselant de sueur, Edward déclare :

— Le travail n'est peut-être pas dans l'éthique des Rapa Nui.

Il sort son mouchoir avec ses initiales et s'essuie le front avant d'ajouter :

— Mais au moins ils ont l'air sociables.

Edward essaye de faire contre mauvaise fortune bon cœur. Il ne s'attend pas, soyons justes, à ce qu'Elsa et Alice mettent la main à la pâte. Mais voilà, elles n'ont pas le choix.

C'est une journée chaude, sans vent. On est en mars. Il y a près d'un an qu'ils ont quitté l'Angleterre. Ce n'est pas le même genre de mois de mars que l'année dernière. Ici, c'est la fin de l'été.

La seule à ne pas donner de signe de fatigue, Alice, fait merveille sur le pont. Elle jette les couvertures, les seaux, les boîtes de thé, dans la barque en contrebas, où Edward s'affaire pour les ranger puis les transporter à la rame jusqu'au rivage où il les dépose. Ce va-et-vient sans fin entre chargement et déchargement occupe toute la journée. Ils ne s'arrêtent qu'un petit moment à midi pour se mettre à l'ombre dans la cabine.

Au coucher du soleil, ils ont planté deux tentes sur la plage et entassé la majorité de leur matériel et provisions sur l'herbe. La chaloupe a été hissée sur le sable. Soit par habitude, soit volontairement, lorsqu'ils décident d'un commun accord que le moment est venu d'aller dormir, Elsa se retire sous la tente avec Alice. Malgré sa fatigue, Edward trouve la force de prononcer :

— Vous ne trouvez pas qu'il serait temps qu'Alice ait un coin à elle ?

Elsa marque une halte sous le rideau à moitié relevé de la moustiquaire. Elle lève sa lanterne et le contemple : grand, les épaules carrées, le désir inscrit sur le visage. Après tous ces mois passés à bord du bateau, à dormir dans des lits séparés, après toutes ces heures de travail pour s'installer sur cette plage, comment peut-il penser à une chose pareille ? Si seulement il pouvait attendre l'heure propice, ne pas la brusquer, laisser venir. Si seulement il pouvait comprendre qu'elle n'avait pas la moindre envie de démarrer des relations d'intimité avec lui ce soir, entre tous les soirs.

— Edward, je vous en prie.

— Cela ne fait rien, dit-il, oubliez ce que j'ai dit.

Mais il reste là, debout sur le sable, dans son costume de

capitaine chiffonné, ses yeux étincelants d'indignation. A croire que la fatigue lui est montée à la tête.

— Oh, et puis une minute ! lui lance vivement Elsa.

Rien que par cette petite phrase, elle montre à quel point elle a été sous pression. Le voyage est à présent terminé ; ils n'ont plus à faire face ni aux aléas du temps ni au manque de nourriture ; l'adversité qui les soude depuis un an a lâché prise. Ils ont réussi. Et comme leur vie n'est plus en danger, Elsa a l'impression qu'elle a le droit de se sentir irritée, que la liberté de montrer son mécontentement – suspendue pendant tous ces mois de rigueur extrême – lui a été restituée.

De toute évidence, Edward l'a deviné. Il reste là debout dans le clair de lune, étonné et perplexe.

Comment peut-elle le repousser alors qu'elle a choisi de l'épouser, choisi de partir avec lui en expédition ? Son seul crime a consisté à lui proposer la seule solution possible pour elle, fruit d'un compromis que les circonstances l'ont obligée à accepter. Il s'est révélé, en fait, la bonté même.

— Une minute, répète-t-elle, je vais dire bonsoir à Alice.

Elsa plonge dans la clarté verte de la tente et embrasse sa sœur.

— Pudding aussi.

La cage est sur le sol. Elsa lui envoie un baiser.

— Bonne nuit, Pudding.

Alice glousse de rire.

— Tu es en colère contre Beazley.

— On est juste fatigués. Voilà tout. Fatigués. On sera dans la tente voisine.

— Tu vas dormir là-bas ?

— Oui, Allie.

— Et nous ?

— Toi et Pudding serez très bien. Si tu as besoin de quoi que ce soit, appelle-moi. D'accord ?

— N'oublie pas de revenir demain matin.

— Tu m'appelles si tu as besoin de quelque chose ?

— Si je vois des chauves-souris, je t'appelle.

— Allie.

— Ou des moustiques, dit Alice qui s'est déjà emmaillotée dans ses draps.

— Je serai juste à côté. Si tu sors ta tête de la tente, tu verras où je suis.

— J'ai chaud.

— Parce que tu t'es enroulée dans tes draps, sotte que tu es.

— Rafraîchis-moi, Elsa.

Elsa souffle sur le front de sa sœur.

— Je serai juste à côté de toi. Maintenant, bonne nuit.

Cela lui paraît bizarre de laisser Alice, mais a-t-elle le choix ? Elle remplit simplement un nouveau devoir. Elsa remonte la fermeture de la moustiquaire et très doucement, dans le sable épais et lourd, elle s'achemine vers la tente d'Edward. Il est assis sur un tabouret dans une chemise de nuit blanche.

— Elsa, nous sommes mariés, après tout.

— Oui, dit-elle, s'efforçant d'avoir l'air gentille. Nous sommes mari et femme. Je sais. Mais je n'ai pas encore l'habitude. Je dors toujours avec Alice. Cela n'a rien à voir avec vous. Avec nous.

Elle déboutonne vivement sa blouse, puis sa jupe.

— Quelle journée, n'est-ce pas ? reprend-elle. Toutes ces caisses. Je crois que je préférerais rester ici toute ma vie plutôt que d'avoir à les déménager de nouveau. J'espère que je pourrais me détendre un peu demain.

— Demain, je vous promets, nous ne serons plus que des touristes. Nous allons explorer.

— Je n'ai jamais fait de tourisme.

Alors qu'elle s'assied au bord de son lit de camp, un silence s'abat sur eux. Les brisants rugissent dehors. Le vent ride la toile de la tente. Et Elsa ne peut s'empêcher d'avoir l'impression que d'un instant à l'autre, Kierney va se mettre à vociférer sur le pont, ou Eamonn va lui demander de border la voile, ou bien encore Alice va crier quelque chose à un albatros. Mais il n'y a qu'elle et Edward, et qu'ont-ils, à présent, à se dire ? Il n'y a rien qui nécessite leur intervention, ni corvée, ni rien.

— Elsa... est-ce que je... je vous fais peur ?

— Edward, ne dites pas de bêtises.

— Je sais que je suis beaucoup plus vieux que vous. Oui, je suis vieux. Je ne suis sûrement pas l'homme dont rêve une jeune femme comme vous.

A ces mots, Elsa est sur le point de se lever pour l'embrasser, mais elle a peur qu'il se méprenne sur son geste. Elle ne peut pas se retrouver dans ses bras tout de suite ; c'est trop tôt, trop bizarre.

— Je me suis fait du souci pour Alice, déclare-t-elle. Quand elle est partie toute seule à la rame... C'était effrayant. Et le voyage a été si épuisant.

— Bien sûr.

— J'aimerais juste pouvoir m'acclimater à cet endroit. Avoir le temps de m'installer.

— Elsa, il n'y a pas de problème. Nous avons chacun notre lit.

— Edward...

— Le principal, c'est de bien se reposer.

Il se lève de son tabouret pour se glisser sous le drap de son lit de camp. Puis il souffle la lanterne.

— C'est important de se régénérer.

Le dos tourné, il murmure :

— N'oubliez pas de mettre du coton dans vos oreilles. Ils doivent avoir toutes sortes de perce-oreilles ici.

— Je n'oublierai pas, Edward. Bonsoir.

Elsa ne s'est pas plus tôt couchée, après avoir mis du coton dans ses oreilles et soufflé sa propre lanterne, qu'elle sombre dans un profond sommeil. Elle rêve, comme elle le fera encore plusieurs semaines, qu'elle est encore à bord de la goélette, fendant les vagues. De minces oiseaux de mer blancs tournoient dans le ciel au-dessus d'elle tandis qu'elle contemple l'horizon sans limites. Lorsque, enfin, elle voit la terre, cette dernière est tapissée de mousse et de fougères, et une fine colonne de fumée monte de son centre. Alors qu'elle se rapproche du rivage, la terre disparaît.

Une éternité plus tard, Elsa se réveille dans le noir le plus total, et un silence étrange et creux. Un corps est pressé contre le sien. Elle se fige, retient un cri. De ses oreilles, elle retire les boulettes de coton. Oserait-il ? Puis une longue mèche de cheveux vient caresser sa joue. Des respirations douces et régulières remplissent la tente. Elsa se détend, se laisse gagner de nouveau par un demi-sommeil. C'est seulement Alice.

*

Leur premier mois se passe à relever les mesures du terrain et à photographier. Les distances sont énormes, le sol rocailleux ; pour se déplacer, ils se procurent trois chevaux en échange de tabac. Au bout de plusieurs jours d'encouragements – « Allie ! C'est plus facile que de monter à vélo ! » –, Alice se laisse persuader d'enfourcher sa monture. Ensemble, ils parcourent l'île, en évitant les centaines de moutons qui paissent dans l'herbe des collines. Ils notent sur leur carte les mesures, les points de repère et les sites des statues couchées. Un jour sur deux ou trois, ils se rendent à cheval au lac du cratère pour se ravitailler en eau potable. Ils remplissent des seaux et les transportent jusqu'à leur campement. Une fois par semaine, ils font quinze kilomètres pour traverser l'île jusqu'à la seule agglomération, Hanga Roa, où ils se procurent grâce au troc des fruits, des légumes et de la viande, et où ils réclament ce qui leur appartient.

En effet des casseroles, des jupons, des savonnettes, du thé, de la ficelle, disparaissent chaque matin du campement. En sortant de leur tente au lever du soleil, ils trouvent sur le sable une caisse ouverte brutalement, ou un seau retourné, une malle mise à sac. Mais ils ne sont pas longs à comprendre comment faire pour récupérer leurs biens : il suffit de demander. En se rendant en ville un jour, ils croisent un vieil indigène qui a une cravate d'Edward nouée autour du cou à la façon d'un foulard. Lorsque Edward montre l'objet du doigt, le vieux monsieur se contente de dénouer la cravate, de la lui rendre et de s'en aller sur son cheval. Ils se rendent compte que le larcin, quoique endémique sur l'île, est compensé par la gentillesse avec laquelle les insulaires retournent l'objet du délit.

— Voyez-vous, cette île est une société fermée, dit Edward un matin pendant le petit déjeuner après qu'Elsa a constaté qu'une autre de ses visières contre le soleil avait disparue. Le vol, dans le sens où on l'entend traditionnellement, prive le propriétaire d'origine de son bien. Mais sur cette île, rien ne peut vraiment disparaître, les objets sont seulement déplacés. D'où l'axiome : il n'y a pas de vol à proprement parler. Il s'agit en quelque sorte d'emprunts effectués sans permission.

Sur la plage, ils ont installé une petite table carrée autour de laquelle ils se réunissent pour prendre leurs repas. En guise de siège, ils ont recouvert trois caisses de draps.

— Oui, mais ce n'est pas du jeu d'emprunter du thé et de le faire infuser, déclare Elsa en tartinant de la confiture sur un biscuit.

Elle ne tient pas tellement au thé, mais son *Voyage d'un natu-raliste autour du monde* s'est volatilisé et elle ne sait pas comment l'annoncer à Edward. Cela porte malheur de perdre un cadeau, pense-t-elle. Surtout un cadeau de mariage. Le sac à dos en cuir d'Alice est aussi introuvable.

— *Nolo contendere*, dit-il. Les denrées périssables forment une exception qui défie mon hypothèse.

D'après le ton de sa voix, elle comprend qu'elle s'est montrée agressive.

— Votre hypothèse est sûrement valable, avance-t-elle. Un pareil isolement ne peut qu'affecter les règles sociales.

— A vrai dire... Elsa, continue-t-il en découpant une tranche de goyave, nous représentons à leurs yeux un cas inhabituel. Rien ne nous empêcherait de lever le camp d'un jour à l'autre en emportant nos possessions, et les leurs, pendant que nous y sommes, si nous avions une notion aussi vague de la propriété. N'oubliez pas une chose : nous avons la goélette.

— Espérons que cela reste ainsi.

A cause de la vigueur du courant, ils ont été obligés de mouiller de l'autre côté de l'île.

— Ces échanges doivent être régis par un système, ou l'étaient avant notre arrivée. Je pense que nous avons peut-être brisé ce système, si je puis m'exprimer ainsi. En tout cas, nous les avons mis dans tous leurs états.

C'était possible, oui. Sinon, pourquoi se comporteraient-ils de façon aussi absurde ? Un de ses volumes de Darwin avait été emporté par quelqu'un qui ne lisait pas l'anglais. Les caisses, une fois vidées, disparaissaient. Des femmes se promenaient dans Hanga Roa coiffées de ses chapeaux et vêtues de ses jupons, et des brassières à dentelles d'Alice. Des jeunes filles se faisaient des ceintures avec les cravates d'Edward.

Alice ne tarde pas à prendre le pli. Un matin, elle émerge de sa tente dans une robe blanche rapa nui.

— Alice, où as-tu trouvé ça ?

— Je l'ai empruntée. Je suis une Rapa Nui.

— Allie !

— Tu vois ? Je suis Alice la Rapa Nui.

Et elle se lance aussitôt dans une pantomime compliquée. Se met à quatre pattes sur le sable, relève les manches de sa robe et fait semblant d'arracher des taros du sol. Creuse un trou, transporte des pierres invisibles une à une et les dispose de manière à fabriquer un four imaginaire, puis se redresse pour contempler son œuvre. Comme c'est beau, se dit Elsa, cette faculté de se glisser dans la peau des autres. Alice peut se prendre pour Rodney Blackwell, pour Elsa, pour n'importe qui. Mais Elsa se demande si sa sœur a conscience des limites de sa propre personne, de ce qui est elle et qui n'est plus elle, où elle finit et où les autres commencent.

Plusieurs jours après, ils se trouvent à Hanga Roa occupés à acheter de la nourriture, quand la propriétaire de la robe leur met la main au collet. Une femme pâle s'approche d'Alice, toujours dans sa robe, et lui donne une petite claque sur l'épaule. Mais elle ne paraît pas lui en vouloir. La femme lui présente son sac à dos en cuir qui avait disparu, et cette proposition d'échange fait venir un sourire aux lèvres des deux protagonistes, comme si c'était Noël et qu'elles étaient ravies et étonnées de recevoir un cadeau aussi beau. Une fois sa robe enlevée et rendue à sa propriétaire, Alice est en caraco et culotte bouffante. Lorsque la femme voit Alice ouvrir le sac, palper le cuir souple et fermer les yeux pour chantonner de plaisir, elle se fige. D'un air inquiet, elle se tourne vers Elsa, puis vers Edward. Et en fin de compte, elle rend la robe à Alice. Puis elle prend la main d'Alice et l'embrasse, presse sa propre paume contre le front d'Alice.

Alice éclate alors de rire, hurle de rire, attirant sur elle l'attention de tout le monde dans la rue. Un jeune garçon, celui qui avait chipé la caisse de viande en conserve d'Edward le premier soir à bord de la goélette, la considère bouche bée.

En fin de journée, quand ils enfourchent leurs chevaux, lestés de sacs d'avocats, de goyaves et de bananes, ce même garçon les suit sur son poney au-delà des limites du village.

Ils vont le surnommer Boîte-à-biscuits.

Les autres habitants du village s'intéressent nettement moins à leurs mouvements qu'à leur viande en boîte et à leur tabac. Chaque fois qu'ils se rendent à Hanga Roa, ce garçon les suit ensuite jusqu'à Anakena, silencieuse sentinelle dévorée de curiosité. Et quand ils arrivent finalement à la plage, qu'ils descendent de cheval et attachent ces derniers, il s'assied sur le sable et les regarde vérifier leur équipement, construire leur feu de camp, préparer leur repas. Il a sur la tête une tignasse de mèches noires lustrées comme s'il venait de sortir de l'Océan. Ses yeux sont d'un brun brillant, son nez large, ses lèvres charnues et souples, de sorte que lorsqu'il sourit, il découvre une double rangée complète de dents blanches. Il inspecte avec intensité leurs tentes, et à chaque visite se rapproche un peu plus du centre d'activité, si bien qu'au bout de quelques semaines, il est assis contre la tente d'Alice, et la suit des yeux à travers la moustiquaire. Il la regarde aller et venir avec la cage de Pudding ; il essaye de chatouiller ce dernier à travers les barreaux. Mais il refuse de parler, refuse même de dire son nom. C'est Alice qui commence à l'appeler Boîte-à-biscuits, car pour le persuader de rentrer au village à la nuit tombée, il faut qu'Alice lui présente un assortiment de biscuits à emporter. (A la consternation d'Elsa, il pose la main sur chacun d'eux avant de faire son choix.) Mais Alice est ravie de jouer avec lui. Elle en a assez qu'on fasse toujours des histoires à propos d'elle. C'est à son tour de gronder. D'un air supérieur, elle répète à Boîte-à-biscuits toutes les recommandations et avertissements d'Elsa : « Tu es sûr que tu n'as pas besoin d'un gilet ? Attention, ne t'approche pas de l'Océan. Il y a d'horribles requins dans l'eau. Fais attention où tu mets les pieds, ces rochers sont d'un pointu. » Comme une mère, songe Elsa en les observant tous les deux ensemble. Et le garçon, quelque part, adore qu'Alice lui dise tout ce qu'il doit faire. Elle le prend fermement par son bras maigre, le secoue, elle est capable de le traîner par le col de sa chemise en haillons pour lui éviter de basculer du haut d'une falaise, et elle est aux anges. Lui, en revanche, ne veut pas la toucher, ni aucun d'entre eux. Il reste à l'écart, dans une réserve polie.

Mais il prend l'habitude d'emprunter ses chemises de nuit à Alice. Il jaillit de sa tente dans un nuage blanc, sautillant et tournant sur lui-même comme un farfadet mutique, encouragé par leurs rires autour du feu de camp. Ses chevilles finissent par s'entortiller dans les spirales de coton blanc, et le voilà qui plonge la tête la première dans le sable. Elsa se demande parfois s'ils ne devraient pas être plus responsables vis-à-vis de ce garçon. Qu'est-ce que ses parents penseraient ? Est-il prudent de le laisser rentrer seul à poney dans la nuit noire ? Pourquoi est-il si libre d'aller et venir comme il lui plaît ? Mais elle n'a aucun moyen de savoir ce qui se fait ou non, et le garçon semble déterminé à ne pas desserrer les dents. Aussi laisse-t-elle ces questions de côté. Pour le moment, il les enchante. Et dans ce pays lointain, Boîte-à-biscuits, quoique âgé tout au plus de neuf ans, est leur seul ami.

*

Au cours de leur deuxième mois, Edward décide de démarrer son travail au Rano Raraku, le volcan qui contient la carrière d'où sont issus les *moai* à quelque six kilomètres de leur campement. Là, dans le cratère du volcan où ont été sculptées les statues, il compte découvrir des trésors. Quantités de *moai* inachevés sont coincés dans la roche au cœur du cratère ; sur les pentes extérieures couvertes d'herbe, ils sont encore des douzaines à se tenir penchés à des angles divers, figés, semble-t-il, dans une procession les menant quelque part. Pour commencer, il veut mesurer et cataloguer chaque statue. Ensuite, il a l'intention de fouiller.

Pendant le jour, Elsa s'allonge dans les hautes herbes, un parasol piqué à côté d'elle, et dessine les profils allongés des visages de pierre : nez tombant, menton carré, lobe des oreilles en goutte d'eau. Edward parcourt la colline en donnant à chaque *moai* un numéro, qu'il note à la craie sur leur base avant de l'inscrire dans son registre. « Trente-cinq pieds, Elsa ! Il doit peser au moins cinquante tonnes ! » Parfois il lui transmet ainsi des descriptions plus fines : « *Haut-relief ovale, rappelant un œuf, sur l'arrière de 87A* ». Elle prend note consciencieusement.

Cela les arrange, alors qu'ils sont ainsi occupés, de laisser Alice jouer avec le garçon. Au pied du cratère, sous un auvent de fortune, Alice passe des heures à tenter de lui apprendre à jouer au bésigue, puis à connaître les oiseaux. Mais il n'y a ni faucon ni sterne à lui montrer, ce dont Alice se plaint amèrement.

Les *moai* sont plus nombreux que prévu. Certains sont bien cachés dans les rochers, habillés d'herbe claire. D'autres ont l'air de jaillir comme des morceaux de pierre anarchiques. D'autres encore sont enterrés presque jusqu'à la tête.

— A vue de nez, il y en a plus de deux cents, déclare Edward.

— Ça fait peur, dit Elsa. De les avoir abandonnés comme cela. Et toutes ces statues autour de la côte. Tombées.

— Il a dû se produire un séisme majeur ici à un moment donné. Pas une statue n'est restée debout.

— Cela doit être terrible de travailler si dur pour ensuite voir s'écrouler son œuvre.

— Il aura fallu une force extraordinaire pour renverser ces monuments. Un raz de marée ? Il aurait balayé les cultures, le bétail. Une éruption volcanique aurait ravagé le sol. Et puis il ne faut pas négliger l'aspect émotif, psychologique. Des événements de cet ordre, comme une catastrophe naturelle, deviennent des mauvais présages dans une société primitive. Lorsque l'on ne possède aucune notion scientifique, on les met sur le compte de la colère des dieux, par exemple.

— J'aimerais bien savoir ce à quoi pouvait bien ressembler la vie ici. De ne connaître que cette île. Nous imaginer dans ce lieu, à l'instant où je vous parle, dépourvus de tout souvenir d'Angleterre.

— Bien sûr. Vous pouvez vous figurer vivant ailleurs, à une autre époque. L'imagination aide.

— Oui, je crois que je commence à saisir.

— Je me demande si le lieu et l'époque où nous vivons font partie de nous, ou s'ils sont comme une dépendance...

Ils discutent ainsi jusqu'au coucher du soleil, mesurant, dessinant et se perdant en conjectures. Après quoi, ils enfourchent leurs chevaux et rentrent au campement, lequel est désormais bien organisé.

La préparation du dîner est aussi rapide qu'elle puisse l'être. Les mouches et les moustiques forment comme un essaim autour du feu, plongent en tournoyant dans toute casserole sans couvercle. La soupe ou le ragoût finit par être plein de petits points noirs. Un soir, en cuisinant un poulet pour le dîner, Elsa compte vingt mouches sur son bras. Elle s'acclimate vite à cette bataille quotidienne contre les insectes. Une nuit, sous la tente, un cancrelat long comme son pouce lui tombe sur le visage. Après cette mésaventure, les grosses mouches noires ne lui paraissent plus si insupportables.

Au crépuscule, ils s'entassent tous les trois sous la tente

d'Alice. Si Boîte-à-biscuits se trouve toujours dans les parages, ils le remettent sur son poney et le renvoient chez lui avec des friandises. Et ils lisent à voix haute pendant une heure *La Vie et les voyages du capitaine James Cook* ou bien *Amurath to Amurath*, un livre sur son voyage en Mésopotamie de la célèbre exploratrice anglaise Gertrude Bell.

— Comme quoi, ma chère, dit Edward, une femme peut avoir une vision extraordinaire à propos d'une culture étrangère. Qui sait ? Vous pourriez être la prochaine miss Bell.

Mais il n'a pas besoin de le lui dire : cette pensée lui est déjà venue chaque soir depuis qu'ils lisent le récit de Gertrude Bell. Elsa pourrait-elle écrire celui de leur voyage ? Décrire leur travail ? Elle se trouve, après tout, dans un lieu où aucune autre femme occidentale n'a séjourné. Sauf que Gertrude Bell a fait ses études à Oxford, que son sort s'est tressé des fils dorés de l'aristocratie anglaise tandis qu'Elsa a passé sa vie plongée dans les livres empruntés aux bibliothèques de ses employeurs, traînant parfois à la porte des salles de conférence de l'université où enseignait son père. Malgré tout, ce projet lui donne des ailes. Pendant qu'ils lisent dans la clarté de la tente, écoutant les phalènes griller leurs ailes aux flammes des lanternes et le ressac bourdonner au loin sur les rochers, elle songe à ce que pourrait être son propre livre sur l'île, ses carnets, constituant peut-être un jour l'ouvrage d'Elsa Pendleton Beazley. Mais elle doit, d'abord, trouver son propre centre d'intérêt. Quelque chose d'autre que la carrière à *moai*, laquelle tombe dans le domaine d'Edward.

Le chapitre terminé, le volume refermé, la flamme vive de la lanterne sacrifiée aux douces lueurs de la lune, ils se disent bonsoir. Elsa et Edward retournent à leur tente ; désormais, Elsa y passe toutes ses nuits. Quelquefois, Alice s'y glisse pendant qu'ils dorment, s'écroule par terre à côté du lit d'Elsa, ou se pelotonne à côté d'elle en chuchotant : « Poêle. Poêle. » Et une ou deux fois, Elsa s'est réveillée pour trouver Alice accrochée au corps à demi nu d'Edward. Quand cela se produit, elle secoue Alice et la renvoie à sa tente.

Mais une nuit, alors qu'Elsa n'arrive pas à chasser de son esprit ce qu'Edward lui a dit le jour de leur arrivée – « Je sais que je ne suis pas le genre d'homme dont rêve une jeune femme de votre âge » –, alors que le souvenir de la honte dont il a fait montre lui devient insoutenable, alors qu'elle a l'impression de ne pas mériter sa générosité à son égard quand il lui déclare qu'ils dorment dans des lits séparés et qu'il se détournera pour la laisser se déshabiller, elle va, dans la tente obscure, sur la pointe des pieds, s'asseoir au bord de son lit, et s'offre tout doucement à lui.

Qu'Alice ait entendu ou vu quelque chose trahissant leur intimité, Elsa pense que cela n'est pas possible. Mais Alice a dû sentir le vent tourner. Il y a, le lendemain matin, sur son visage, une expression un peu amère qui ne lui dit rien de bon.

A partir de cette nuit, les visites d'Alice cessent.

Le lendemain du jour où elle avait glissé le poème de Whitman sous la porte du Pr Farraday, Greer était arrivée en cours pour trouver inscrit sur le tableau noir :

Vrai ou Faux ?
« Une feuille d'herbe n'est, je crois, rien moins que le fruit
du dur labeur des étoiles,
La fourmi étant tout aussi parfaite, comme le grain de sable,
et l'œuf du roitelet,
Et le crapaud, ce chef-d'œuvre... »

— Une question a été posée par Walt Whitman, le poète du peuple, avait dit Thomas en tapotant le tableau noir du bout de son stylet. Une feuille d'herbe est-elle le fruit du dur labeur des étoiles ?

Il avait lu la suite du poème à haute voix, en marquant une pause entre chaque vers, et puis s'était assis à son bureau, avait posé ses pieds sur la table et croisé les doigts derrière sa nuque en s'appuyant au dossier de sa chaise.

— Je crois que le mieux serait de composer notre propre poème en guise de réponse.

Thomas désigna un étudiant pour qu'il transcrive ce qui se révéla être six strophes sur les espèces d'herbes qui produisent de l'acide hydrocyanique toxique et sur les colonies de fourmis qui réduisent les autres fourmis en esclavage. Les étudiants étaient enchantés ; Thomas avait la réputation d'être un esprit combatif, et ce morceau de bravoure, ils l'attendaient en fait depuis longtemps. Voilà celui qui avait emporté le prix Linnaeus de Princeton dès sa première année dans cette université, celui qui avait publié trois articles révolutionnaires sur l'analyse des pollens fossiles avant même de décrocher son diplôme. Celui-là même qui, en 1953, à l'âge de trente-trois ans, avait organisé la première conférence mondiale de palynologie. Ce poème, les étudiants en étaient persuadés, allait entrer dans la légende du Pr Farraday, et ils étaient ravis d'y avoir contribué. Sauf Greer, qui restait assise, silencieuse, sur sa chaise, sidérée qu'on puisse avec tant de raideur rejeter la possibilité, devant les manifestations naturelles, d'une bonne intention, ou une aspiration à une perfection cosmique. A la fin du cours, alors qu'elle remontait l'escalier, Thomas l'avait appelée.

— Mademoiselle Sandor, ce poème, bien entendu, montre une maîtrise remarquable du langage, car ne me croyez pas insensible au lyrisme, mais il montre aussi une piètre compréhension de... oui, des nuances de la science. Après tout, si nous autres nous ne défendons pas la science, qui le fera ? Je vous remercie de m'avoir proposé ce défi.

Elle avait pivoté sur elle-même pour lui faire face. Il avait un nez large, busqué, qui compensait de façon plaisante ses yeux écartés. A quarante-deux ans, quelques fils d'argent blanchissaient ses tempes fournies. Ses cheveux étaient châtain foncé, et nettement ébouriffés. Il n'était pas beau à proprement parler, mais son visage paraissait être l'expression naturelle de l'intelligence, comme si ses traits avaient surgi comme des montagnes des profondeurs de son esprit : le nez, les yeux, le front large, tout cela semblait des manifestations de son énergie intérieure.

— Pr Farraday. Qu'est-ce qui vous fait supposer que je m'intéresse à ce poème ?

— Je ne crois pas en un grand dessein, mais je suis tout à fait conscient qu'il existe des schémas de vie quotidienne. Seules les femmes, avait-il déclaré en faisant tourner entre ses doigts sa craie comme un bâton de majorette miniature, glissent des poèmes sous les portes. Et vous avez noté, je n'en doute pas, que vous êtes la seule femme du cours.

— Oh ! j'ai remarqué.

Il attendait manifestement une suite, mais Greer s'était détournée sans rien ajouter. En ouvrant la porte de la salle de conférence, elle avait senti son regard qui la suivait, brûlant de curiosité.

Greer s'était, bien entendu, aperçue, dès la première conférence, qu'elle était la seule femme dans ce cours. Il faut dire qu'en tout et pour tout, seulement six femmes présentaient l'agrégation de botanique à l'université du Wisconsin. Tout le monde le savait. Et pour marquer le coup, la plus activiste du groupe, Mildred Ravener, avait appelé à une réunion. Par une belle journée de septembre, Greer s'était ainsi retrouvée attablée au bord du lac, sous la pergola d'Union Terrace, avec Alice Beemer, Gerty Smith, Elaine Ferguson et Jo Banks, devant un bol de crème glacée maison. Elles avaient discuté de leur passion pour la botanique, de leur enfance et des difficultés spécifiques des femmes scientifiques. Greer les avait écoutées, les unes après les autres et, quand son tour était venu, elle avait raconté la première anecdote qui lui avait traversé l'esprit.

— Je cherchais à prouver que les abeilles sont attirées par les violettes à cause de leur couleur et non de leur odeur, en plaçant dans une éprouvette à l'envers une violette, et ensuite en suivant le vol de l'abeille. Bien entendu, les abeilles ont volé tout droit vers le sommet de l'éprouvette où dominait la couleur, et non vers le bas, d'où s'échappait l'odeur de la violette. Mais comme mon professeur s'était fait piquer en essayant de juger de la validité de mon expérience, elle a donné le prix à Joshua Kleimer pour avoir démonté le réfrigérateur de sa mère et avoir collé une étiquette sur chaque pièce détachée. Fin de l'histoire. Cinq dollars à celle qui devinera ce que Joshua faisait la dernière fois que je l'aie vu.

— Comme métier, tu veux dire ? Ou ce qu'il faisait vraiment ? demanda Gerty Smith, qui était mariée à un dentiste.

Greer poussa un soupir :

— Réparateur d'appareils ménagers.

— Vous étiez dans quelle classe à l'époque ? interrogea Mildred Ravener.

— En CE2.

Greer savait que ce n'était pas le genre d'histoire qu'elles avaient envie d'entendre. Les autres avaient été pelotées dans les couloirs obscurs par leurs professeurs, ou averties par leurs parents que la science risquait de leur pourrir la vie. Mildred Ravener avait raconté qu'un jour son père avait brûlé tous ses livres de science dans le four et les avait remplacés par une pile de livres de cuisine qu'il lui avait présentée joliment emballée dans du papier cadeau. (« Vous voyez, mesdames, il estimait que c'était un geste d'amour. ») Deux mois plus tard, il avait fait disparaître le microscope qu'elle s'était payée avec deux années d'économie et lui avait donné une machine à coudre Singer. Mildred avait, à l'entendre, de nombreux « griefs contre tous les membres de sa famille ». Elle avait la langue bien pendue, cette femme profondément religieuse qui était persuadée que « la communication » pouvait résoudre tous les conflits. Chaque semaine, elle écrivait à ses parents une lettre, toujours la même, apparemment, leur expliquant son amour de la science. Et elle ne recevait jamais de réponse. Pourtant elle ne perdait pas espoir et restait convaincue, qu'un beau jour, elle trouverait dans sa boîte à lettres l'enveloppe qu'elle attendait depuis si longtemps.

Le père de Greer, toutefois, l'avait toujours encouragée dans cette voie, puisqu'il était à l'origine de sa vocation scientifique. Elle avait par conséquent peu de points communs avec le groupe. La seule femme que Greer aimait vraiment était Jo Banks. Celle-ci avait quelques années de plus que les autres, un esprit comme du vif-argent et un don extraordinaire pour identifier le pollen. Jo semblait avoir gardé pour toujours le bronzage acquis aux Antilles où elle avait passé plusieurs années en qualité de professeur de plongée sous-marine. Là-bas, elle avait eu une révélation qui avait changé le cours de son existence à l'occasion d'une rencontre avec un barracuda, rencontre à laquelle elle faisait souvent allusion sans jamais néanmoins s'expliquer. Elle avait six frères – Jeb, John, Jack, Judd, Jessie et Jeremiah – qu'elle citait à tout propos comme si tout le monde les connaissait (« Judd déteste aussi la vanille »). Mais elle n'avait évoqué ses parents qu'une seule fois, pour dire qu'ils ne lui adressaient pas la parole.

— Ils n'aiment pas que tu sois devenue une scientifique ? avait demandé Mildred.

— Non, avait dit Jo, au contraire.

Et pas un mot de plus. Jo Banks était la championne des longs silences. Elle restait assise, là, à regarder, à opiner ; et quand elle parlait, c'était toujours bref, et franc. Mais elle était toujours de bonne humeur. C'était elle qui avait trouvé le sobriquet du labo du Pr Farraday : le Philodendron. Et puis celui du professeur : Petit-Prêcheur (*Arisaema triphyllum*). Ces deux plantes ne produisaient que des fleurs mâles à la première saison, et ne commençaient à produire des fleurs femelles, et encore en petites quantités et tout en bas des tiges, qu'au bout de plusieurs saisons. Jo avait suivi le cours de Thomas l'année d'avant, et avait prévenu Greer :

— Fais oui de la tête, souris, dis-lui que tu aimes ses cravates. C'est un grossier personnage quelquefois, mais il est la vedette du département. Ses recherches sur les angiospermes sont à l'avant garde. Mais n'oublie pas, quand il se met à délirer sur l'athéisme, d'avoir l'air passionné...

Jo avait écarquillé les yeux, haussé les sourcils et laissé sa bouche ouverte pour lui montrer quelle expression elle devait afficher. Elle avait une grosse frange et des nattes.

— Rappelle-toi. Ce type n'a pas besoin de donner des cours aux premières années. S'il le fait, c'est qu'il prend son pied. D'accord ? Alors joue le jeu. Penche-toi en avant sur ta chaise... Il adore ce genre de numéro. Il faut que tu l'aies de ton côté.

Greer s'était demandé si elle ne se l'était pas au contraire mis à dos avec cette histoire de poème.

— Merde ! s'était exclamée Jo quand Greer lui avait rapporté l'incident alors qu'elles buvaient une bière dans l'appartement de Jo.

Jo venait de sortir deux cigares. Elle ajouta :

— L'année dernière, un mec lui a sorti Dieu de son chapeau. Petit-Prêcheur lui a dit de prendre ses affaires et d'aller voir à l'église s'il y était. Tu lui as laissé un poème de Whitman et il n'a pas eu l'air furieux.

— Non, amusé plutôt.

— Tiens, regarde, coupe le bout, comme ça, avait dit Jo en mordant dans son cigare.

— Miam, avait répliqué Greer en crachant le bout de cigare dans la conque que Jo lui tendait.

— Amusé ? Ha ! ha ! C'est une première. Je crois que Petit-Prêcheur en pince pour toi.

Greer suspendit son geste : elle avait déjà songé à cette éventualité.

— Oh, merde, toi aussi.

— Je ne devrais pas.

— C'est un imbécile.

— Un imbécile intelligent.

— Si tu veux.

— Et au moins il n'est pas marié.

— Arrête ! Je vais tomber amoureuse.

— Et il a le double de mon âge.

— Ce qui n'arrive jamais.

— Je sais que ça arrive. Tout le temps même. C'est pourquoi c'est pas intéressant. Trop banal.

— Tu cherches quelque chose de pas banal ?

— Je n'en sais rien.

Jo s'était calée dans son canapé et avait contemplé son cigare :

— Cuba. On pourrait aller acheter des vrais cigares à Cuba. J'ai toujours voulu vivre à l'étranger. Ce qu'il nous faudrait, c'est nous trouver mêlées à une vraie révolution. Tu nous imagines en généralissimas ? On serait formidables en généralissimas. Moi en tout cas, mais tu apprends vite. On aurait des tenues militaires. Un béret. On garderait peut-être nos boucles d'oreilles et nos boucles tout court. Alors, ça, ce ne serait pas banal.

Greer s'était allongée à plat dos sur le tapis, les yeux sur les taches de moisi qui auréolaient le plafond.

— Castro n'est pas si moche que ça.

— Mon dieu, tu as vraiment de drôles de goûts. Règle numéro un de la généralissima, Greer : interdit de reluquer le généralissime en chef !

— Fidel est Premier ministre maintenant. C'est très respectable. Et dans une dictature communiste, il doit y avoir des exceptions pour les passions amoureuses.

— Ce n'est pas une dictature communiste, c'est une république socialiste.

Greer rit, et replie un bras sous sa tête.

— Bon, avait dit Jo du canapé au-dessus d'elle. Vivre une histoire banale vaut mieux que vivre en porte-à-faux.

— On verra.

— N'oublie pas, parfois un vieux prof, avait énoncé Jo en agitant son cigare devant le visage de Greer, n'est rien qu'un vieux prof.

Mais quand Greer était retournée au cours du Pr Farraday la semaine suivante, c'était comme si rien ne s'était passé. Elle était arrivée en avance dans une jupe jaune et un chemisier blanc. Elle s'était même maquillée. Au premier rang, elle avait pris soin de bien replier sa jupe sous ses fesses avant de s'asseoir, mais Thomas, plongé dans la lecture d'un papier à son bureau, n'avait pas levé le nez. Il avait attendu que les derniers étudiants soient entrés pour se lever et se planter devant le tableau noir. Il était vêtu de son costume bleu habituel, chiffonné dans le dos ; ses manches étaient trop longues et quand il voulait écrire au tableau, il devait agiter le bras en l'air pour dégager sa main. Le négligé de sa tenue la déconcertait. Pourquoi cet homme ne pouvait-il pas s'habiller correctement ? Un scientifique éminent, le chouchou du département... Il en avait sûrement les moyens.

Elle savait qu'il était célibataire, et à présent se rappelait avoir entendu parler de ses habitudes de vieux garçon. Les gens évoquaient une existence monacale, se posaient des questions sur son amour de la vie, lui prêtaient une liaison avec la secrétaire du département, ou une de ses assistantes dans les serres de l'université. On le voyait si rarement en compagnie féminine, que dès qu'il parlait à quelqu'un du sexe opposé, on en tirait de folles conclusions. Le moindre de ses faits et gestes en dehors de la salle de conférence donnait lieu à des commentaires. Mildred Ravener l'avait un jour aperçu dans une épicerie, et tous ses camarades voulaient tout d'un coup savoir ce qu'il avait acheté. Il y avait dans l'attitude de Thomas quelque chose qui incitait à penser qu'il n'avait pas le temps de s'occuper de ces broutilles ; qu'il était tourné toujours vers l'essentiel, préoccupé par les choses sérieuses. Les vêtements devaient compter pour lui parmi les menus inconvénients de l'existence. Ou bien Greer se trompait : son côté négligé n'était que le reflet de son arrogance. Comme si son esprit était si beau qu'il éclipsait le reste.

À la fin du cours, Greer avait été longue à rassembler ses affaires, au cas où il voudrait lui dire bonjour. Ils auraient le loisir de bavarder un peu dans la salle pendant que celle-ci se vidait. Mais il n'avait pas jeté un regard dans sa direction. Lorsqu'un autre étudiant s'était approché pour lui poser une question à propos d'une demande de bourse, il lui avait répondu :

— C'est bien simple. Indiquez votre cursus et vos propositions. Ne faites pas de charme, ni d'humour. Et en aucun cas... (sa voix s'était amplifiée) ... pour l'amour de la Science, ne citez Whitman.

Il lui avait fallu attendre une semaine, alors qu'elle était seule dans le labo tard le soir, pour réussir à retenir son attention. Elle s'était en effet retrouvée avec une plage horaire de deux à quatre heures du matin, ce qui lui était égal : elle aimait travailler la nuit. Sauf que le froid était arrivé vite cette année – les lacs étaient déjà gelés – et l'établissement n'avait pas encore mis le chauffage. Avec une couverture en laine sur les épaules, les pieds au chaud dans un collant plus deux paires de chaussettes, et le concerto pour violoncelle d'Elgar à la radio, elle examinait des pollens non identifiés quand la porte s'était entrouverte. Elle n'avait pas eu peur ; elle pressentait que c'était lui. Quelque chose avait passé entre eux, une sorte de courant, et elle attendait ce moment depuis des jours. Ses pas s'étaient rapprochés, mais elle n'avait pas levé les yeux : elle ne voulait pas paraître sur le qui-vive. Une main avait enveloppé la sienne et l'avait guidée vers un cylindre en métal chaud.

— Un peu de carburant, avait-il dit.

Greer avait gardé les yeux dans l'oculaire. Un grain de pollen de saule des vanniers se profilait dans son champ de vision.

— Il fait froid, mademoiselle Sandor.

— J'ai une couverture.

— Et puis il est tard. Il n'y a personne dans ce bâtiment, avait-il ajouté avec un petit raclement de gorge. Je ne pense pas que ce soit prudent de rester ici.

— J'ai entendu dire que certains professeurs errent dans les couloirs la nuit.

Il avait eu un gloussement de rire. Elle devinait son regard furetant autour d'elle, sur son cahier de notes, sur ses manuels de taxonomie, sur son tas de crayons cassés, sur sa radio.

— Vous aimez ce que vous faites ?

— Vous voulez dire que j'adore.

Il avait ajusté la couverture sur ses épaules, puis s'était éclipsé. Quand la porte s'était refermée, elle s'était redressée pour trouver à côté d'elle sur la table un thermos de café chaud et une tasse en porcelaine.

Le lendemain, à la même heure tardive, il était revenu avec un appareil de chauffage électrique. Sans prononcer un mot, il avait transporté le petit dispositif de l'autre côté du labo. Greer, assise derrière son microscope, l'avait regardé brancher la boîte noire.

— J'ai bien aimé votre conférence sur la dispersion des graines, avait-elle déclaré.

— Bien.

— Je m'intéresse aux processus de dispersion des graines dérivantes.

Il avait souri.

Puis il avait orienté la résistance de l'appareil vers elle.

— Voilà, avait-il dit. Si vous voulez plus chaud, il suffit de tourner le bouton là derrière. Il est un peu dur, n'hésitez pas à forcer un peu.

— Merci.

— Bonsoir, mademoiselle Sandor.

— Bonsoir, Pr Farraday.

— Ah ! professeur Farraday, avait-il marmonné comme s'il prononçait le nom de quelqu'un qu'il avait bien connu autrefois mais depuis oublié.

Un thermos de café, des biscuits, des calepins de naturaliste, des lithographies, des photographies. Cela avait duré des mois. Il surgissait une ou deux fois par semaine, au milieu de la nuit, et laissait toujours quelque chose sur la table. Parfois, il devait la trouver endormie, le visage contre les pages d'un livre, parce qu'elle se réveillait, les yeux flous, pour trouver un cadeau à côté d'elle. Peu de mots étaient échangés : « Vous devriez manger » ou bien « Reposez-vous », et toujours les « Il fait froid », « Il est tard », comme si les présents qu'il lui offrait tenaient lieu de conversation, comme si ces visites étaient la chose la plus naturelle du monde. Un peu comme un vieux couple qui communique par expressions codées : Chéri, les lumières, la porte, le chien. N'empêche, elle sentait qu'il se tissait lentement entre eux des liens de séduction. Alors qu'elle examinait ses grains de pollen, lui, un pionnier de la palynologie, son professeur, venait la voir et leur conversation, même quand il s'agissait de science, devenait inévitablement physique : elle concernait son corps, les besoins de son corps.

Greer, assise dans le fond de la salle, évitait de croiser son regard, et pourtant elle sentait sur elle tout le poids de son attention. Avait-elle découvert un nouveau principe mathématique : pour chaque manifestation d'intérêt soustrait à l'autre, on multiplie au carré l'intérêt manifesté par l'autre ? Il arrivait, pendant les conférences du département, qu'elle l'observe sur l'estrade, aux côtés des Prs Jenks et Mitzger et du Dr Hawthorne, discutant et gesticulant avec son aplomb habituel. Ses pensées voguaient alors à des kilomètres du sujet – la destruction de la forêt tropicale, l'extinction du dodo de Maurice – vers lui, le Pr Farraday, ou Thomas, comme elle l'appelait désormais en son for intérieur. En public, il faisait montre d'une telle autorité, les gens le traitaient avec une telle déférence, qu'il était quelquefois difficile de croire qu'il s'agissait du même homme qui lui apportait la nuit de la tarte aux pommes. Mais c'était ce qui l'attirait en lui. La dichotomie. Le fait de savoir que sous le personnage public se cachait un être qui dans le privé cherchait à séduire, et qu'ils étaient seuls tous les deux à connaître. Pour le moment, Thomas préférait que tout ceci reste un secret entre eux. Et Greer aussi, laquelle pas un seul instant ne se permettait d'oublier qu'elle était la seule femme dans son cours.

— Soit il est amoureux de toi, soit il te trouve trop maigre, avait décrété Jo quand, vers la fin du semestre, Greer s'était finalement confessée de ces rendez-vous nocturnes.

— Je ne sais pas ce que c'est.

— Mais ça te plaît.

Elles étaient en train de déjeuner dans un snack et sirotaient des milk-shakes.

— Ça me plaît beaucoup, avait dit Greer.

— Inutile de te préciser que, si ça s'ébruite, ton statut de femme va être encore plus difficile à tenir par ici.

— Je sais.

— Ça vaut le coup d'y réfléchir.

— Tu crois que ce n'est pas une bonne idée ?

— Greer, ce n'est pas à moi que tu dois poser cette question.

Elles avaient ouvert leurs manuels et s'étaient mises à passer en revue le matériel nécessaire pour leur prochaine expérience.

— La purification des échantillons, avait prononcé Greer. J'essaie de m'améliorer dans ce domaine. Ça me prend un temps fou.

— Tout tient à la centrifugation. Il faut que tu suives absolument pas à pas le protocole, tu laisses la substance se sédimenter dans la centrifugeuse. Et ça aide quand on ne rêve pas à chaque étape à ses professeurs.

— Très drôle.

— On peut réviser les étapes ensemble, si tu veux.

— Ça ira, avait répondu Greer. J'ai besoin de m'exercer toute seule.

— C'est bien ce que je pensais.

— Et que penses-tu des échantillons d'affleurement de roches du Wichita ? Apparemment, il y a d'étranges grains avec des échinules.

— Je les ai regardés mardi dernier. Ils ont la même forme en poire que le pollen de cypéracée, et présentent des aspérités échinulées. Ils datent de la fin du miocène. Cette plante, quelle qu'elle soit, a disparu depuis très longtemps. Je t'en trouverai un échantillon.

— Merci, Jo...

Greer avait feuilleté son cahier, tiré une dernière fois sur la paille de son milk-shake et mis le verre de côté.

— Bien, avait-elle repris. Ecoute. Si je m'interdis de me sentir attirée par quelqu'un pour la simple raison que j'ai peur de voir mon statut compromis sur le campus...

— Hum.

— Je parle sérieusement. Si je me prive de quelque chose pour ne pas mettre en péril ma position sociale, qu'est-ce que j'ai gagné ? Cela veut dire que je me suis laissé prendre au piège, que je me suis laissée dominée par un système auquel je n'appartiens pas.

— C'est une façon de voir les choses de manière positive.

— Tu crois que je me raconte des histoires ?

— Je crois que tu es amoureuse et que rien, ni le féminisme ni aucune considération politique au monde, te fera changer d'idée.

— Il me respecte, tu sais. Il respecte mon travail.

Jo avait posé ses mains à plat sur la table et avait dévisagé Greer :

— Ce devrait être un droit, Greer, pas un privilège. Tu es la plus maligne de toute ta promotion. Mais tu as trop de choses en tête pour le moment.

— Ne t'inquiète pas. Je ne vais rien précipiter.

— Bien.

— Je vais y aller doucement.

— Très bien.

— Il n'y a aucune raison de se presser.

— J'en suis convaincue. Et toi ?

— A peine.

— Rappelle-toi le barracuda.

Greer n'avait pu s'empêcher de rire :

— Jo, c'est quoi, enfin, cette histoire de barracuda ?

— Je te raconterai un jour. Mais les détails sont sans importance. L'idée, c'est que tu es face à la mort et tu gardes ton sang-froid, tu rassembles tes forces et tu te dis que la vie et la mort sont entre tes propres mains. Elles ne sont pas extérieures à toi.

Greer avait acquiescé :

— C'est une belle pensée. Mais je ne sais pas de quoi tu parles, bien sûr. Dis, Jo, un jour, tu m'emmèneras faire de la plongée ?

Jo avait tourné la page de son livre :

— Quand tu veux.

*

A la fin du semestre, une fois les cours du Pr Farraday terminés, Greer s'était rendue dans son bureau. C'était en décembre, la glace recouvrait les lacs d'une couche épaisse, et la ville était toute saupoudrée de blanc. De sa fenêtre, elle pouvait voir les patineurs tourner sur le lac Mendota.

— Je pense qu'il est grand temps que nous sortions dîner, ou voir un spectacle, ou boire un verre, quelque chose de vrai...

Elle était arrivée au milieu de sa phrase quand elle avait franchi le seuil de son bureau, redoutant de voir son courage flancher.

— Et si on sortait ensemble...

Elle lui avait presque envoyé cette petite phrase à la figure.

— Je commençais à me demander ce qu'un homme par ici devait faire pour être invité à prendre un verre.

— C'est oui ?

— Je manquais de provisions. Je me disais que si je devais attendre le printemps, je vous apporterai des fruits.

— Oui, non. Vrai, faux. On sort tous les deux, alors, Pr Farraday ?

— D'accord. Quels sont vos projets pour ces vacances ?

— Je compte travailler un peu plus au laboratoire. Comme tout le monde sera parti, j'y verrai peut-être la lumière du jour.

— Vous ne rentrez pas chez vous ?

— Non.

— Pas de visite à la famille ?

— Pas de famille, avait dit Greer, regrettant aussitôt ses paroles.

Son père était mort juste avant qu'elle ait été acceptée à l'université, un coup qui l'avait anéantie. Mais ses études avaient l'avantage de lui occuper l'esprit, quoiqu'elle aurait tant voulu lui parler de ses cours, du labo, et à présent de l'homme debout devant elle. Greer ignorait ce que son père aurait pensé de sa vie sentimentale, celle qu'elle avait eue auparavant n'ayant pas valu la peine d'être mentionnée. Un jour, alors qu'elle était à la maison pour les vacances, il lui avait demandé :

— Tu as des amis à la fac ?

— Quelques-uns, avait-elle répondu.

— Des amis qui comptent autant que tes études ?

— Quand je rencontrerai un homme aussi intéressant que la botanique, je te promets que tu seras le premier au courant, avait-elle répliqué.

Après sa mort, elle avait vendu la maison pour financer ses études, et désormais, elle n'avait plus de foyer. Greer avait senti toute la tension de son aveu comme suspendue, vibrante, pesante, entre Thomas et elle. C'était le premier renseignement d'ordre personnel qu'ils s'échangeaient, la première allusion pouvant les amener à croire que derrière leurs rencontres nocturnes, leurs bavardages et leur flirt, il y avait la véritable vie, un passé vécu.

Thomas avait sauté sur l'occasion.

— Vous devriez avoir des projets pour Noël. Ce n'est pas un jour à rester seule.

— Je n'aurais pas cru que vous fêtiez la naissance de Jésus.

— Je profite de cette journée pour aller faire un carottage sur le lac Mendota.

— C'est beaucoup mieux.

— Voudriez-vous venir ?

— Enfin, vous m'invitez !

— A travailler, oui. Si vous êtes efficace, je vous invite à dîner ensuite.

Tout en réfléchissant à sa proposition, Greer avait laissé son regard se promener sur les murs de son bureau, sur les diplômes, les certificats, les prix divers ; jamais elle n'avait vu autant de latin. Elle avait beau savoir qu'elle lui plaisait – sinon, pourquoi lui aurait-il fait une cour pareille ? –, elle avait peur de se sentir écrasée par ses titres. Il n'y avait, dans son esprit, qu'un moyen de se dégager de sa timidité.

— Invitez-moi à dîner le soir de Noël, et si vous vous en sortez bien, je verrai si je viens vous aider à carotter le lendemain.

— Le lendemain ?

— On peut arranger quelque chose, avait dit Greer en griffonnant son adresse sur une page de son calepin et en la déchirant pour la lui donner.

— Il faut appuyer fort sur la sonnette. Si ça ne marche pas, envoyez une boule de neige sur la fenêtre du premier.

Pendant les deux semaines suivantes, ils ne s'étaient même pas croisés. Greer avait entendu dire par un étudiant que le Pr Farraday participait à un symposium à l'université de l'Iowa, et les stores de son bureau étaient fermés. Les bâtiments du campus étaient de plus en plus tranquilles, la foule sur State Street s'était volatilisée. Jo était partie passer Noël à Minneapolis avec Jeb et Jeremiah, et pour la première fois, Greer, dans son petit appartement, devant la rangée des fenêtres noires de l'autre côté de la rue, avait pris la mesure de sa solitude. Toute jeune, elle allait parcourir seule la campagne à cheval, pour observer les oiseaux ou les grenouilles-taureaux. C'était une forme de solitude, mais une solitude volontaire. Tandis que de sentir les gens disparaître autour d'elle, de voir ces pièces vides, tout cela la troublait. Elle avait essayé de joindre, en vain, Jo au téléphone. Elle dînait dehors rien que pour voir un peu d'animation. Et surtout, son père lui manquait. Son premier hiver sans lui. Même si elle travaillait d'arrache-pied au labo, jusque tard dans la nuit, glissant une suite sans fin de lames sous son microscope, elle ne réussissait qu'à souffrir davantage de ne plus pouvoir lui parler.

Bientôt ce n'avait plus été de la tristesse qu'elle éprouvait, mais une noire mélancolie. Le soir de Noël, elle avait à peine trouvé la force d'enfiler le cardigan rouge qui, d'après Jo, lui allait bien ; elle avait mis une barrette dans ses cheveux, un peu de rouge sur ses joues. Quand il avait sonné à la porte, elle était descendue lui ouvrir avec un sourire forcé.

— Sachez que j'étais prêt à lancer une boule de neige. Oh, non ! J'arrive trop tard. Les vacances vous ont déjà donné le blues.

— Un peu de fatigue, c'est tout, avait répliqué Greer en le dévisageant.

Il venait de se raser, la ligne ferme de sa mâchoire était soulignée par le bord de son col de chemise. Elle en croyait à peine ses yeux : il était là, oui, et elle se rendait compte à quel point elle avait eu envie de le voir, quel manque sa présence comblait en elle.

— Faites-moi confiance, je sais reconnaître le blues des fêtes de fin d'année quand j'en vois un. J'ai mis quinze ans à mettre au point un stratagème pour l'esquiver. Pour vous remercier de votre charmante compagnie, je vous le communiquerai. Cela vous économisera des années de désespoir. Croyez-moi.

Comme elle affichait une mine dubitative, il enchaîna :

— Mademoiselle Sandor, j'ai passé le plus clair de ma vie tout seul. Pendant les vacances. Le jour de mon anniversaire. Dans les symposiums. Même dans les matchs de foot. Vous avez devant vous un spécialiste de la solitude. J'ai la médaille.

Pourtant, il avait dû y avoir des femmes dans sa vie, s'était dit Greer. Peut-être des étudiantes comme elle pendant des vacances semblables à celles-ci. Mais elle n'avait aucune envie de creuser la question pour le moment. Elle était heureuse de le voir là. Sous son manteau, il portait un pull bleu et une chemise à carreaux dont le col était à moitié enfoui sous le pull, à moitié retourné, pointant en avant comme une flèche sous son menton. C'était la première fois qu'elle le voyait sans son costume. Son eau de toilette parfumait la brise glaciale.

— Mais vous préférez ne pas être seul.

— Je préfère que VOUS ne soyez pas seule.

— Bien, avait acquiescé Greer, *idem* de mon côté.

Ils avaient laissé un silence agréable flotter entre eux.

— Vous avez faim ? avait-il demandé.

— Une faim de loup.

— Moi aussi, ça tombe bien.

Il avait passé son bras sous le sien et ils s'étaient éloignés lentement dans l'allée gelée.

— Couvrez-vous bien, là, avait-il ajouté en remontant le col du manteau de Greer et en lui enveloppant le cou de son écharpe.

Le cœur de Greer avait soudain bondi d'une joie désordonnée, comme les larmes vous viennent aux yeux. Elle s'était tournée vers lui et l'avait embrassé ; une explosion de chaleur dans le froid polaire.

— Joyeux Noël ! s'était-elle exclamé.

Il avait souri.

Alors elle avait senti la mélancolie la quitter. Ils allaient passer une bonne soirée, ensemble, tous les deux, et ce moment où il avait mis son bras sous le sien, eh bien, c'était un peu comme un point final à la très longue phrase qu'ils avaient commencée des mois plus tôt. Ils avaient avancé d'un pas, et tout était changé, et Greer avait contemplé son visage, et l'avait trouvé très beau.

— Tout va bien ? s'était-il enquis.

— Tout va très bien.

Il l'avait légèrement serrée contre lui tandis qu'ils descendaient l'allée verglacée. Un vent froid fouettait leurs joues, et ils s'étaient appuyés l'un à l'autre, Greer percevant tout à la fois sa masse et sa chaleur.

13

Après avoir parcouru seize mille kilomètres en traversant le Pacifique, après les huit jours de halte au rendez-vous de l'île de Pâques, l'escadre allemande emporta une petite victoire lors de la bataille de Coronel.

Le 1ᵉʳ novembre, au large des côtes chiliennes, l'amiral von Spee repéra la présence du croiseur britannique, *Glasgow*. Von Spee, à qui on avait signalé un seul navire ennemi dans la zone, ordonna à sa flotte de l'intercepter.

Le *Glasgow*, toutefois, n'était que l'arrière-garde de l'escadre de l'amiral Christopher Cradock, dissimulée non loin.

Sir Cradock avait été tout aussi mal informé, puisqu'il pensait n'avoir affaire qu'à un seul croiseur allemand, le *Leipzig*, et que ce fut justement ce dernier qu'il repéra par hasard avant les autres navires de von Spee. Lui aussi ordonna à son escadre d'intercepter le croiseur ennemi.

Ainsi chaque camp était convaincu de sa supériorité, et quand la situation s'éclaircit, il était trop tard pour revenir en arrière.

La flotte allemande était dotée de canons de plus gros calibre et leur puissance de feu était le double de celle des Britanniques. En deux heures, la Royal Navy perdit deux croiseurs et près de mille six cents hommes aux abords de la ville chilienne de Coronel.

Von Spee, de son poste d'observation, surveillait les croiseurs britanniques quand, tout d'un coup, des fusées rouges, vertes et jaunes jaillirent d'un des navires en feu, comme s'il lançait en l'air des écharpes de couleurs vives. Celles-ci tournoyèrent bizarrement dans le ciel, puis se mirent à voleter de-ci de-là : c'étaient des perroquets. Les officiers britanniques avaient relâché ces oiseaux achetés au Brésil en guise de cadeau. Mais les perroquets étaient trop assommés par les explosions pour reprendre leur liberté. Ils tournaient autour du gaillard d'avant enfumé, se cognaient aux canons ; ils se perchaient sur le plat-bord tandis que l'artillerie se déchaînait autour d'eux. Il fut noté par un jeune officier allemand que les corps d'une centaine d'entre eux ne tardèrent pas à flotter, inertes, dans les vagues. « *Cela nous parut à tous*, écrivit-il dans la dernière lettre de lui que devait recevoir sa mère, *un très mauvais présage.* »

La bataille de Coronel, qui était la première défaite essuyée par la Royal Navy depuis plus d'un siècle, décida le Premier Lord de l'Amirauté, Winston Churchill, à envoyer la quasi totalité de la flotte britannique aux trousses de von Spee. Les ordres de Churchill étaient catégoriques : « Votre mission consiste à traquer les croiseurs cuirassés allemands... Toute autre considération doit être subordonnée à cet objectif. » Von Spee était en grand danger. La bataille avait épuisé près de la moitié de ses munitions, minant les seules ressources qui auraient pu sauver sa flotte et les ramener en Allemagne.

En outre, d'avoir coulé le navire de l'amiral Cradock contribua à aggraver les tensions de von Spee. Ce dernier connaissait sir Christopher Cradock depuis son premier poste à Tsingtao ; il avait envoyé par le fond un homme qui était son ami depuis quatorze ans.

Plusieurs jours plus tard, lors d'un dîner célébrant leur victoire, un officier porta un toast « à la malédiction de l'armée britannique » ! Von Spee se leva aussitôt et leva son verre en déclarant : « Je bois à la mémoire d'un adversaire noble et honorable ! » Et sans attendre la réaction de l'assemblée, il vida son verre, ramassa son chapeau et s'en alla.

Une victoire remportée un 1er novembre ne pouvait pas aux yeux de von Spee, un catholique, être de bon augure. C'était la Toussaint.

La Flotte du malheur : Graf von Spee
et l'impossible voyage de retour.

L'île est criblée d'un dédale de grottes. Dans un lointain passé, elles servaient d'habitats, d'abris, de cachettes, aux femmes et aux enfants. A présent, elles ne recèlent que des reliques, des ossements épars et, à en croire la légende, l'esprit *tatane*.

Deux esprits femelles *tatane* – Kava-ara et Kava-tu – vivent dans une grotte d'une falaise de la côte nord-est et veillent sur le corps endormi de l'homme dont elles sont tombées amoureuses plusieurs siècles plus tôt et qu'elles ont enlevé à Hanga Roa. On raconte que du bord de la falaise, on entend le malheureux murmurer dans son sommeil, un sommeil soyeux, et ses ravisseuses *tatane* chanter pour le maintenir ainsi, car si son esprit se réveille, il prendra la fuite.

C'est la seule grotte que Boîte-à-biscuits évite. Il les connaît toutes, celles qui sont obstruées par la végétation, ou par des pierres volcaniques, celles qui se trouvent sous le niveau du ressac, comme s'il avait passé sa courte vie à explorer chaque centimètre carré de l'île. Petit et souple, il peut se glisser dans le plus petit des trous, revenant avec un os, un tesson de poterie, une statuette en bois, une salamandre. Il offre tous ces trésors à Alice, ne gardant pour lui qu'une étrange tablette qu'il leur présente un jour : une planchette de bois longue de moins d'un mètre, huilée, usée, gravée d'une écriture hiéroglyphique. Comme si elle lisait du braille, Alice pose ses mains à plat sur l'étrange graphisme et les fait glisser tout du long.

Alice tend ensuite la tablette à Elsa en disant :

— Des gribouillis.

Dès qu'elle touche l'objet, elle sait que c'est cela qu'elle est venue chercher ici. C'est l'écriture dont Gonzáles notait l'existence lors de son voyage il y a près de cent cinquante ans. La déchiffrer sera désormais son objectif. Les *moai* la fascinent, mais leur histoire appartient à Edward, et quoiqu'elle soit ravie de pouvoir l'assister, Elsa a besoin d'avoir quelque chose à elle. Besoin de préserver un équilibre entre eux, une sorte de distance même. La tablette pourrait décliner une généalogie, une légende, les codes de lois antiques. Grâce à elle, on pourrait retracer l'histoire de l'île. Si elle apprenait à la déchiffrer, ou au moins à en saisir le sens général, cela voudrait dire que ses choix s'inscrivent dans un dessein d'un ordre supérieur.

Pour commencer, elle doit voir s'il existe d'autres tablettes. Des semaines durant, guidée par Boîte-à-biscuits, Elsa passe les grottes au peigne fin, retournant les squelettes, se démenant dans les toiles d'araignée, descellant une à une les pierres bloquant l'entrée des chambres secrètes. Alice refusant de la suivre, Edward doit attendre dehors avec elle pendant qu'Elsa et le garçon explorent les souterrains. Edward a proposé à Elsa de la remplacer, pour qu'elle puisse rester avec sa sœur, mais elle a refusé poliment. Si ces tablettes sont sous sa responsabilité, c'est à elle qu'il incombe de les dénicher. Par ailleurs, il faut bien avouer qu'elle est plus agile que lui.

Ils rassemblent assez vite plus d'une vingtaine de ces planchettes, plus quelques bâtons gravés, qu'Elsa juge très insolites. L'écriture est un flot ininterrompu de petits signes bulbeux qui se bousculent par centaines sur chaque ligne. Elle n'arrive pas à déterminer s'il s'agit d'un système logographique, syllabique ou alphabétique. Certaines combinaisons d'images se répètent indéfiniment, d'autres sont uniques. Alors que la nuit, sous la tente, elle dispose les tablettes les unes à côté des autres, elle est souvent prise de vertige à la pensée de l'ambition de la tâche qu'elle s'est fixée. Parviendra-t-elle jamais à trouver un fil conducteur ? Ce dont elle aurait besoin, ce serait d'une clé, d'une pierre de Rosette ou d'un rocher de Béhistun, mais les tablettes semblent remplies des hiéroglyphes d'une seule langue.

Heureusement, elle se trouve loin de l'Angleterre et de ses savants, des spécialistes qualifiés pour ce genre d'étude. Elle a conscience que cela ne convient guère à une ancienne gouver-

nante, même doublée d'une fille d'universitaire. Mais elle est
ici. Et quel meilleur atout, n'est-ce pas, que l'opportunité
quand le désir s'en saisit au vol ?

D'abord elle décide qu'Alice va copier les signes, de façon à
obtenir au moins un relevé précis. Et du coup, Alice ne pourra
plus faire de bêtises.

Pendant plusieurs semaines, Elsa passe ses journées assise
sur la colline en surplomb de leur campement, à lire l'ouvrage
d'Henry Creswicke Rawlinson sur le cunéiforme assyrien et
celui de Champollion sur les hiéroglyphes égyptiens. Alice, à
côté d'elle, confectionne des copies presque à l'identique de
morceaux de chaque tablette.

Chaque fois qu'elle en termine un, elle le montre à Elsa :

— Tiens, regarde.

— On dirait des oiseaux, dit Alice. Et des arbres. Mes dessins à moi sont mieux, tu ne trouves pas ?

— Bien mieux, approuve Elsa.

La transcription d'Alice lui permet d'examiner chaque image
individuellement. Elle classe les feuilles et donne à chaque signe
un chiffre. Bientôt elle comptabilise près de mille signes
uniques en leur genre, ce qui laisse à penser qu'il ne s'agit pas
d'une écriture alphabétique. Mais ce n'est pas si facile : certains
signes se ressemblent beaucoup. Tous les jours, Elsa les
contemple ; la nuit, ils défilent dans ses rêves. Il y en a tant qui
évoquent des oiseaux, des plantes, des animaux, bref tout ce
qu'il n'y a pas sur l'île. Si l'écriture est indigène, elle devrait
offrir des représentations connues des insulaires. Mais les
figures sont peut-être trompeuses, et elle ne voit que ce qu'elle
veut bien voir.

Tandis qu'Alice se met à copier les tablettes les plus grandes,
elle montre des signes d'impatience. Il lui arrive de jeter son
carnet par terre et d'aller taper du pied dans l'herbe. Ou bien
elle jette des cailloux à son cheval, tire sur ses propres cheveux.

— Qu'est-ce qui ne va pas, Allie ?

— Elles sont laides. Cette tablette est laide. Tous ces visages
sont en colère. Je ne veux plus en faire.

— Dans ce cas, mettons-les de côté. Tu n'as pas besoin de les regarder.

Elsa enveloppe la tablette dans un bout de toile et ajoute :

— Tu n'as qu'à faire autre chose, tes portraits, par exemple. Ça te fait toujours plaisir. Et si tu dessinais Boîte-à-biscuits ?

Alice passa ainsi plusieurs jours à brosser le portrait du jeune garçon, lequel a du mal à ne pas pouffer de rire, toujours au moment où Alice se détourne pour prendre un nouveau fusain ou un chiffon. Dès qu'elle s'avise de le dévisager, il plaque ses mains sur ses joues et se plie en deux de rire. Ensuite Alice le gronde, lui lance de l'herbe à la figure. C'est seulement pendant les brefs instants où Alice semble disparaître, quand ses yeux s'esquivent, quand son fusain reste brusquement en suspens au-dessus de la feuille, que le garçon se compose un visage calme et solennel. Il attend patiemment, comme en présence d'une malade. Et quand elle revient à elle, au monde, à lui, et qu'elle se met à donner des coups de pied dans le sable, il a l'air manifestement soulagé.

Au bout d'une semaine, une fois le portrait terminé, elle le lui montre. Il n'a pas eu le droit de le voir avant. Mais là, devant son propre visage, il fond en larmes. Il croit, pense Elsa, que le trait sur la feuille a capturé son esprit : les cheveux hirsutes, le regard franc, le sourire coquin, le cou étroit supportant la pleine lune de sa tête. Il lui arrache la feuille des mains et part en courant sur le sable, puis traverse à toute allure les hautes herbes, le papier battant l'air à côté de lui.

Le lendemain, Alice dessine la maison de leur père au printemps, enfouie sous les hibiscus et les roses sauvages, les arbres ombrageant l'allée, les collines au loin chatoyantes dans leur livrée de thym et de trèfle. Mais le réalisme est trop poignant, Elsa ne trouve même pas la force de le regarder : ce souvenir d'un chez soi, cette réminiscence du passé lui font mal.

Quand Alice tend l'image au garçon, les yeux de ce dernier s'écarquillent.

— La maison, lui dit Alice. Là où Pudding, et Père, et Elsa et moi, on vit. Je partage une chambre avec Elsa.

Le garçon pose son doigt sur le dessin des fleurs, des buissons, des grands arbres.

— C'est la maison, loin d'ici, en Europe.

En montrant l'arbre, le garçon donne à Alice une feuille blanche.

— Juste un arbre ?

Le garçon plisse des yeux, comme s'il essayait de comprendre ce qu'elle venait de lui dire. Elle dessine deux traits pour le tronc. Il fait oui de la tête.

— Je vais percher des oiseaux dessus. Un arbre sans oiseaux, ce n'est pas bien.

Elsa est contente de voir Alice heureuse de dessiner, mais quand cette dernière reprend les tablettes, elle est de nouveau saisie de désespoir. Un après-midi, en rentrant d'une expédition avec Edward, Elsa trouve Alice en train de verser des larmes sur son cahier.

— Je ne les aime pas, crie-t-elle, je ne veux plus les faire.

— Très bien, Allie. Tu fais ce que tu veux. Veux-tu venir te promener à cheval avec moi ? On pourrait aller chercher Boîte-à-biscuits.

— Le bateau me manque, hoquette Alice. J'aimais être sur l'eau, voler sur l'eau... Beazley était drôle sur la goélette.

— Je sais, dit Elsa en caressant le dos d'Alice. Je t'avais promis que si tu étais malheureuse, on rentrerait à la maison. N'est-ce pas ?

— Oui.

— Nous ne sommes pas obligées de rester ici. On peut retourner sur l'eau, rentrer à Londres, où tu voudras... Veux-tu que je te fasse des tresses ? Là. Tourne-toi. On va te coiffer.

Elsa peigne avec ses doigts la lourde chevelure de sa sœur. Oui, elle a promis à Alice qu'elles rentreraient dès qu'elle le souhaiterait. Mais quel est l'intérêt de partir maintenant ? Avant même d'avoir catalogué tous les *moai* ? Ils ne peuvent pas abandonner l'expédition. Le voyage prend près d'un an, et maintenant qu'ils sont là et se sont finalement acclimatés à ce paysage de rochers et de vent, et à cette langue étrange, ils commencent tout juste à avancer. Ce n'est pas, après tout, seulement une lune de miel. Leur travail – l'arpentage, la copie des tablettes – est sans précédent. En outre, un retour en Angleterre leur prendrait au moins onze mois, ce qui laissait amplement le temps à Alice de changer d'idée. Sa promesse date d'avant leur arrivée sur l'île, avant même leur départ d'Angleterre. A l'époque, elle avait imaginé le pire ; elle avait peur qu'elles se retrouvent isolées, sans amis, aux confins de la civilisation. Elle avait envie d'entreprendre ce voyage, mais elle se figurait aussi qu'il constituait une clause de son contrat avec Edward, une épreuve qu'elle devait endurer pour l'amour d'Alice, peut-être pour son bonheur : après tout, elle allait peut-être s'épanouir loin du mépris des Européens ? A présent, elle devait reconnaître que cette promesse, elle l'avait faite pour elle-même. Pour se garantir une échappatoire. Comment aurait-elle pu deviner que ce qu'elle considérait au départ comme un sacrifice allait s'avérer le plus merveilleux des plaisirs ?

Bien entendu, elle a les mains rougies par les lessives, à force de laver chaque matin leurs sous-vêtements, leurs chemises, les chaussettes d'Edward. Son visage brûle quand elle se penche sur la marmite où elle fait cuire leur soupe de palourdes, quoique, peu à peu, elle apprenne à se servir du four traditionnel pascuan. Et elle doit descendre sous le clair de lune jusqu'à la mer pour dégraisser les casseroles dans les vagues. Sans compter qu'elle s'occupe d'Alice, et désormais aussi d'Edward. Elle se sent encore épinglée tel un papillon au cadre de sa situation, mais ici, elle a tout de même la possibilité, l'espace de quelques heures chaque jour, d'au moins s'imaginer qu'elle est libre.

Quand elle grimpe à cheval la pente du volcan de la carrière, elle aime regarder les *moai*, ces grands esprits de pierre, l'œuvre d'inconnus ayant vécu en des temps reculés. Elle se rappelle ses lectures sur les pyramides d'Egypte, comme quoi ils étaient des centaines de milliers à être enrôlés de force pour édifier ces sépultures monumentales. Les *moai*, eux aussi, avaient dû contraindre des centaines d'hommes à sculpter et ciseler sous un soleil cruel. La démesure de l'entreprise – le temps passé incommensurable, les tonnes de pierre, la décrépitude des choses laissées à l'abandon – la stupéfie. Elle se sent petite, hors de propos et totalement en sécurité. Et son seul réconfort, c'est de penser qu'elle participe à un événement ancien, beaucoup plus vaste qu'elle. Elsa, quand elle plonge ses regards dans la carrière, prononce en son for intérieur : « Dieu. » C'est le seul nom qui lui vienne à l'esprit pour illustrer la sensation dont elle est alors la proie. Dieu, se demande-t-elle, serait-il seulement une remémoration de l'Histoire ? La conscience que d'autres se sont tenus à l'endroit exact où vous vous tenez, mais des années, des siècles plus tôt ; des inconnus remplis des mêmes craintes et des mêmes regrets que vous ?

Se trouver sur l'île donne à Elsa un sentiment de paix qu'elle n'a jamais éprouvé ailleurs, et qui s'accompagne de la mise en place d'un objectif. Le passé rôde autour d'elle tel un mystère appelant à être éclairci. Pourquoi n'en démêleraient-ils pas certains écheveaux ? S'ils parviennent à déchiffrer l'écriture indigène, ils contribueront – elle contribuera – à une avancée importante. Sa vie, en dépit de tous ses compromis, pourrait se trouver hissée à des hauteurs insoupçonnées.

— Aïc !

— Pardon, Allie. (Elle avait fait sa tresse un peu serrée.) Je vais l'assouplir. Tu sais quoi ? Je pense que nous devrions attendre avant de prendre une décision.

Alice tâte sa tresse, palpe les creux et les bosses.

— Est-ce que tu aimes Beazley ?

— Allie, tu sais que nous sommes mariés. Edward est mon mari. Comme Père était le mari de notre mère. Mais je ne l'aime pas autant que je t'aime toi. Tu le sais. N'est-ce pas, Allie ? Tu es mon seul amour !

— Et est-ce que Beazley t'aime ?

— Bien sûr que oui. Mais pas autant que notre petit Boîte-à-biscuits t'aime, toi ! Allie, te rends-tu compte que tu lui briserais le cœur si tu partais ? Il faut que tu restes, pour lui. Et oublie ces tablettes. Je vais mettre mes pauvres talents à l'ouvrage.

Pour le moment, Elsa s'emploie à apprendre la langue indigène, puisqu'elle semble être la première étape obligée sur le chemin du déchiffrage. Son vocabulaire est suffisant pour trouver de l'eau potable ou les figuiers, mais elle a envie de parler aux indigènes de leur culture. D'où venaient-ils ? Quel style de société ont-ils construite ? Qu'ont-ils bien pu vouloir, ou avoir besoin d'écrire sur ces planchettes ? Et maintenant que la tonte des moutons est terminée, les indigènes manifestent un certain intérêt pour l'expédition. Plusieurs enfants viennent un jour à la carrière pour regarder Elsa aider Edward à mesurer les *moai*. Sur leurs poneys, les enfants rient et se balancent, criant dans un mélange de rapa nui et d'espagnol : « *Amor los moai ?* » Mais quand ils voient Boîte-à-Biscuits surgir de derrière une statue, ils se mettent à le huer. D'un index potelé, un des garçons écrase son propre nez et émet une série de grognements. Un autre se tire violemment les joues. Une fillette pleine de taches de rousseur, aux cheveux roux, retourne ses paupières et tire la langue. Puis un garçon très sale saute de son poney et lance un gros caillou à Boîte-à-biscuits, lequel plonge derrière les statues. Aussitôt, Alice se rue en avant avec son ombrelle, en poussant des cris aigus. Comme s'il s'agissait d'une arme magique, elle ouvre et referme en cadence son ombrelle. Les enfants prennent peur et s'exclament : « *Tatane ! Tatane !* » Le lanceur de pierres grimpe en toute hâte sur sa monture tandis qu'Alice prend d'assaut la colline herbue. Il s'enfuit au trot, son petit corps secoué par des sanglots, au moment où Alice arrive au sommet. Edward se tourne vers Elsa pour lui dire avec un hochement de tête : « Mon dieu, à l'avenir, je ferai attention de ne pas provoquer sa colère. » Une fois Alice redescendue, Boîte-à-biscuits émerge enfin de derrière le *moai*. Il passe le reste de la journée collé presque à elle.

— J'aime bien ce garçon, murmure Elsa à Edward sous leur tente un soir. Beaucoup même. Mais je me demande pourquoi il est tout seul.

— Alice a aussi beaucoup d'affection pour lui. Je pense que vous devez laisser Alice le voir. Elle paraît avoir conquis son cœur.

— Je sais.

— Souhaiteriez-vous... Elsa ? Je ne pensais pas que vous désiriez des enfants...

— Non. Bien sûr que non. Je ne peux pas.

— Vous avez Alice. Et vous la considérez... comme votre propre enfant.

— Non. Mais je me considère comme sa mère. Ce n'est pas tout à fait la même chose.

Elsa ferme les yeux. C'est vrai. Elle ne peut pas s'imaginer en train de s'occuper à la fois d'Alice, et de son propre enfant ! Non, il y a aussi autre chose. Le souvenir de la sage-femme serrant Alice contre sa poitrine, celui de son père interdisant à Elsa d'ouvrir la porte de sa mère.

— Ta mère a donné sa vie pour notre petite Alice, avait-il dit, en s'efforçant de masquer sa détresse. Elle s'est sacrifiée pour un nouvel enfant. Mais cette version n'était pas celle d'Elsa. Derrière cette porte, Alice avait fait quelque chose à leur mère, ce qui remplissait Elsa de haine. Pendant une année entière, elle avait maudit sa sœur, chuchoté des mots méchants quand son père dormait. De sorte que lorsqu'ils commencèrent à s'apercevoir qu'elle roulait bizarrement des yeux et à se préoccuper de ses colères et de ses silences, Elsa avait cru que sa haine en était la cause. Que ses malédictions, ses prières et les accusations murmurées lui avaient fait du mal.

— Vous dormez ? chuchote-t-elle.

— Pas encore, répond Edward.

— Parfois, je me dis que c'est de ma faute, pour Alice. Je sais que ça a l'air fou. Mais comment une chose pareille pouvait-elle arriver à un enfant ? A quiconque ? Il doit bien y avoir... une raison.

— Elsa...

— Toute ma vie, je me suis demandé...

— Alice est une bénédiction.

— Je sais.

— Vous ne devez jamais être tentée de penser que ce serait mieux si elle était différente.

— Parfois, Edward, je crois entendre mon père.

— Votre père était un sage.

Après cet incident, des semaines s'écoulent sans qu'ils reçoivent la moindre visite à la carrière, et Elsa soupçonne que l'histoire de la *tatane* anglaise et son ombrelle a fait le tour de l'île en subissant quelques embellissements. Mais un beau jour, voilà qu'un cavalier s'approche du bord du cratère. Elsa reconnaît celui qui s'est improvisé chef de chœur le soir de leur arrivée, sur le pont de la goélette. Ses bras sont noirs de tatouages et il porte le même chapeau : un tricorne en velours rouge fané avec une rangée de boutons en cuivre. Il a l'air d'avoir la quarantaine. De fines boucles brunes, à peine striées de gris, lui tombent sur les épaules. Il se présente : Te Haha Huke.

Il semble qu'il voudrait leur offrir ses services, dont la nature en revanche leur paraît peu claire. Pour commencer, il s'assied sur un *moai*, croise ses jambes osseuses en tailleur, et se met à chanter. Ses mèches se soulèvent dans la brise ; ses yeux se ferment tandis qu'il s'absorbe dans sa mélopée. Mais sa voix, qui passe sans transition d'une basse vibrante à des pics aigus, dérange Edward. « Vraiment, Elsa, je n'aimerais pas qu'il pense que nous déclinons sa proposition. Toutefois, j'ai l'impression qu'il est ivre. Une personne sobre ne pourrait quand même pas chanter aussi mal. »

Voyant qu'ils étaient déçus, le lendemain, Te Haha revient avec une guitare, qu'il se met à gratter, perché sur son *moai*. Comme ce n'est pas désagréable à entendre, ils suspendent leur travail et s'assoient dans l'herbe pour l'écouter, mais Te Haha se lasse vite et ne tarde pas à secouer la tête en marmonnant ce qui ressemble fort à des remontrances.

— Notez bien, murmure Edward à Elsa, que le tempérament dit artistique ne se cantonne pas au continent européen.

Lors de sa visite suivante, Te Haha passe des heures à sculpter leur image dans des morceaux de bois, un art dans lequel il paraît exceller. Edward lui suggère qu'il pourrait se rendre utile d'autres manières : aurait-il la gentillesse d'apporter un seau d'eau en haut de la colline ? De transporter ailleurs ce tas de cailloux ? De tenir l'extrémité du mètre à ruban ? Te Haha aide un peu, mais de toute évidence il trouve ces tâches d'un mortel ennui, ce qu'Elsa ne peut pas lui reprocher. Il pose un doigt sur son front pour montrer à Elsa et Edward la source de sa force : il n'est pas un travailleur manuel, chez lui tout est dans la tête.

Eh bien, songe Elsa, peut-être sera-t-il en mesure de l'aider dans son projet. Elle tente de lui expliquer qu'elle voudrait apprendre sa langue.

— *Arero !* crie-t-il, et il part en courant.

Le lendemain, Te Hara ressurgit sur son cheval avec un gros sac sur les genoux. Il se dépêche de descendre de sa monture et traîne le sac jusqu'au sommet de la colline en zigzaguant entre les *moai*. Quand Elsa le salue, il lâche son sac et ôte vivement son chapeau.

— *Hau*, dit-il à Elsa en arrondissant les lèvres. *Hau*.

C'est la première fois qu'elle le voit sans son chapeau. Le haut de son crâne présente une calvitie.

— *Hau*, répète-t-il en se recoiffant et en tirant du sac un poisson séché qu'il agite en l'air sous le nez d'Elsa, mimant le poisson frétillant dans l'eau. *Ika, I-ka*.

Hau. Ika. Miro Toki. Mamari. Auke. Karu. Un par un, il brandit des objets de la vie quotidienne, et lorsque son sac est vide, il montre du doigt le cratère et dit :

— *Rano.*

— Cratère ? prononce-t-elle en faisant un rond avec ses bras, à la grande joie de son interlocuteur qui éclate de rire. Cratère volcanique ?

Il acquiesce de la tête et lui donne de petites tapes sur l'épaule avec une mine réjouie.

Ils ne tardent pas à découvrir que Te Haha est un pédagogue d'autant plus génial qu'Elsa est sans doute sa première élève. Il va au fond des choses, il est rigoureux, exigeant. Il lui indique toutes les subtilités de la langue.

Il l'accueille au lever du soleil au campement, lui demande de s'asseoir à côté de lui avec son cahier ouvert. Après quoi il passe lentement en revue les noms, les verbes, les prépositions.

C'est ainsi qu'Elsa amorce son dictionnaire, et apprend le nom des hiéroglyphes qu'elle essaye de déchiffrer.

Ce sont des *rongorongo.*

« Le 5 mars 1914

« J'ai, me semble-t-il, beaucoup amusé Te Haha et ses amis avec mes questions sur les relations entre les sexes. Pour la Société royale de géographie, il valait mieux, en effet, déterminer le degré de prépondérance de la polygamie sur l'île et cerner la situation générale des femmes à propos des droits de propriété et de mariage, etc. J'ai par conséquent demandé aux hommes assis autour de nous combien de femmes ils avaient chacun, ou avaient l'espoir d'avoir un jour. « O te aha ? » (Pourquoi ?) dirent-ils tous avec un large sourire. Ils n'arrivaient pas à concevoir que ce genre de chose pouvait nous intéresser. Ils montrèrent du doigt mon cahier. Pourquoi écrivais-je tout cela ? (Ils ont eu la même réaction à l'égard de nos études sur les moai, *incapables d'imaginer qu'on puisse s'arrêter devant ces statues qu'ils ont vues tous les jours de leur vie.) Je me suis donc aventurée dans une explication, avec mon rapa nui encore élémentaire, des habitudes monogames de nos sociétés occidentales, non sans insinuer qu'elles me paraissaient d'une nature plus civilisée. Eh bien, j'aurais tout aussi bien pu leur raconter que j'étais à moitié singe ! Les hommes se tordirent de rire. En les pressant de me dire la raison de leur hilarité, voilà que je me*

suis retrouvée, moi-même, l'objet de leur curiosité. N'étais-je pas wha to matu'a *Edward ? Bien sûr, répondis-je. Et* vi'e *Alice n'était-elle pas aussi* wha matu'a *Edward ? Tout s'éclaira alors. Je m'employai à corriger leurs impressions de notre organisation familiale. Edward, leur expliquai-je, n'avait qu'une femme, et une belle-sœur. Ils étaient déçus, et un peu décontenancés.*

J'ai cependant décidé de remettre à plus tard mon enquête ethnologique et de me concenter sur le rongorongo. *C'est la tâche prioritaire, étant donné que les renseignements les plus fiables sur les tablettes sont stockés dans la mémoire des anciens de l'île. Jusqu'ici, j'ai établi que les Rapa Nui ont la conviction que les symboles premiers de cette écriture ont été importés par les premiers individus à débarquer sur l'île, et qu'ils se présentaient alors inscrits sur des feuilles (sans doute de l'écorce). Lorsqu'il n'y eut plus de « papier », ils se mirent à écrire sur des fibres de bananiers, puis, sur du bois. D'après eux, l'instrument utilisé était une dent de requin. Apparemment, la majorité de ces tablettes furent brûlées en même temps que les habitations au cours des guerres tribales (Il semble qu'il y ait eu un conflit prolongé entre les deux clans principaux de l'île – les Hotu Iti et les Kotuu – à propos duquel je compte approfondir mon investigation.) Quant aux inscriptions sur les tablettes, plusieurs indigènes d'âge mûr m'ont proposé avec enthousiasme de les « lire » pour moi, mais après dix séances de lectures totalement différentes, il est évident qu'ils tiennent la planchette sous leurs yeux et déblatèrent la première légende qui leur vient à l'esprit. Je n'ai pas encore pris contact avec les personnes les plus âgées (dont certains vivraient dans la colonie des lépreux à la périphérie de Hanga Roa), qui, je l'espère, pourront apporter quelque lumière bien nécessaire sur cette écriture.*

Je me suis enquise de la manière dont l'île a été colonisée, d'où venaient les colonisateurs, et à quelle époque. Ils ne proposent aucune date à proprement parler, mais comptent vingt-sept rois. Le premier fut Hotu Matua, qui a débarqué en pirogue sur la plage d'Anakena, l'endroit où nous avons établi notre campement. Il serait venu d'un groupe d'îles du côté du soleil couchant, et le nom de cette île serait « Maraetoe-hau », qui pourrait se traduire par « lieu de sépulture ». A les croire, Hau Maka, le conseiller de Hotu Matua, avait eu un rêve, et l'âme du rêveur avait visité l'île, l'avait trouvé si belle et si prospère qu'ils étaient partis à sa conquête. Si la légende est vraie, on peut se demander si le roi Hotu Matua a été déçu en arrivant dans cette lande désolée, s'il ne s'est pas dit qu'il s'était trompé d'île. »

*

Edward est sur le point de décider quelle statue il va mettre au jour en premier. Tous les soirs, à la lumière des lanternes qui brûlent leurs nouvelles provisions d'huile de marsouin, il étudie ses relevés. Elsa essaye de le tenter avec ses tablettes, lui présentant les planchettes de bois sous leur tente, tout en débitant tout ce qu'elle sait sur elles :

— Celle-ci est la seule tablette *kohau* que nous ayons trouvée dans les grottes près de Puna Pau, et elle est très différente des autres. Regardez comment se répètent les figures accroupies suivies de l'arbre ? C'est très joli, je trouve.

Mais pour le moment, Edward ne s'intéresse qu'aux statues.

— Nous devrions commencer à creuser bientôt, déclare-t-il en effeuillant une page de son cahier. Quoi que nous exhumions à leur base, cela nous éclairera sur la méthode employée pour leur transport. Il me semble qu'à l'heure actuelle, c'est le problème essentiel.

Une fois qu'il a sélectionné le *moai* qu'il a l'intention d'étudier, il devient obsédé par la logistique. A grands renforts d'offres de troc alléchantes, il parvient à réunir un groupe d'indigènes prêts à creuser. Mais les préparatifs s'avèrent plus difficiles que prévu, à cause de la pénurie de bois.

— Il n'y a pas une seule branche sur cette île qui pourrait servir à la construction, se lamente Edward. Incroyable que les gens aient réussi à vivre ici.

Finalement, il décide de démonter quelques-unes de leurs caisses pour fabriquer un échafaudage.

Une fois les fouilles commencées, Edward se détend. En fin d'après-midi, il rentre de la carrière, et Elsa de ses entretiens, et ils se racontent les événements de la journée, soûlés par une fatigue revigorante, s'imaginant déjà ce que leur réserve le travail du lendemain.

— Je pense, déclare Edward un soir après qu'elle lui a décrit une série singulière d'images d'oiseaux, que vous avez peut-être trouvé votre vraie vocation.

Entre eux se sont développés une relation de bienveillance, un respect mutuel. Comme s'ils faisaient des affaires ensemble, ils se consultent fiévreusement pendant le dîner. C'est le ronron de la routine, une entente fondée sur des intérêts communs.

Ses vrais compagnons, elle ne les trouve pas moins entre les pages de ses livres. Son volume du *Voyage d'un naturaliste* semble avoir disparu pour de bon et elle a terminé la lecture des *Différentes formes de fleurs et de plantes de la même espèce*, de sorte qu'elle retourne une fois de plus à *L'Origine des espèces* où elle trouve ce qui lui apparaît comme une confession de Darwin :

> « *Mon œuvre est actuellement (1859) presque complète. Il me faudra, cependant, bien des années encore pour l'achever, et, comme ma santé est loin d'être bonne, mes amis m'ont conseillé de publier le résumé qui fait l'objet de ce volume. Une autre raison m'a complètement décidé : M. Wallace, qui étudie actuellement l'histoire naturelle dans l'archipel malais, en est arrivé à des conclusions presque identiques aux miennes sur l'origine des espèces. En 1858, ce savant naturaliste m'envoya un mémoire à ce sujet, avec prière de le communiquer à sir Charles Lyell, qui le remit à la Société linnéenne ; le mémoire de M. Wallace a paru dans le troisième volume du journal de cette société. Sir Charles Lyell et le Dr Hooker, qui tous deux étaient au courant de mes travaux – le Dr Hooker avait lu l'extrait de mon manuscrit écrit en 1844 – me conseillèrent de publier, en même temps que le mémoire de M. Wallace, quelques extraits de mes notes manuscrites.* »

— Edward, lui lance-t-elle d'un bout à l'autre de la tente. Connaissez-vous les travaux d'Alfred Wallace ?

— L'homme de l'archipel malais ?

— Oui. Préparait-il une théorie de l'évolution en même temps que Darwin ?

— En effet, mais il est difficile de déterminer qui l'a découverte en premier. La Société linnéenne a présenté leurs mémoires en même temps, sauf que celui de Wallace passa inaperçu. Darwin était un ancien de Cambridge, alors que Wallace était un autodidacte. Il avait dû financer ses recherches en envoyant des insectes et des serpents empaillés en Angleterre.

Je suppose qu'il avait peu de chances d'être pris au sérieux. Ensuite Darwin a publié son livre avant lui, et, bien entendu, a eu droit à tous les honneurs.

— Wallace devait-il avoir un diplôme de Cambridge pour développer sa théorie ?

— Bien sûr que non.

— Avec une pareille mentalité, ils auraient pu être des centaines de diplômés à découvrir l'évolution.

— C'est la règle du jeu, Elsa. Darwin appartenait à l'establishment. Vous ne pouvez pas le lui reprocher.

— Je ne lui reproche rien, je suis désolée pour Wallace.

— Wallace l'a accepté. Il a intitulé son ouvrage sur la sélection naturelle *Darwinisme*. Pour une concession, c'est une concession.

— Il ne se sentait peut-être pas de taille à lutter.

— Ne soyez pas trop sévère avec eux. Après tout, ils étaient tous les deux en quête de la vérité.

Dans ces propos, elle retrouve comme un écho de la voix de son père la mettant en garde contre les jugements trop rapides. En fait, Edward ressemble de plus en plus à son père, à moins que ce ne soit une impression parce qu'elle se sent maintenant à l'aise avec lui. Même les précautions qu'ils prennent pour surveiller Alice se simplifient. Quand, à cause d'une crise de cette dernière, Elsa est obligée d'interrompre un de ses entretiens, Edward lui propose de l'emmener sur le site de ses fouilles.

— Vous devez pouvoir travailler tranquillement, Elsa. Ce que vous faites est trop important. Et au moins, nous sommes sûrs qu'elle ne fera pas peur aux statues. J'espère que vous avez assez confiance en moi pour penser que je saurai m'occuper d'elle.

Elle a en effet confiance en lui, après tous ces mois. Il est attentif avec Alice, il s'est habitué à ses crises, et la jeune fille paraît heureuse en sa compagnie.

— Bien sûr, dit Elsa, bien sûr, vous avez toute ma confiance.

Encore un pas vers la liberté. A présent, Elsa peut circuler sans entrave dans toute l'île – en vraie exploratrice, en vraie scientifique – sans rien pour la distraire de son travail.

Elsa s'immerge dans la vie de l'île et sa langue, le *rongorongo*. Elle peut soutenir sans problème une conversation en rapa nui, et Edward se sert même d'elle comme interprète. Elle prend quantité de notes sur les légendes et les mythes que lui racontent les indigènes, mais la tradition orale n'apporte pas beaucoup de détails sur la construction et la chute des *moai*. Elsa pense que les planchettes de bois détiennent la clé du mystère. Un récit des événements majeurs doit bien être stocké quelque part, sinon dans la mémoire du peuple, alors peut-être sur ces tablettes. Mais chaque fois que les étranges glyphes semblent promettre de livrer un début de sens, on dirait qu'ils se dérobent sciemment, pour la taquiner. Et elle commence à se poser des questions sur le bois lui-même. Les tablettes sont fabriquées à partir d'un bois dense et noir dont elle n'a vu aucun spécimen sur l'île. D'où vient-il ? Les tablettes auraient-elles pu venir d'ailleurs ? Pourraient-elles avoir été transportées par la pirogue d'Hotu Matua ?

Elle songe au long voyage d'Hotu Matua, et de leur propre voyage depuis l'Angleterre. Ni le roi polynésien, ni Edward, ni elle, n'étaient au départ en mesure de deviner ce qui les attendait sur ce nouveau rivage. Jusqu'à leur arrivée, c'était un lieu mythique. Mais désormais, c'est son propre passé qui s'est glissé dans la sphère du mythe ; Max, son père, leur maison en Angleterre, tout cela semble une île d'un rêve d'autrefois.

Et lorsque Elsa, la nuit, est allongée sous la tente, ses livres empilés à côté de son lit, et qu'elle écoute les vagues se briser sur la grève, elle se dit qu'elle a choisi le bon chemin. Elle était destinée à venir ici, sur cette île. Même de dormir à côté d'Edward lui plaît. Le poids langoureux de ses bras lourds, l'odeur de savon et de tabac que dégage son torse : ils sont pour elle un pont vers le sommeil. Elle s'habitue à lui, peu à peu. Et de s'occuper de lui, de se sentir bien avec lui, ce sont là des choses qui adoucissent son remords. Elle ne le voit plus comme un instrument leur permettant, à Alice et elle, de s'en sortir. Elle le considère comme son mari. Est-ce vraiment si affreux, se demande-t-elle, d'être aimée par cet homme ? Edward, cher, gentil Edward. Avec Alice et cette terre balayée par les vents au milieu de nulle part, il est désormais sa vie.

15

Au cours de sa deuxième année d'université, après bien des tergiversations, Greer choisit Thomas comme directeur d'étude. Ils avaient déjà rendu leur liaison publique, un moment hautement redouté par Greer, mais qui, en fin de compte, ne suscita que quelques haussements d'épaules parmi ses camarades. Tout le monde avait deviné depuis longtemps.

Sans aucun doute, elle n'aurait pas pu trouver mieux que Thomas du point de vue de ses études. Ses travaux étaient les plus pointus du département, son labo le mieux équipé et bénéficiant des aides les plus conséquentes. Il venait de recevoir une bourse de l'American Institute of Biological Sciences, un honneur qui avait donné lieu à un dîner en grande pompe, où il avait emmené Greer, et qui avait fait l'objet d'un article dans le magazine *Life*, « La science d'aujourd'hui et de demain », avec une photo de lui debout dans son labo devant un prélèvement par carrotage de deux mètres de haut que Greer et lui avaient extrait en février des berges du Mississippi. Cet article avait beaucoup irrité Thomas parce qu'il classait les scientifiques en deux catégories : les traditionalistes et les renégats. Thomas, qui venait de fêter ses quarante-trois ans, y était relégué dans celle de la tradition, et il y était sous-entendu que les grandes découvertes scientifiques étaient l'apanage de la jeunesse, à preuve ses exploits passés : le prix Linnaeus, la première conférence de palynologie. N'empêche, cet article avait fait un tabac : l'administration avait ajouté son labo à la visite du campus. Par la suite, de la fenêtre de son bureau, Greer et lui repéraient parfois des groupes d'adolescents accompagnés de leurs parents qui, le nez en l'air, contemplaient la façade du bâtiment.

— Ils ne voient rien d'en bas, s'apitoyait Greer en fermant ou ouvrant les stores. Pourquoi ne pas leur montrer du pollen fossile ? Ce serait plus intéressant pour eux.

— Pour la simple raison que ce qui les intéresse, ce n'est pas la science, c'est la célébrité !

Thomas n'était pas mécontent, au fond, de cette étiquette. Désormais, tout le monde voulait venir travailler avec lui. Même Jo, qui s'était jointe dès le semestre suivant à son équipe. En revanche, Greer était partagée.

— Ton seul problème, Greer, devrait être de savoir si tu veux, oui ou non, passer autant de temps avec lui. Jour et nuit, avait déclaré Jo.

— Et travailler pour lui ? Ça semble bizarre.

— Sinon tu travailles pour le Pr Jenks, ou pour cet imbécile de Hawthorne. De toute façon, il faut bien que tu bosses pour quelqu'un. Alors tu as intérêt à ne pas te tromper sur ce quelqu'un. Choisis-en un dont les travaux te plaisent.

— A vrai dire, ceux de Thomas sont...

— Le nec plus ultra ?

— Oui, admit Greer, comme à regret.

— Une occasion qui ne se représentera pas ?

— On pourrait devenir comme Pierre et Marie Curie. Carl et Gerty Cori.

— Ecoute. Personne ne peut te donner de réponse là-dessus, Greer. Fais ce que tu dois faire pour ton boulot, et ton propre épanouissement. Et si ça signifie que tu dois entrer au labo de Petit...

— Jo !

— De Thomas, alors, vas-y. En plus, comme ça, on bossera toutes les deux ensemble. Comme les sœurs Bobbsey.

— Les sœurs jumelles, héroïnes des livres que nous lisions quand nous étions petites. Pourquoi pas ?

— Et comment vas-tu lui présenter la chose ? demanda Jo en soufflant sur sa frange.

— A ton avis ?

En fait, Thomas ne présenta aucune objection.

— Lily, tu es la personne idéale pour le labo, avait-il répondu. Tu es rapide, précise. Et tu es déjà investie totalement dans le programme.

Ce dernier consistait à étudier l'évolution des angiospermes : les plantes à fleurs. Cela comprenait la majorité des arbres, arbustes, fleurs sauvages, fruits comestibles, baies, noix, graines et légumes : 235 000 espèces différentes qui représentaient environ quatre-vingt-dix pour cent des plantes dans le monde. Mais aussi extraordinaire que cela puisse paraître, il fut un temps où la planète n'était peuplée que de gymnospermes, *Gymnos sperma*, dont la graine est nue : les conifères, pins, sapins, cyprès, cèdres. Les ginkgos et les cycades, dont les graines se développent sur les bords des cônes et attendent d'être emportées par le vent. Ils ont un système de reproduction primitif et passif. Avec les angiospermes sont venues les étamines, le pistil et les carpelles ; pétales froissés rouge, violet, blanc ; nectar et parfum. Séduction. Greer comparait cette apparition à l'adolescence du royaume végétal, tous ces pins naïfs et ces sapins tristes se parant de beaux atours et de maquillage. Les angiospermes ont introduit le désir dans la nature, ils ont amorcé la valse amoureuse des étamines et des pistils, des pétales et des pollinisateurs, un pas de deux qui a fait dans le monde d'innombrables adeptes. Finalement, la flore et la faune se sont associées par paires, chaque fleur ayant son propre pollinisateur, chaque fruit un oiseau friand de sa chair.

Le bouleversement que représentait le passage du gymnosperme à l'angiosperme fascinait Thomas en ce qu'il constituait à ses yeux un progrès bien plus prodigieux que celui qui a séparé le singe de l'homme. Les fleurs ont apporté les fruits qui à leur tour ont permis l'avènement des grands mammifères et, en fin de compte, de l'*Homo sapiens*. Et l'homme à son tour, devait devenir le plus grand adepte du monde des fleurs. « C'est le pavot, après tout, telle une Hélène de Troie florale, qui a armé une flotte de milliers de navires de guerre », se plaisait à répéter Thomas. Les migrations, les routes commerciales, les invasions, les guerres, tout se résumait aux angiospermes. Le thé, les épices, les tulipes. L'homme était entré dans la danse, séduit, comme toutes les autres créatures, par l'invention la plus extraordinaire de la nature : la fleur.

Mais comment s'était produit ce passage ? quand, où ? Darwin, au siècle précédent, avait parlé d'un *abominable mystery*. Depuis, personne n'en avait trouvé la clé. Le mystère était trop ancien, la preuve enterrée trop profondément. Le programme de recherche de Thomas impliquait par conséquent la constitution d'une collection de paléobotanique et d'une base de données conséquente.

Ce programme avait démarré un an avant l'entrée de Greer à l'université. Il avait commencé par récolter des roches crétacées de plusieurs sites disséminés sur le territoire des Etats-Unis et monté une petite équipe d'étudiants du troisième cycle qui avaient comme mission de trouver du pollen fossile, en particulier la première fleur, le plus vieil angiosperme connu sur Terre. Jusque-là, ils n'avaient mis la main que sur un suspect : le magnolia. Dans des pierres datant du milieu de l'ère crétacée, vieilles donc de 120 millions d'années, ils avaient en effet trouvé des traces de pollen de magnolia. Mais ce n'était qu'un début. L'étape suivante, et capitale, du laboratoire consistait à éliminer le magnolia de la compétition.

Dans ce but, ils avaient besoin d'examiner des roches sédimentaires prélevées aux quatre coins de la planète. A l'époque où Greer était entrée dans son laboratoire, Thomas venait de recevoir une nouvelle bourse de recherche et s'employait à faire venir des échantillons d'Amérique du Sud et d'Europe. Il était aussi question d'en trouver au Groenland et en Australie. Le laboratoire serait de la sorte apte à vérifier s'il n'y avait pas d'angiosperme du mi-crétacé autre que le magnolia.

Si Thomas pouvait apporter la preuve que le magnolia était la première plante à fleurs, cela signifierait que cette plante se situait à la charnière entre le gymnosperme et l'angiosperme, le premier domino à tomber dans le plus grand mouvement d'évolution de l'histoire. Cela déposerait aussi dans le giron de Thomas la coupe d'or de la recherche dans ce domaine. Car dans toute découverte comptait avant tout la capacité de dire qui était venu en premier, qui était le plus volumineux, ou le plus petit.

Greer devait aussi rédiger un dossier sur le programme de Thomas et ce qu'elle comptait faire dans son laboratoire. Après mûre réflexion, elle avait décidé de se concentrer sur les processus de dispersion transocéanique du magnolia. Si ce dernier apparaît au milieu de l'ère crétacée, ce fut seulement après l'ère de la Pangée, le continent unique qui rassemblait les terres aujourd'hui dispersées, et après l'éclatement du super-continent Gondwana. Le magnolia avait fait son apparition, par conséquent, dans un monde où l'eau divisait les continents, de sorte que pour se répandre, les angiospermes devaient dériver à travers les océans. Tandis que Thomas déterminait à quelle époque le magnolia était apparu, elle se chargeait de traquer ses déplacements.

Le gros du travail de laboratoire se résumait à taper à la machine et à faire du classement. Thomas était un directeur d'étude exigeant, et Greer consacrait parfois des semaines à ne s'occuper que de purifier des échantillons, passant ses journées entre le centrifugeur et l'évier. Ensuite, elle devait déterminer quel pollen provenait de gymnospermes, et lequel était issu d'angiospermes. Attelée pendant des heures et des heures à son microscope, elle comptait les grains connus et inconnus, en examinait la structure : leur aspect verruqueux, le réseau de sillons qui veinaient leur enveloppe, l'exine, leurs taches plus ou moins foncées. Leur variété comme leur résistance faisaient son admiration. Voilà du pollen qui s'était répandu il y avait des millions d'années de cela dans des prés et des vallées, qui avait ensuite été enterré, fossilisé à la perfection, comme s'il attendait d'être mis au jour. Quand elle collait ses yeux à l'oculaire de son microscope, c'était comme si elle pénétrait dans un paysage secret, comme si elle entrevoyait une lune lointaine, sans nom.

Au cours de cette première année, Thomas et Greer ne se quittèrent pas. Son bureau était au bout du couloir du laboratoire, et il venait à tout bout de champ voir où en était l'état des travaux, n'omettant jamais de la consulter. A l'heure du déjeuner, elle apportait des sandwichs dans son bureau et ils discutaient du programme. Souvent, avant qu'elle ne retourne au labo, ils tiraient le rideau des stores et s'embrassaient. Ils aimaient les tentations que suscitait cette proximité, s'amusaient à se caresser en douce, s'arrangeaient pour rester longtemps après tout le monde dans le bâtiment. Thomas demeurait assis à son bureau devant ses livres ouverts, et Greer déboutonnait sa chemise, débouclait sa ceinture, pendant qu'ils continuaient à faire semblant de lire. Ou bien Thomas la rejoignait au labo, et lui enlevait tout doucement sa blouse blanche alors qu'elle regardait dans son microscope.

Ils voyageaient ensemble pour récolter des échantillons. La première année, ils se rendirent au Brésil et à Belize. La seconde, ils passèrent deux semaines en Nouvelle-Ecosse, puis au Groenland. Elle adorait les voyages. C'est à cette occasion, en observant Thomas travailler dehors, loin de ses collègues et de ses admirateurs, dépouillé des fanfaronnades de salles de conférence, que Greer se rendit compte à quel point elle était amoureuse. Il lui faisait penser à un jeune garçon agitant un bâton dans une fourmilière, le visage émerveillé devant la vie qui se déployait sous ses yeux. Thomas avait beau crier sur les toits que la nature n'était pas belle, il n'en était pas moins bouche bée devant sa complexité.

Sans trêve ni arrière-pensée, ils s'immergèrent tous les deux totalement dans le programme de recherche, fascinés par l'idée qu'ils pouvaient trouver la première fleur du monde. Le magnolia était un songe aux pétales blancs qu'ils poursuivaient, un fantôme qu'ils voulaient à tout prix toucher. Certaines nuits, quand le sommeil la surprenait au labo, Greer rêvait qu'elle flottait au-dessus d'un paysage préhistorique tapissé d'une forêt dense de conifères sombres, cherchant désespérément le reflet blanc de la fleur. Une fois, elle aperçut ses pétales au loin, la narguant au milieu de la végétation obscure.

Lorsque Thomas la trouvait ainsi endormie, il la réveillait et elle lui racontait par le menu son rêve.

— Et tu n'as pas demandé de quel continent il s'agissait ? Je suis prêt à croire à la valeur prémonitoire de tout rêve qui répond à ce genre de question.

— Maguy n'aime pas les interrogatoires.

— Maguy ?

— Avec tous ces gens à ses trousses, je pense qu'elle mérite de porter un nom.

L'après-midi, ils prenaient une petite récréation pour se promener dans les serres de la fac et bavarder un peu.

— Certains échantillons ne sont pas assez anciens pour être significatifs.

— Maguy est un peu farouche, dit Greer. Donne-lui du temps.

— Tu sais, finalement, tout ceci va se résumer à l'étude de beaucoup de roches en provenance de beaucoup de régions du monde. Quantité et variété, un point c'est tout. Nous ne trouverons sans doute jamais du pollen de magnolia datant d'avant le mi-crétacé. Tout ce dont nous pouvons nous assurer, c'est qu'on ne constate aucun autre angiosperme à cette époque.

— En espérant que personne d'autre ne nous coiffe au poteau.

— En plein dans le mille, Lily.

— Ne t'inquiète pas. Tu lui es tellement dévoué que Maguy ne te laissera pas tomber.

— Que le ciel t'entende.

— Pense un peu, Thomas, on est sur la piste de la première fleur du monde.

Ils avaient traversé la section tropicale, le sanctuaire vitré et embué des fougères et des goyaves, puis la serre des orchidées. Greer contempla autour d'elle l'océan de pétales violets et rouges.

— Une fleur, avait-elle repris, qui était là avant qu'aucun être humain ne puisse la sentir, la toucher, la trouver belle, avant qu'aucun pollinisateur ne vienne... Elle était là, une fleur spectaculaire, attendant que le monde la rattrape.

— Ah, Lily.

— Quoi ?

— Tu es une femme, n'est-ce pas ?

— Et alors ?

— Ne te laisse pas emporter par ton imagination. Tu n'as pas à chercher ce qui est beau à tes yeux. Rappelle-toi, tu dois chercher *ce qui est vrai*.

— Me laisser emporter par mon imagination ! Je suis dévouée plus que quiconque à la science. Je lave, numérise, analyse. Mais parfois, il n'est pas mauvais de prendre un peu de distance pour essayer de comprendre ce que tout cela veut dire.

— Tu as raison, je sais. Tu travailles comme une brute. Pardonne-moi. Je suis juste préoccupé par le programme de recherche et tout le travail encore à faire.

Elle avait passé un bras autour de sa taille :

— Mais il ne faut pas oublier que c'est aussi un plaisir.

Il l'embrassa :

— Un plaisir *sédimentaire*.

*

Au cours des deux années qui suivirent, Thomas s'absenta souvent pour donner des conférences dans des symposiums, dans le Missouri, l'Iowa ou l'Ohio. Greer apprit à tolérer ces séparations. A plusieurs reprises, il fut invité à Harvard. Cette effervescence lui laissait peu de temps pour travailler. Quand il passait au labo, c'était en général pour prendre des fiches techniques et des données de références préparées par Greer, Jo et Bruce Hodges, un nouvel assistant de recherche transfuge d'Harvard. Bruce était un joueur de football américain qui se gargarisait de ses prouesses sur le terrain.

— Mais à la fin, comme je ne pouvais pas aller plus loin, j'ai troqué ma tenue de sportif contre une blouse de labo, disait-il pour conclure, d'un ton grandiloquent.

Il avait un don pour les sciences, même s'il lui manquait le feu sacré. Il connaissait sur le bout des doigts sa classification des grains de pollen qu'il passait en revue avec une gouaille de commentateur sportif.

— Et voilà le *Dico magnoliaceous*, une fleur de mai-juin, qui fait un sprint vers le mi-crétacé ! Notre petit *Clavatipollenites* colle au réseau réticulé et aux cotylédons à deux feuilles !

Il mettait ses mains en coupe devant sa bouche et se mettait à hurler et à siffler comme les supporters dans les tribunes.

Jo le trouvait fatiguant, et faisait dans son dos des gestes obscènes. Greer, cependant, le trouvait plutôt charmant et ne détestait pas sa compagnie au labo : cet endroit semblait un tel désert en l'absence de Thomas.

Au retour de ses symposiums, Thomas, vidé, la voix rauque, venait s'asseoir le soir avec elle au labo pour revoir les fiches. Elle l'orientait vers les échantillons intéressants, ou lui indiquait où il faudrait s'adresser pour obtenir le prochain lot de roches sédimentaires. Il n'oubliait jamais de s'enquérir, quand ils avaient terminé, de ses travaux personnels. Son intérêt de ce point de vue ne flanchait jamais. Et ils discutaient des graines de magnolia et des mécanismes de dispersion du pollen. Il lui soufflait des pistes, lui suggérant parfois des lectures de thèses de biogéographie.

— Ce qui pourrait nous mener quelque part, c'est de comparer la dispersion du magnolia avec la dispersion du pollinisateur.

— En effet.

— Car même compte tenu d'éventuelles dérives transocéaniques du pollen et des graines, la plante ne peut pas coloniser sans pollinisateur.

— A force de plancher sur cette banque de données, je pense déceler un début de relations de numérisation. Il s'agit du facteur délai : le temps passé entre l'apparition de la fleur et celle du coléoptère. A vue de nez, je dirais que cela pourrait se révéler une équation intéressante.

— Une équation qui expliquerait les valeurs seuils, le nombre de plantes exigées pour établir une communauté.

Thomas se frottait les yeux pour en chasser le sommeil, puis lui prenait les mains.

— Tu m'as manqué.

— Toi aussi, tu m'as manqué, lui répondait-elle en posant son front contre sa poitrine. Tu n'es jamais là.

— Le travail m'appelle.

— Je sais.

Elle écouta les battements de son cœur, le rythme apaisant de la vie, puis elle leva le visage vers lui :

— Les chiffres diffèrent, bien sûr, selon les plantes. Les périodes de floraison, de gestation, et caetera.

Thomas rit.

— Le travail t'appelle aussi.

Greer sourit. Ils savaient cela l'un de l'autre : ce qui les poussait à vivre.

— Vois-tu, dit Greer, le magnolia a quelque chose qu'aucune autre plante ne possède.

— Quoi donc ?

Greer ne put s'empêcher de sourire :

— Le désir d'exister.

*

Ils se marièrent au cours d'une brève cérémonie dans l'arboretum de l'université en présence de Bruce Hodges, Jo Banks et du Pr Jenks.

En guise de cadeau de mariage, Thomas offrit à Greer une graine de magnolia dans un bocal d'apothicaire en verre de Venise.

— Pour ton travail, avait-il déclaré. Tu es comme Darwin.

Il trempait toutes sortes de graines dans de l'eau salée pour voir combien de temps elles tiendraient dans la mer. C'est parfait pour toi.

Greer avait offert à Thomas le microscope de son père, celui qu'il avait gardé dans son sous-sol pendant tant d'années, le premier microscope dont elle s'était servi.

Thomas avait caressé le cuivre des commandes, le verre épais des oculaires.

— Ta confiance me touche beaucoup.

Pendant leur lune de miel en Toscane, ils avaient passé deux semaines à se promener en voiture dans les Apennins pour récolter du grès et des marnes. Le programme Magnolia était au point mort, faute d'échantillons d'une plus grande diversité géographique. Greer et Thomas avaient trouvé le temps de dîner plusieurs fois au restaurant à Florence, de visiter au pas de charge les Offices et de se faire prendre en photo sur le Ponte Vecchio. Mais le reste du voyage fut consacré au travail, à la chasse aux affleurements du crétacé et du jurassique. Ils s'efforcèrent d'en profiter le plus possible, s'embrassant entre deux coups de pioche, s'appelant par des petits noms alors qu'ils peinaient pour transporter tous leurs cailloux d'un site à l'autre. Le soir, de retour à l'hôtel, ils se dépouillaient de leurs vêtements sales, se plongeaient tous les deux dans le même bain et se savonnaient l'un l'autre, éliminant les kilos de poussière qui collaient à leurs cheveux. Et une fois qu'ils étaient bien propres, ils se glissaient entre les draps et faisaient l'amour.

Peu après leur retour d'Italie, Greer souffrit d'un torticolis si sévère qu'elle fut obligée de consulter un spécialiste qui lui interdit de rester plus de cinq heures par jour au microscope.

— On va t'installer un lit de camp pour que tu puisses te reposer au labo, avec un de ces oreillers spéciaux pour le cou, lui avait dit Thomas un soir alors qu'il lui massait la nuque sur leur lit.

Ils venaient d'emménager dans un appartement de Madison, au bord de l'arboretum.

— Et si on engageait quelqu'un d'autre pour numériser ? Un autre étudiant comme moi. Ça me permettra de passer plus de temps à l'identification, et peut-être aussi de t'assister pour l'analyse. Tu es si souvent absent. Il faut bien qu'on vérifie les résultats, les calculs.

La main de Thomas était restée en suspens sur sa nuque.

— Ecoute, ne te mets pas en colère, Lily...

— Mmm...

— Bruce va m'aider avec les analyses.

— Bruce ?

— Il est astucieux.

Greer avait allumé la lampe de chevet et s'était retournée pour lui faire face :

Moi aussi. Pourquoi ne continuerait il pas la numérisa tion ? Il n'a pas mal au cou.

— Lily, je ne te demande pas de supporter un supplice. Repose-toi. Je te dis juste que Bruce va m'aider avec les analyses.

— Pourquoi pas moi ? Ou bien Jo ? On est toutes les deux depuis plus longtemps au labo que Bruce. Jo, encore plus longtemps que moi. Et elle est astucieuse comme tout.

— Bruce était le premier de sa classe à Harvard. Ecoute, avait-il soupiré, je ne peux pas le faire transférer dans mon laboratoire et l'obliger à travailler sous les ordres de ma femme. Ou sous ceux de Jo. Je suis désolé, Lily. Mes sentiments n'ont rien à voir là-dedans. Il refuserait de rester, et tu le sais très bien.

— Non, je n'en sais rien.

— Lily, je t'en prie, ne joue pas les naïves.

— C'est injuste, voilà tout.

Thomas avait l'air désemparé.

— Ce n'est pas comme ça que ça marche.

— Il n'est là que depuis un an, Thomas.

— Je t'en supplie, si tu tiens à notre programme de recherches, si tu tiens à moi, il faut que tu comprennes. En outre, tu as ta thèse à écrire. Tu ne peux pas tout faire à la fois.

— Je ne peux pas non plus écrire ma thèse si je passe huit heures par jour penchée sur mon microscope à compter des pollens plus vite que mon ombre !

Elle sentait le rouge lui monter aux joues.

— Je n'ai jamais demandé à ce que tu négliges ton propre travail.

— Qu'est-ce que tu crois ? Quand penses-tu que j'aie le temps d'écrire ma thèse ?

— Tu sais ce que je pense de tes capacités. Je ne t'aurais pas prise dans mon labo si je n'avais pas la plus haute opinion de toi.

— Mes capacités ?

— Lily ?

Elle ferma la lumière.

— Lily, avait-il répété en lui caressant l'épaule. S'il te plaît.

— Bruce ? Je suis désolé, Thomas. Je n'arrive pas à le croire.

— Oublie Bruce. Concentre-toi sur ta thèse. Ton travail personnel. Pense à ta carrière. Tu vas avoir une belle carrière, ma Lily. Cette histoire n'est qu'une broutille.

C'était peut-être une broutille, après tout. Greer ne cherchait pas la gloire. Elle n'avait aucune envie de se retrouver, comme Thomas, sous le feu des projecteurs, estimant que la célébrité, au lieu de le flatter, l'accablait d'un fardeau supplémentaire qui, peu à peu, le détournait de son travail.

De sorte que Greer se concentra sur sa thèse. Elle passa moins de temps au microscope, et plus dans ses lectures sur la biogéographie, les modèles de dispersion du pollen, les îles et les continents. Ce qu'elle aimait surtout, c'était le mouvement qui animait cette vie végétale : à chaque instant, la nature rejouait la même histoire d'amour. Chaque espèce n'en était qu'une variation. Et la morale était toujours celle de la mobilité, de la vie.

Elle se servait de la banque de données sur le magnolia du labo de Thomas. Comment cette plante était-elle passée de la fleur solitaire au milieu de nulle part à cet arbre qui poussait sur les sept continents ? Dans sa stalle de bibliothèque, elle étudiait les numérisations, les graphiques, les courbes. C'était passionnant, mais la camaraderie du laboratoire lui manquait. Comme Thomas n'y était pas, toujours par monts et par vaux ou occupé à rédiger un de ses articles, elle hésitait à venir fourrer son nez dans les affaires de Bruce, préférant se servir de Jo comme ambassadrice. Jo venait la retrouver à la bibliothèque plusieurs fois par semaine pour lui rapporter les dernières nouvelles.

— Si cet imbécile me sort encore une de ses fichues métaphores de foot, je lui fais avaler son foutu ballon !

— Il est si insupportable que ça ?

— Tu ne peux pas savoir.

— Je suis désolée, Jo. Si seulement j'avais pu rester.

— C'est moi qui suis désolée... Le laboratoire a besoin de toi.

— Mais il faut que j'avance ma thèse.

Greer n'avait pas mentionné sa conversation avec Thomas. Elle avait prétendu que la promotion de Bruce avait été décidée d'un commun accord. Cela dit, impossible de savoir si son silence était motivé par sa loyauté envers Thomas, ou la peur de perdre la face. D'après la tête que faisait Jo, il était clair qu'elle voyait bien que Greer était malheureuse. Mais Jo jouait le jeu.

— Et comment se porte ta thèse ?

— Pour éviter la pollinisation de mon propre stigmate...

— Oh ! là, là !...

— Ça va.

— Tu me permettras de la lire ?

— Je t'y obligerai.

— Je suis sûre que c'est brillant.

— Des fleurs, des coléoptères. Il y a de tout pour plaire.

Jo lui serra gentiment l'épaule :

— J'ai hâte de voir ça.

En février, Greer se félicita d'avoir terminé son premier jet. Elle s'était plus axée sur l'aspect théorique que sur l'analyse des données, mais ces dernières avaient été récoltées dans le labo de Thomas, et elle ressentait le besoin de prendre du recul par rapport à son programme de recherche. Bref, les pages qu'elle venait d'écrire étaient pleines de théories sur l'évolution et la dispersion, de graphiques mettant en relation les populations de fleurs et les pollinisateurs, les laps de temps entre la dispersion du pollen et celle du pollinisateur. Le tout constituait un ensemble peu académique, qui ferait hausser les sourcils des membres du jury. Pourtant c'était un risque qu'elle était prête à courir.

Elle en donna un exemplaire à Jo et un autre à Thomas, lequel avait pris soin de se désister en tant que directeur de thèse et membre du jury. Tous les deux se répandirent en compliments, saupoudrés de quelques critiques et recommandations. Jo y passa plus de temps que Thomas, ce dernier ayant son propre article à mener à bien, et un voyage de plusieurs semaines à effectuer en compagnie de Bruce Hodges.

Greer retourna donc à sa stalle et passa un mois de plus à peaufiner son travail. En mars, Thomas avait terminé les dernières mises au point de son propre article, et lui proposa

– quand même – de lui permettre de le lire avant sa publication. Mais comme il n'avait pas voulu de son aide au départ, elle se dit qu'il n'en avait pas plus besoin à l'arrivée. Aussi déclina-t-elle l'offre en prétextant qu'elle était débordée. Elle avait décidé de faire passer son mariage avant leur collaboration professionnelle.

Au mois de mai, elle soumit enfin sa thèse au comité de lecture, et après avoir passé quelques semaines à tourner en rond à la maison, décida de faire un saut à Mercer. Pourquoi voulait-elle revoir sa ville natale après six ans ? Elle n'aurait su le dire. Thomas et elle avaient souvent envisagé cette visite, peut-être en avait-elle assez de repousser l'échéance, d'attendre une accalmie dans le tourbillon de ses obligations. Thomas était encore une fois en déplacement, cette fois pour présenter l'article qui allait bientôt être publié, cosigné par Bruce Hodges. Ce jour-là, il faisait chaud. Elle traversa lentement la ville en voiture, scrutant les noms familiers sur les boîtes aux lettres : Feyenbacher, Simpson, Gertz. Quand elle arriva enfin à la hauteur de la maison de ses parents, elle s'arrêta. Elle était plus petite que dans son souvenir, mais toujours peinte de la même teinte jaune, avec la même véranda circulaire. Elle gara sa voiture et alla frapper à la porte. Une femme lui ouvrit, les cheveux tirés dans un chignon lâche. Elle s'essuyait les mains sur le bas effiloché d'un tablier bleu pâle.

— Vous devez être Maria Compton. Je me présente : Lillian Greer. J'ai passé mon enfance dans cette maison.

— Miss Greer, bien sûr, entrez, voyons. Voulez-vous un citron pressé ? J'ai un gâteau au chocolat au four.

— Non merci. Je me demandais si vous me permettriez de monter en haut de la colline où mes parents sont enterrés. Cela fait si longtemps que je ne suis pas venue.

— Faites comme chez vous. On n'a rien touché. Les pierres sont toujours à leur place. Harold coupe l'herbe régulièrement. Notre petite Becky nous demande souvent qui est là, parce qu'elle adore se tenir là-haut, alors on lui répond : de braves gens.

Greer sourit :

— Je n'en ai pas pour longtemps.

— Prenez le temps qu'il vous faut. Voulez-vous des mouchoirs en papier ?

— Non, merci.

Greer gravit la pente et s'étendit à plat dos entre les deux pierres tombales toutes simples pour contempler le ciel couvert. Le sol froid et humide ne tarda pas à tremper son chemisier. Elle caressa l'herbe, se remémorant l'époque où elle montait ici cueillir des fleurs sauvages, les rapportant à la maison au creux d'un pan de chemise, dans l'espoir que le microscope lui expliquerait ce que sa mère était devenue, où elle était. Greer se demanda si elle n'avait pas exactement le même comportement à présent, allongée entre les deux tombes, croyant, ou plutôt voulant croire, que la vie était attachée à la matière, que l'esprit trouve refuge dans la terre.

Elle sentit une araignée sur sa cheville et se dressa sur son séant, laissa l'insecte grimper sur sa main, l'examina de près. Les vers de Whitman lui revinrent à la mémoire : « *Une feuille d'herbe n'est, je crois, rien moins que le fruit du dur labeur des étoiles/La fourmi étant tout aussi parfaite, comme le grain de sable, et l'œuf du roitelet/ Et le crapaud, ce chef-d'œuvre...* » L'araignée aurait été tout aussi parfaite. Elle arpenta sa peau, s'aventura au bout de chacune des péninsules de ses doigts, puis se laissa déposer sur l'herbe.

Greer s'inquiétait néanmoins à la pensée qu'elle ne croyait plus aussi fort au labeur des étoiles. Peu à peu la nature se réduisait à ses yeux à une chiure sur une lame de verre dans une pièce aseptisée. La quête de réponses publiables : voilà à quoi elle consacrait ses jours depuis six ans. La science était-elle pour elle à présent moins chargée d'émotion qu'autrefois ? Ou n'était-ce que l'effet de la fatigue après le grand effort qu'avait demandé la rédaction de sa thèse, ce condensé officiel de longues années de travail ? Elle se leva, essuya la terre dans son dos et redescendit la pente.

— Merci ! lança-t-elle à Maria Compton, laquelle surgissait sur le seuil de sa porte avec un gâteau à la main.

— Au chocolat ! entonna-t-elle.

— Je voudrais rentrer avant la nuit.

Greer avait en fait la journée devant elle, mais la vue de la maison la déprimait. Les souvenirs semblaient hors de sa portée.

— J'ai une réunion demain, argua-t-elle.

— Revenez quand il vous plaira. Vous m'entendez ? Comptez sur nous pour entretenir les tombes.

— Merci, dit Greer en s'éloignant sur le chemin en terre qui, il fut un temps, lui avait paru la plus longue route du monde.

Le lendemain, Greer se réveilla de bonne heure et s'habilla pour sa soutenance. En se regardant dans la glace vêtue du tailleur noir acheté pour l'occasion, elle se trouva l'air très professionnelle. Elle enfonça deux peignes en écaille dans son chignon, et mit un peu de rouge à lèvres. Puis elle se prépara un café, un bol de céréales et décacheta l'enveloppe que Thomas avait laissée à son intention :

> *« N'oublie pas. N'aie pas peur, mon amour. Tu vas être formidable. Tu me manques. Je rentre bientôt.*
>
>   *Ton mari. »*

Elle était déçue. Il n'allait pas être là. Cette journée était pourtant la culmination de tout son travail au labo. Mais évidemment, il ne pouvait, ou pensait ne pas pouvoir, se désister de sa conférence.

Alors que Greer se dirigeait d'un pas lent vers Birge Hall, elle passa en revue dans sa tête l'ensemble de sa thèse. Ils pouvaient lui poser n'importe quelle question, essayer de la piéger sur les détails les plus anodins, quoiqu'elle eût la sensation qu'ils seraient plus coulants avec elle qu'avec d'autres. N'avait-elle pas été à leurs cocktails sous leur propre toit, n'avait-elle pas aidé leurs épouses à essuyer la vaisselle après le dîner, n'avait-elle pas siroté avec eux du cognac en écoutant du Bach ? Il n'allait pas être commode pour eux de l'attaquer et, curieusement, cela aussi était une déception. Greer était fière de son travail, et elle ne craignait pas de croiser le fer pour le défendre.

C'était une magnifique journée de printemps. De beaux nuages joufflus étincelaient dans le ciel ensoleillé. Elle se promit après l'épreuve de faire une belle promenade à pied pour savourer la fin de ce rite de passage. Elle avait rendez-vous avec Jo plus tard, pour fêter ça, et prévoyait de dîner dans un restaurant de State Street.

Elle arriva dans la salle de conférence – cette même salle où elle était venue assister aux cours de Thomas des années plus tôt – et prit place au premier rang. Les cinq membres du jury ouvrirent bruyamment leurs dossiers, puis le Pr Jenks, qu'elle avait vu la dernière fois à l'anniversaire de Thomas, appela son nom. Elle monta sur l'estrade, sa thèse à la main.

— Madame Farraday, commença le Pr Jenks.

Il avait l'air étrangement pâle et défait, irritable même. Le nœud de son éternelle cravate à carreaux verte était tout de travers. L'espace d'un instant, elle fut sur le point de lui demander de ses nouvelles, mais jugea cependant plus convenable, vu la solennité du moment, de se taire. Sa femme s'était il y a peu découvert un cancer. Sans doute avait-il du mal à le supporter. Elle avait entendu dire qu'il négligeait ses devoirs à l'université. Il n'avait pas eu d'entrevue avec Greer au sujet de sa thèse depuis des mois.

— Bonjour, professeur, lui dit-elle d'un ton qui se voulait tout à la fois gentil et professionnel.

— Oui, oui, je vous en prie, madame Farraday, répondit-il en se levant. Vous avez placé le jury dans une position d'une extrême délicatesse. Et avant que nous allions plus loin, je voudrais vous assurer, bien entendu, que vous aurez le droit de présenter un nouveau travail. Nous n'avons pas l'intention d'ébruiter l'incident.

Il s'empressa de se rasseoir en concluant :

— Je n'ai rien à ajouter. Prenez le temps qu'il vous faudra.

— Je ne comprends pas.

— S'il vous plaît, madame Farraday. Ne prolongez pas notre embarras.

— Mon embarras, vous voulez dire. Mais que se passe-t-il ici ?

Le Pr Jenks se prit la tête dans les mains :

— Nous avons lu l'article de Thomas. Vous ne pensez quand même pas que nous sommes aveugles ?

Il leva les yeux vers elle et se passa les doigts dans les cheveux avant de poursuivre :

— De toute façon, là n'est pas la question. Ce qui est fait est fait. Ne revenons plus là-dessus. Je vous répète que vous avez ma parole que rien de tout ceci ne franchira les murs de cette salle. Ce ne serait dans l'intérêt d'aucun d'entre nous, ni d'un point de vue personnel, ni de celui de notre département qui tient à sa réputation. Vous avez travaillé dur au labo, nous en sommes conscients. Il y a de quoi épuiser n'importe qui... de quoi vous priver de votre lucidité habituelle. Vous n'êtes accusée de rien, comprenez-moi bien.

Le cerveau de Greer tournait à cent à l'heure : l'article de Thomas, sa thèse, pas d'accusation...

— Bien sûr, parvint-elle finalement à articuler en refermant son dossier, j'ai besoin d'approfondir certains points...

Elle jeta si vivement sur son épaule son sac en bandoulière qu'il en jaillit des crayons et des trombones qu'elle négligea de ramasser pour se précipiter plus vite dehors. Dans le couloir, une fois la porte refermée derrière elle, elle prit une profonde inspiration et se laissa envahir par le silence inquiétant de ces lieux déserts. Elle se dirigea vivement vers la bibliothèque, se tordant les pieds sur ses talons hauts. Arrivée à la hauteur des périodiques, elle se rua sur les rayonnages. Elle enleva sa veste, laquelle glissa par terre. Le bibliothécaire, de derrière son bureau, l'interpella :

— Dites, madame, vous ne vous sentez pas bien ?

Ses mains tremblantes finirent par trouver ce qu'elle cherchait : *Nature*, printemps 1967, Vol. III. Dans l'index elle trouva le titre : « Une étude préliminaire de l'évolution de la fleur de magnolia », de Thomas Farraday, Ph.D, et Bruce Hodges.

Elle survola les premières pages : descriptions de techniques de collecte d'échantillons, sites, statistiques – rien de neuf – puis, à la fin, un encart intitulé : « Dispersion du magnolia : une théorie mathématique. » Elle le lut mot à mot. C'étaient les mêmes données qu'elle avait utilisées, les mêmes analyses, et la même équation qu'elle avait présentée en vue de sa soutenance. SON équation. Greer ferma la revue et la remit à sa place sur l'étagère. Elle s'éloigna, abandonnant sa veste par terre.

Le bibliothécaire l'interpella de nouveau :

— Madame, voulez-vous un verre d'eau ? Une chaise ?

Mais Greer ne répondit rien et poussa les lourdes portes en verre de la bibliothèque, inspirant l'air chaud dans ses poumons comme le souffle d'une haleine brûlante.

16

La situation fut sans doute pour von Spee source d'anxiété. Les réserves en munitions et en carburant étaient basses ; le voyage à travers le Pacifique avait été aussi interminable que solitaire. Ces ordres poussiéreux du Kaiser s'étaient-ils mis à le hanter ?... *Il ne doit jamais montrer un seul moment de faiblesse.* Comment, devant l'imminence de la catastrophe, cela aurait-il pu être possible ? Même pour un homme réputé pour être dur, ferme et calme comme un roc ?

Maintenant que l'escadre se trouvait au large des côtes sud-américaines, câbles et télégrammes atteignaient de nouveau la radio du navire. En dépit du fait qu'il était manifestement impossible à la flotte de regagner l'Allemagne, Berlin conseilla : « Rentrez au plus vite. » Au même moment, von Spee apprit que le Japon, la France et la Grande-Bretagne concentraient l'ensemble de leurs forces navales sur son escadre. (« *Ainsi, écrira par la suite Churchill à propos de cette traque, pour s'assurer de la destruction de quatre navires de guerre, dont seulement deux cuirassés, il fut nécessaire d'employer près de trente navires, dont vingt et un cuirassés, pour la plupart d'un métal supérieur, sans compter les puissantes escadres japonaises, les navires français et des croiseurs marchands blindés.* ») Mais les informations concernant les positions adverses ne parvinrent à von Spee que plusieurs semaines après leur envoi, alors qu'elles ne lui servaient plus à rien. Tandis qu'il cabotait au large de l'Amérique du Sud, l'ennemi, beaucoup plus nombreux, beaucoup plus puissant, et invisible aux yeux de von Spee, était sur le point de le prendre dans ses rets.

Von Spee savait qu'il ne ramènerait pas à bon port les deux mille hommes de son escadre. N'est-il pas probable que cette pensée l'ait plongé dans le désespoir ? Un désespoir si poignant qu'il l'avait aveuglé au point qu'il s'était trompé aux Malouines, commettant une erreur qui, pour finir, allait lui coûter sa flotte ?

Peu après son départ pour les Malouines, à Valparaiso, von Spee envoya au Kaiser le message suivant : « Je suis sans havre. Pas question de rejoindre l'Allemagne. Aucun port ne nous assure la moindre sécurité. Je dois sillonner les mers en causant le plus de ravage possible jusqu'à ce que mes munitions s'épuisent, ou qu'un adversaire beaucoup plus fort réussisse à m'attraper. »

A un visiteur à bord de son navire qui lui tendait un bouquet d'iris violets, von Spee aurait dit : « Merci, merci, du fond du cœur. Elles seront très belles sur ma tombe. »

La Flotte du malheur : Graf von Spee
et l'impossible voyage de retour.

17

Les petites graines, en forme de cœur, arrivent au milieu de la nuit.

A l'aube, quand Elsa descend sur la plage pour faire ses ablutions, elles sont là : des petits cœurs noirs, mouillés et luisants, éparpillés comme des cailloux le long de la laisse de haute mer. Elles viennent de loin, c'est certain. Elle essaye de calculer le temps qu'il leur a fallu. En bateau, elles ont mis trois semaines depuis le continent, de sorte qu'à la dérive au gré des courants, le voyage devait dépasser deux mois. Deux mois à condition de partir de la terre la plus proche. Car elles pouvaient provenir de n'importe où, d'Argentine, du Brésil ou d'Indonésie. Chaque graine étant comme une bouteille à la mer, lui rappelant avec une force qui la surprit elle-même qu'il existe d'autres pays que cette île où elles séjournent depuis un an. Elle les ramasse, les essuie une à une sur sa jupe, les dépose dans le creux de sa main. Elle les collectionne avec l'intention d'en faire un collier pour l'anniversaire d'Alice.

En octobre, le temps se réchauffe. On donnera bientôt une fête sur la plage – Elsa préparera le traditionnel gâteau au taro qu'elle a appris à confectionner, Te Haha chantera. Trop d'anniversaires sont passés inaperçus. Noël et le jour de l'an célébrés seulement par quelques gorgées du brandy de leur minuscule réserve. Désormais, a décidé Elsa, ils se plieraient aux traditions et feraient semblant, dans la mesure du possible, de croire que leur vie se déroulait normalement.

Les tentes s'ornent de guirlandes d'algues. Un morceau de jupon en dentelle d'Elsa fait office de nappe. Une fois qu'ils sont assis sur leurs caisses recouvertes de draps, la noix de coco qui a miraculeusement échoué sur la plage la semaine dernière leur présente sous la hachette une chair blanche scintillante comme de la glace, qu'ils admirent un moment avant qu'Alice porte la première tranche à sa bouche.

Elle grignote le fruit charnu, suce l'intérieur de la noix.

— Essaie, Beazley, dit-elle. C'est bon... !

Edward prend sa part, puis Elsa, puis Boîte-à-biscuits et Te Haha. Ils mangent en prenant tout leur temps pour bien savourer : il faudra sans doute attendre des mois avant qu'un tel régal vienne de nouveau s'échouer à leurs pieds.

Elsa prend le collier de cœurs sur ses genoux et le tend à Alice.

— Vingt-deux cœurs, Allie. Un par année où le mien t'a appartenu.

Alice tripote le collier :

— Des graines !

— Pour mettre autour de ton cou.

Mais Alice se contente de le poser à côté des reliefs de noix de coco.

— Eh ! Alice, commence Edward en prenant sur ses genoux un paquet emmailloté comme une momie dans des mouchoirs en soie, pour un joyeux anniversaire à ma meilleure assistante.

Elle déroule chaque bout de tissu pour découvrir une miniature de *moai*.

— Tu vois, fait Edward en se penchant pour toucher la statue. Elle est sculptée dans le même tuf volcanique que les grandes. Le tuf de la carrière. Les proportions sont identiques à celles que l'on est en train de mettre au jour.

— Mon *moai* à moi ! Le *moai* d'Alice !

— Oui, Alice, ton propre *moai*.

— Edward, c'est merveilleux, dit Elsa.

Alice a aidé Edward dans ses fouilles. Tandis que la fosse au pied du *moai* s'approfondit, Alice descend dans le trou pour s'assurer que les ouvriers n'abîment pas la statue. Elle signale à Edward la présence d'inscriptions, copie les pétroglyphes. Alice a adoré ce travail, à croire que son bonheur se réveillait après un long sommeil. C'est un cadeau parfait, songe Elsa.

— *Moai iti*, déclare Te Haha. Petit « *moai* ».

Il l'examine, visiblement dubitatif. Après tout, c'est un sculpteur sur bois. C'est lui l'artiste.

Alice lui arrache le *moai* des mains et le serre contre sa poitrine.

— *Moai iti*, murmure-t-elle.

Le taro ne tarde pas à être présenté. Te Haha se lève de table, va s'asseoir en tailleur sur le sable et se lance dans une de ses chansons gazouillantes. Elsa se détend. Elle est reconnaissante à Te Haha, son professeur, son ami. Elle est pleine de gratitude à la pensée qu'ils forment à présent une famille. Boîte-à-biscuits, qui a pris plusieurs centimètres en l'espace de ce dernier mois, reste assis à côté de la cage à oiseau. Alice se balance au rythme du chant de Te Haha, et tandis qu'elle se perd dans la musique, il la regarde, effrayé devant son numéro de disparition.

Elsa prend le collier sur la table et caresse les cœurs. Ces graines échouées sur la grève, la noix de coco sur le sable, ce sont des choses qui la rendent songeuse : les tablettes étaient-elles en bois flotté ? D'où ce bois pourrait-il provenir, sinon ?

— Elsa...

Les yeux d'Alice se posent sur elle.

— C'est mon collier, ajoute sa sœur.

— Oui, Allie. Tu veux le porter ?

— Oui.

Alice se penche de l'autre côté de la table et Elsa lui passe le collier autour du cou.

— Mon collier, dit Alice en plissant les paupières. Le mien.

Plusieurs jours après, ils dînent sur la plage. A l'ouest, le ciel est jaune primevère, les nuages semblables à des perles moirées par les feux du couchant. Il flotte une odeur de fumée, de patates douces et de mouton rôti.

— J'ai l'intention, dit Elsa en remuant le tas de feuilles de bananier fumant dans le four en terre, d'aller faire une visite à la colonie de lépreux.

— Les anciens ?

Edward, assis sur sa caisse, feuillette son cahier. En ce moment, il fouille huit heures par jour. Epuisé, il est économe de paroles.

— Si la rumeur dit vrai, il y a là-bas au moins trois personnes assez vieilles pour se rappeler les négriers péruviens, réplique-t-elle en extrayant du four une patate douce qu'elle secoue au bout de sa fourchette pour la déposer dans une assiette en fer-blanc. Et Te Haha prétend que l'une d'elles, un homme, peut écrire le *rongorongo*.

— Les lépreux ? Ecrire ?

— Cela vaut la peine de vérifier, non ? Je ne peux pas manquer ça, parler à quelqu'un qui peut lire cette écriture.

Après tous ses entretiens, ses transcriptions du folklore indigène, Elsa se sent proche du but, du moins d'un début de déchiffrement.

— Etant donné leur grand âge, il est plus prudent de ne pas trop attendre.

— Vous avez tout à fait raison, ma chère. Allez-y.

Alice, accroupie sur le sable à côté d'Edward, enchérit :

— Tu as tout à fait raison, ma chère. Vas-y.

Edward lui tapote la tête. Alice affiche un large sourire. Debout devant la tente d'Alice, Boîte-à-biscuits donne un coup de pied dans le sable, lequel gicle jusque dans le four d'Elsa.

— Arrête, Boîte-à-biscuits, gronde Alice. Il est vilain, tu vois ? Boîte-à-biscuits fait des bêtises. Va jouer avec Pudding.

Le garçon tolère mal qu'Alice regarde ailleurs que dans sa direction. Il n'a pas le droit de s'approcher des fouilles, on lui a confié la garde de Pudding. « Boîte-à-biscuits n'est qu'un enfant, a déclaré Alice, et l'archéologie est pour les professionnels. Seuls les adultes sont des professionnels. » Ce qui suscite chez le garçon une forte dose d'ennui, et peut-être aussi, juge Elsa, un peu de colère. Désormais il refuse, en dépit de leurs supplications, de donner sa petite danse du soir. Mais telle une sentinelle obstinée, il reste auprès d'eux, affalé à côté d'une tente ou d'un rocher, mâchonnant un biscuit ou une banane. Parfois, il déroule le portrait au crayon qu'Alice a brossé de lui, il le tient devant elle, comme pour lui rappeler son amitié d'antan. Elsa ressent de la pitié pour lui ; il doit avoir le cœur brisé.

— Boîte-à-Biscuits voudrait peut-être m'accompagner.

— Très bien, approuve Edward sans lever le nez.

Il a prononcé ces paroles d'un ton neutre, son indifférence – la lèpre est, après tout, une maladie contagieuse – prenant Elsa de court. Elle sait qu'il a confiance dans son jugement si elle estime la visite indispensable à son enquête, mais n'a-t-il aucune inquiétude pour le garçon ?

— Edward, vous sentez-vous bien ?

— Oui, très bien, Elsa.

Les fouilles le drainent de son énergie. Peut-être est-il trop vieux pour ce genre de chose. Le soleil tape dur quand on est là à creuser à longueur de journée. Au début, c'était l'hiver, il faisait frais, le jour était bref. A présent, l'île baigne dans une humidité chaude. Mais il ne se plaindra pas. Pour rien au monde il n'admettra que la tâche est trop fatigante pour lui. Il a même abandonné toute tentative de réclamer leurs objets perdus à Hanga Roa. Une paire de bottes à lui et un autre volume du Darwin ont disparu, mais il se contente de prononcer :

— C'est un cercle vicieux, Elsa. A force, nous ne ferions que chercher ce qui nous appartient. Concentrons-nous sur nos études.

— Bien, dans ce cas, lance Elsa en distribuant les assiettes à Edward, Alice et Boîte-à-biscuits.

— Vous prendrez toutes les précautions ?

— Bien sûr.

— Pas de contact physique. Ne touchez pas non plus les objets qu'ils ont touchés.

— Nous ferons attention, promet Elsa. Il sera mon assistant pour changer. Mais je ne le laisserai pas approcher des autres gens.

— Ton assistant, marmonne Alice avec cependant dans la voix quelque chose d'un peu sec, comme une irritation, une pointe de colère froide.

Alice en voudrait-elle au pauvre petit Boîte-à-biscuits ?

*

Au lever du soleil, ils se mettent en route à cheval, le long de la côte méridionale. Elsa a embrassé Edward et Alice, leur promettant d'être de retour pour le dîner. C'est la première sortie d'Elsa en la seule compagnie du garçon. Elle le regarde se balancer sur sa selle, ses jambes nues caressant les flancs de sa monture, ses mains cramponnées aux rênes. Il a beaucoup changé depuis le jour où il les a suivis depuis Hanga Roa – son cou, toujours mince pour sa tête, a des allures de col de girafe depuis sa dernière crise de croissance, ses épaules sont plus pointues, à croire que ses os grandissent plus vite que sa peau, et ses yeux ont une expression solennelle qui ressemble parfois, pour Elsa, à de la sagesse. Sous ses dehors d'enfant joyeux, il cache un fond de gravité. Il est fin observateur, discret et silencieux témoin de l'inexplicable. A le côtoyer chaque jour, elle ne s'est pas rendu compte de son évolution. Il doit avoir près de onze ans maintenant.

En rapa nui, elle lui lance :

— Tu sais que tu es gentil, *poki*.

(*Poki* signifie enfant.)

Il rit. Boîte-à-biscuits paraît encore plus débordant d'énergie que d'habitude aujourd'hui. Il tient la tablette sculptée en équilibre sur ses genoux. Les regards inquiets que lui jette Elsa ne réussissent qu'à le faire pouffer de rire.

— Il faudra que tu m'attendes dehors, lui dit Elsa. Les gens à qui nous allons rendre visite ont une maladie contagieuse, *aau*, tu sais, *mamae, e ? Papaku*. Il ne faut pas du tout les approcher. C'est pourquoi on les a isolés loin de tout le monde. Tu comprends ? Si par malheur tu les touches, je serais obligée de te plonger dans une bassine de borax. *Beha ! E !*

Sur ces dernières paroles, elle secoue la tête en laissant pendre sa langue comme un monstre.

Le garçon sourit, comme toujours quand on lui parle. Elsa est presque sûre qu'il comprend tout ce qu'on lui dit en anglais, surtout les reproches. Mais pour une raison ou pour une autre, il refuse de parler. Comme s'il ne voulait pas s'encombrer de la superficialité des mots.

Juste après Hanga Roa, ils s'enfoncent à l'intérieur de l'île sur un sentier envahi par la végétation : personne ne rend visite aux lépreux. Au sommet d'une colline, des petites huttes basses sont serrées les unes contre les autres. Le silence règne. Elsa cherche des yeux un rocher ou un bout de bois pour attacher les chevaux, mais Boîte-à-biscuits a déjà mis pied à terre et guide le sien vers un piquet en métal. Elsa le suit. Tandis qu'elle enroule la corde et souffle le sable de la tablette, elle entend le garçon qui monte la côte en courant.

— *Poki ! Ka noho !*

Il se retourne pour lui jeter un sourire ravi. Elsa s'élance derrière lui. Déjà il a fait rouler une pierre à l'entrée d'une des huttes. Elsa l'attrape.

— *He aha koe, poki !* Il faut m'obéir !

Toujours en souriant, il libère son bras d'une secousse, met deux doigts dans sa bouche et siffle – un bruit sec, aigu.

— *Poki !*

Elsa est sur le point de le ramener de force vers le bas de la colline quand une voix féminine s'élève :

— *Luka ?*

Une femme osseuse affublée d'un manteau d'homme et d'un chapeau en feutre émerge de l'obscurité d'une masure. Ses petits yeux perçants se posent sur Boîte-à-biscuits. Derrière elle surgit un homme enveloppé dans une grosse couverture en laine, ses cheveux noirs en bataille. Il avance en claudiquant et s'arrête à côté de la femme. Ils restent tous les deux sur le seuil de leur hutte, souriants, serrés l'un contre l'autre, puis ils lèvent chacun l'autre bras et se touchent le bout des doigts pour former un demi-cercle. C'est alors que le garçon se met à tourner de joie comme une toupie tandis que le couple ferme les yeux et resserre son étreinte, bras tremblants, comme s'ils serraient leur petit chéri Boîte-à-biscuits contre leur cœur.

Bien sûr, se dit Elsa, mais oui, bien sûr.

Maria et Ngaara Tepano savent qui est l'homme du *rongo-rongo*. Ils montrent du doigt sa hutte tout au bout du village. Kasimiro habite là. Elsa garde ses distances avec Boîte-à-biscuits tandis qu'ils lui servent de guide. L'enfant a l'air de vouloir faire croire à ses parents que c'est lui qui l'a emmenée jusqu'ici, Elsa, sa nouvelle amie, qui veut rencontrer tout le monde. Il pointe son index vers elle en approuvant de la tête. Il est fier d'elle.

Elsa contemple les joues roses du garçon, ses yeux brillants. Une étrange jalousie s'empare d'elle à la pensée qu'il regrette de ne pouvoir vivre ici, qu'il préfère cette colonie de lépreux à leur campement. Mais elle se sent obligée de se répandre en compliments sur son petit élève :

— *Poki... riva riva !* s'écrie-t-elle à l'adresse des parents. Intelligent. Drôle. Il nous aide beaucoup.

A quelques mètres devant elle, le couple se retourne, aux anges. Devant la hutte de Kasimiro, ils lui font signe de les attendre. Quelques secondes plus tard, Maria réapparaît.

— Avez-vous du tabac ? demande-t-elle en rapa nui.

— Pas sur moi, répond Elsa, furieuse d'avoir oublié le système d'échange en cours sur l'île, d'autant que cet homme pourrait bien détenir la clé du *rongorongo*. Mais je peux m'en procurer. Je lui en apporterai la prochaine fois.

Maria disparaît de nouveau pour ressortir cette fois avec Kasimiro au bras, Ngaara le soutenant de l'autre côté. L'homme a une jambe atrophiée par la maladie. Maria prend la couverture de Ngaara et l'étale sur l'herbe. Kasimiro, un bras passé autour du cou de Ngaara, dépose d'abord sa jambe molle et inerte sur la couverture avant de s'asseoir en tailleur, sa jambe valide croisée sur l'autre. Sa peau d'un brun foncé est flasque. De son crâne chauve s'échappent des mèches de cheveux gris. Il lève les yeux vers Elsa et voit la tablette dans les bras de l'enfant.

— Ah ! Le *rongorongo* ! Bien sûr, bien sûr. Vous voulez le lire. Ce n'est pas difficile. Mais je connais des histoires, vous savez. De bonnes histoires, précise-t-il en appuyant ses paroles d'une œillade. J'ai eu deux femmes qui ont toutes les deux essayé de me tuer !

Les Tepano hochent la tête. Manifestement, ils ont entendu souvent cette histoire. Ils s'installent de part et d'autre de Kasimiro, en tailleur, les mains à plat par terre. Leurs mouvements sont comme synchronisés, comme si à force de vivre seuls en reclus ils avaient fusionné pour ne former qu'un seul être humain.

Kasimiro poursuit :

— Au début, elles s'y sont prises toutes seules, puis à deux. Mais j'ai été plus malin qu'elles !

Elsa prend soin de rester quelques pas en arrière, loin du bord de la couverture. Elle ne sait pas comment elle va s'y prendre. Si elle lui prête la tablette pour qu'il la lise, elle sera contaminée. Et s'il ne parvient pas à traduire ? Elle ne peut pas se permettre de sacrifier une précieuse tablette *kohau* à un charlatan ! La solution consiste peut-être à la lui tenir devant les yeux.

— Pas d'histoires ? interroge Kasimiro qui ajoute sans transition, en agitant les mains en l'air : Ah ! Très bien ! Luka va tenir le *kohau* et vous me donnerez du papier et un crayon pour écrire. Il vous suffira de vous tenir derrière moi et de copier ce que j'écris. D'accord ? Bien. Attention de ne pas me toucher.

— Je..., bredouille Elsa, les joues soudain en feu.

— *Mâtake, riva riva*, prononce Kasimiro en se fendant d'un large sourire.

Il n'y a pas de honte à avoir peur.

Il fait signe à Boîte-à-biscuits de tenir la tablette. Elsa tire de son sac quelques feuilles de papier qu'elle glisse à Kasimiro, avec un crayon, et, avec mille précautions, lui présente la bouteille d'encre. Les doigts du malade sont tordus, recroquevillés sur eux-mêmes. Elsa ne peut retenir un mouvement de recul, mais rien ne semble troubler Kasimiro.

Il sourit de nouveau.

— Depuis combien de temps êtes-vous ici ? s'enquiert Elsa.

— Dix ans. Dix ans en compagnie de ces fous ! dit-il en indiquant d'un geste les Tepano, lesquels sourient de conserve.

Tandis qu'il commence à écrire, Elsa, à quelques pas derrière lui, plisse les paupières pour mieux voir. Des masures environnantes surgissent une douzaine de curieux. Ils étalent des couvertures par terre. Leurs jambes sont couvertes de pustules ; derrière une tignasse brune, le nez d'une des femmes est en bouillie.

Elsa écrit à son tour. Elle suit le rythme de Kasimiro. *He ngae-ngae te tumu i te tokerau* : les arbres se balancent dans le vent. Au bout de quelques minutes, il dit à Boîte-à-biscuits : *Harui !* Et l'enfant retourne la tablette de haut en bas. Kasimiro continue à écrire. *E ai no a te tumu toe* : reste-t-il des arbres ? Toutes les minutes il ordonne à l'enfant de retourner la tablette, puis écrit comme en transe. *Ko ngaro'a ana e au e tu'u ro mai te pahi* : j'ai entendu dire qu'un bateau venait.

Du fond de la mémoire d'Elsa surgit un mot : boustrophédon, une écriture dont les lignes allaient à droite et à gauche alternativement. Le *rongorongo* appartiendrait-il à cette catégorie ?

Kasimiro continue à griffonner fiévreusement, ne s'arrêtant que pour regarder la tablette ou apaiser une quinte de toux. Il est le premier insulaire à évoquer une disposition particulière dans l'espace pour la lecture des tablettes. En moins d'une heure, elle tient entre ses mains une copie de sa traduction. Mais elle est trop prudente pour se réjouir avant d'avoir la preuve de sa fidélité.

— Kasimiro, vous serait-il aussi possible de m'établir un dictionnaire ? Avec d'un côté les signes en *rongorongo* et de l'autre le mot correspondant en rapa nui.

Il la contemple d'un air las. A midi, le soleil est brûlant. Il se gratte le menton avec ses doigts atrophiés.

— Ce n'est pas assez ? C'est pas bien ?

— Il existe des douzaines de ces tablettes, réplique Elsa, on ne peut pas toutes les monter jusqu'ici.

— Aggh, éructe-t-il. Il faut les apporter à Kasimiro, les unes après les autres. On les lira une à une. Oui. Tous ensemble avec notre amie anglaise.

Sur ce, avec un large sourire, il montre l'assemblée qui l'entoure.

— Nous boirons du thé ! reprend-il. Oui ! Et nous fumerons du tabac !

— Je vais essayer de vous apporter d'autres *kohau*. Mais vous pourriez quand même me fournir une clé.

Il paraît peu raisonnable de parier sur son état de santé. Pourtant elle est bien obligée de lui promettre de revenir le voir. Il la regarde avec des yeux si suppliants du fond de leur orbite.

— Je vais revenir, bien sûr. Même si c'est seulement pour dire bonjour.

Son regard se fait soupçonneux :

— Je vous trouverai une clé, mais pas aujourd'hui. Il fait trop chaud. Revenez demain. On pourra commencer.

— Parfait, dit Elsa, résignée. A demain.

Boîte-à-biscuits distribue à la ronde des au revoir affectueux sans toucher personne, manifestement il se sent responsable de cette réunion inhabituelle. Ils regagnent la côte au trot, Elsa la tête pleine des découvertes de la journée. Enfin elle tient une traduction, un bref chapitre de l'histoire de l'île. L'histoire de cette terre, des arbres, des oiseaux, des fleurs. *He ngae-ngae te tumu i te tokerau* : les arbres se balancent dans le vent. Hotu Matua avait finalement réussi à dénicher l'île luxuriante du rêve de Hau Maka, mais ensuite les *moai* avaient attaqué le pays – le mystère restait entier. Mais d'autres pièces du puzzle allaient bientôt se mettre en place. Le deuxième *kohau* allait livrer d'autres secrets grâce à d'autres combinaisons de signes. Demain, elle tiendrait un début de solution et serait un jour capable de déchiffrer le *rongorongo*, un exploit qui à lui seul pouvait propulser leur expédition à la une du *Spectator*. Et il s'agirait de son livre à elle ! Non. Elle repousse cette pensée. Il y a trop de travail encore à effectuer, tant de vérifications. Et pourtant, elle brûle de partager la grande nouvelle avec Edward. Elle va les trouver certainement à la carrière.

Ils coupent à travers la campagne vers le Rano Raraku. Le soleil, au zénith, est de plomb. Cela fait des semaines qu'Elsa ne s'est pas rendue sur le chantier de fouilles d'Edward, des semaines qu'elle s'interdit de rêver au passé de l'île assise au milieu des *moai*. Elle a désormais l'impression, grâce à ce début de traduction, d'un peu mieux les connaître. Elle commence à avoir une petite idée sur leur création, la façon dont on les a transportés et ce qui leur est arrivé par la suite. Avec quelle hâte elle se presse à la rencontre d'Edward à qui elle va pouvoir dire que ce n'est plus la peine de se demander comment ces colosses ont été déménagés sans outils en bois. La tablette venait de leur apporter la réponse : il y avait eu des arbres sur l'île.

Au pied du volcan de la carrière, Elsa entend les cris d'Alice en surplomb.

— Ta petite amie n'est pas commode, dit-elle d'un ton taquin à Boîte-à-biscuits qui arrête sa monture auprès d'elle.

Mais le garçon ne sourit pas, les yeux levés vers le bord de la carrière.

Elsa indique un rocher auquel ils peuvent attacher leurs chevaux. Alors qu'ils escaladent la pente à travers un labyrinthe de *moai*, Boîte-à-biscuits traîne la jambe, manifestement hésitant. La voix d'Edward émet soudain un aboiement qui ressemble à un « non ! ». Retroussant sa jupe, Elsa se met à courir. Les graminées égratignent ses mollets, sous ses pieds les roches s'éboulent. Au moment où elle atteint le sommet, elle manque d'être bousculée par Alice. En retrouvant son équilibre, Elsa voit en contrebas Edward, appuyé d'un bras à un *moai*, pantelant.

— Vous êtes-vous blessé ?

— Non, tout va bien, répond-il. Tout va très bien.

— Vous avez l'air épuisé ! Vous avez couru ? Asseyez-vous, Edward. Vous devriez rester à l'ombre à cette heure, faut-il vous le rappeler ? Vous en faites trop. C'est ridicule. Je vais aller vous chercher un peu d'eau fraîche, j'en ai sur ma selle.

— Je vais très bien, répète-t-il, toujours essoufflé.

Elsa remarque alors combien la carrière est silencieuse.

— Et les ouvriers, où sont-ils ? Ne me dites pas que vous fouillez tout seul !

— Ils sont rentrés tôt à Hanga Roa, l'informe-t-il en scrutant le paysage et en arrêtant son regard sur Alice, qui se tient à présent accroupie au bord de la carrière.

— S'il te plaît ! lui lance-t-il.

— Alice ne devrait pas être en train de courir partout au soleil à cette heure, elle risque une insolation. Ce n'est pas raisonnable. Allie, ma chérie, descends t'asseoir à l'ombre.

Mais Alice hoche lentement la tête, les épaules tendues, le front rougissant.

— Allie ?

Alice se lève et descend vers sa sœur à l'extérieur du cratère en traînant des pieds, lançant dans le vent des bribes de phrases qu'Elsa attrape au vol comme des pétales : « Beazley... J'aide... oh, non, c'est trop pour Alice toute seule... »

— Elle a l'air bouleversé. Que s'est-il passé ? interroge Elsa.

— Comment le saurai-je ? Vous l'avez peut-être surprise ? Vous aviez dit que nous nous retrouverions au...

— Mais que fuyait-elle ? Allie ! Qu'est-ce que tu as, enfin ! Edward ? Pourquoi me regardez-vous avec ces yeux ? Al-ice !

Elsa se tient au bord du cratère et regarde sa sœur qui est presque en bas de la pente, près du piquet où est attaché son propre cheval.

— Je vais aller la chercher ! s'exclame Elsa.

— Vous êtes devenue folle ? rétorque Edward, le visage en feu. Bonté divine ! Vous arrivez d'une colonie de lépreux ! Allez vous désinfecter !...

Sa voix vibre tout d'un coup d'une intonation rageuse :

— ... Allez-y !

Sur ce, lui aussi descend la pente à la suite d'Alice, sans un regard en arrière pour Elsa.

18

En mai 1968, Thomas et Greer quittèrent leur appartement de Madison et le laboratoire, avant de dire au revoir à leurs amis et collègues pour déménager dans le Massachusetts. Harvard lui avait offert la chaire Asa Gray du département de biologie. Cela dit, il tenait à prononcer la même conférence d'introduction à ses nouveaux étudiants, estimant nécessaire, et se faisant fort, de libérer la jeunesse de tout romantisme pseudo-scientifique. Il continua à couper en deux son figuier étrangleur de la forêt amazonienne au cours de la deuxième semaine de cours et à prononcer le discours que Greer était capable de réciter dans son sommeil. (« *La nature n'est pas toujours belle...* ») Son programme Magnolia avait acquis une renommée mondiale. Harvard était prêt à payer cher pour garder l'exclusivité de sa célébrité. Greer et lui achetèrent un duplex à Cambridge, à deux pas de son labo, et une maison à Marblehead, pour le week-end et les vacances, quoique celles-ci fussent rares en ce qui les concernait. Le travail était toute leur vie. Ils installèrent un petit labo dans le sous-sol de la maison, avec réfrigérateur, centrifugeur, microscopes et produits chimiques. Greer, qui n'avait reçu en partage qu'un poste d'assistante de recherche, ne tarda pas à constater que l'essentiel de son travail pouvait être mené dans ce petit labo, qu'elle préférait au couloir glacial de la fac et à l'ambiance fébrile qui régnait dans le nouveau labo de Thomas. « Pr Farraday, pouvez-vous me parler de votre conférence de 53, qu'est-ce que ça fait d'être le pionnier de son domaine ? » « Professeur, j'ai lu vos travaux au début de mes études, c'était mon rêve de vous rencontrer. » La célébrité de Thomas animait d'une énergie inquiète tous ceux qui l'entouraient et les étudiants rivalisaient pour obtenir son attention. C'en était fini de l'esprit de camaraderie qui avait régné dans le labo de Madison. De sorte que souvent Greer laissait rentrer Thomas seul à Cambridge pour travailler tranquille à Marblehead.

Jo était devenue assistante de recherche à l'université du Minnesota. (« *Ce n'est pas Cuba*, lui avait-elle écrit, *mais au moins je suis loin de Madison.* ») En revanche, Bruce Hodges les avait suivis en qualité de premier assistant. Il était enchanté de ce retour à Harvard, où il comptait de nombreux amis.

Jo manquait à Greer, laquelle avait parfois l'impression d'avoir été abandonnée par son amie. Elle en avait peu à Harvard. Pour une raison bien simple : il n'y avait pas de femme, et les hommes la traitaient comme un relais de transmission leur permettant d'accéder à Thomas si elle voulait bien lui dire un mot en leur faveur. Sa seule copine était Constance McAllister, une étudiante de troisième cycle en biologie marine qu'elle avait rencontrée dans les toilettes. Elles avaient noué des liens de camaraderie, se retrouvant pour les pauses-café dans la cafétéria, se laissant des blagues écrites sur des post-it sur les miroirs des w-c : « *Si tu ne fais pas partie de la solution, tu figures au moins dans le précipité.* » Ou bien : « *Combien d'évolutionnistes faut-il pour revisser une ampoule ? Un, mais ça prend six millions d'années.* » Mais comme Constante était originaire de Boston, elle passait le plus clair de son temps libre en compagnie de sa mère et d'une tante excentrique dont elle portait le prénom. Ou bien elle disparaissait des semaines entières à l'Institut océanographique de Woods Hole, ce qui laissait peu de marge à leur amitié.

Greer ne détestait pas travailler à Marblehead. Elle avait ses livres, son pollen, sa radio, et quand Thomas revenait de Cambridge, elle l'avait pour elle toute seule.

Ayant terminé sa thèse juste avant leur départ du Wisconsin, elle détenait à présent son Ph.D. Le département, comme promis, n'avait fait aucune allusion à propos de l'incident et elle avait pu, sans problème, changer son sujet ou plutôt l'élargir à la biogéographie florale des terres isolées. Si elle tenait à son diplôme, elle n'avait pas le choix. Le seul obstacle était Jo, laquelle avait lu l'article de Thomas à quelques heures de la soutenance de Greer. Sur la terrasse du restaurant où elles s'étaient retrouvées ensuite sur State Street, Jo avait fixé sur elle un regard interrogateur tout en tapotant la nappe à petits carreaux rouge et blanc avec la pointe de sa fourchette.

— J'attends ta réaction, c'est normal que je sois la première à en prendre note. Mais si tu t'obstines dans ton mutisme, tu auras droit à mon opinion.

Greer prit une profonde inspiration.

— Je ne sais pas quoi en penser.

— Bien, dit Jo en posant sa fourchette. Tu veux connaître le fond de ma pensée ? M'autorises-tu à m'exprimer librement ?

— Jo, tu sais bien que oui, toujours...

— Bon, eh bien, cramponne-toi, parce ce que ça ne va pas te faire plaisir. Tu as compris, n'est-ce pas, que ton cher vieux mari s'est servi de tes travaux et les a fait passer pour les siens dans une revue que tout le monde lit. Il a démoli ta thèse, il t'a humiliée devant tes pairs, et il t'a obligée à faire tout son sale boulot pendant qu'il butinait de congrès en congrès en jouant au grand savant.

Greer s'aperçut que ses mains devant elle tremblaient sur la nappe.

— Tu ne peux pas parler de sale boulot. Ils ont tous des assistants de laboratoire, prononça-t-elle, sur la défensive.

— Mais pas des assistants aussi doués que toi. Et ils ne récupèrent pas leurs travaux à leur compte. Mon dieu, Greer, je t'en prie, dis-moi que tu es en colère, que tu es furieuse, ou alors, je vais... Eh bien, je vais devoir te flanquer une gifle.

Il y avait quelque chose de réconfortant dans la colère de son amie. Plus Jo était hors d'elle, plus Greer se sentait maîtresse d'elle-même.

— Je ne sais plus très bien où j'en suis.

— Quoi ? s'exclama Jo en regardant autour d'elle comme pour appeler les autres dîneurs à témoin. Tu veux ma mort, ou quoi ? Tu es... inconsciente.

— Ce n'est pas aussi simple que tu le crois. J'ai longuement réfléchi. C'est très compliqué.

— C'est moi qui plaide l'ignorance dans ce cas, je ne vois pas où sont les complications.

— Jo, cela fait cinq ans que Thomas et moi travaillons ensemble. Je réunis pour lui une base de données, dans son labo à lui, depuis toutes ces années. Je me suis servie de cette base pour ma thèse, la même base dont lui se sert. J'aurais dû m'en rendre compte.

— Il n'y a pas de base de données qui tienne. Que fais-tu de l'analyse ? De l'équation ? Ça ne tombe pas sous la communauté de biens, quand même !

— Je sais. Mais on a discuté de ce sujet. La dispersion des graines dérivantes. Les seuils de population du magnolia, les populations de coléoptères, le temps écoulé. Tout ça...

— Tu as discuté avec lui de ta thèse ?

— Difficile de départager ce qui est à moi et ce qui vient de lui. Il avait ses idées, j'avais les miennes, on en parlait. Il m'a même demandé de lire son article. Comment savoir qui a emprunté à qui ?

— Tu te poses sérieusement la question ?

Greer fut soudain prise d'une profonde lassitude. Elle avait épuisé son sac, et n'avait plus d'argument face à la vindicte de Jo. Si seulement cette dernière avait pu assister à leurs discussions ! Elle comprendrait pourquoi il était si dur de trancher. Greer s'interdit cependant de la prier de la laisser tranquille, sachant que Jo y verrait un aveu. En fin de compte, elle dit :

— Oui, je me pose la question, sérieusement.

— C'est navrant de te voir t'enliser dans le dénigrement.

— C'est ton point de vue.

— Tu oublies que je travaille dans le même labo, que je connais les travaux de Thomas et que j'ai lu ta thèse. Eh bien, je vais te dire : tu auras beau nier ce qui s'est passé, je ne vais pas me taire pour autant, crois-moi.

— Jo, c'est moi que cela concerne.

— Mais tu ne fais rien !

— Tu n'étais pas là. Tu n'as pas entendu ce que nous disions. Je sais que tu cherches à me protéger, mais tu...

Greer croisa le regard de Jo qui se tenait penchée vers elle à travers la table, les yeux rouges. Que lisait-elle dans ce visage ? Greer n'avait pas la moindre envie de franchir cette porte sans espoir de retour en arrière. Jo n'avait-elle pas toujours attendu ce moment, l'heure où Thomas commettrait un impair fatal ? Elle ne l'avait jamais aimé, elle s'était braquée contre lui.

— Jo, tu n'es pas plus objective que moi, voyons.

— Dans ce cas, réunissons un comité qui jugera, des gens qui n'ont rien à voir avec nous.

Greer leva les bras en l'air, renversant son verre d'eau.

— Un jury ? Pr Jenks ? Pourquoi refuses-tu de comprendre que personne au monde ne croira jamais que Thomas m'a emprunté jusqu'à la plus anodine virgule ?...

Elle ne fit pas mine de redresser son verre, laissant l'eau couler sur ses genoux.

— ... Personne n'a jamais douté un instant que je me servais de ses idées à lui !

— N'empêche, tu devrais te défendre, Greer.

Le serveur s'approcha d'elles à pas comptés, gêné d'interrompre leur houleuse causerie. Il releva doucement le verre de Greer et essuya la table avec une grande serviette, puis leur demanda s'il pouvait prendre leur commande.

— Des lasagnes, dit Greer sans lever les yeux vers lui.

— La même chose, dit Jo, et une bouteille de vin... rouge.

— Nous avons du chianti.

— Ce que vous voudrez, répliqua Greer en dépliant sa propre serviette et en frottant vigoureusement sa jupe mouillée, évitant le regard de Jo.

— On devrait être en train de fêter ton succès, reprit Jo d'une voix lointaine, comme quelqu'un parlant au téléphone longue distance. On devrait être en train de boire du champagne. Tu mérites du champagne, Greer. Et le meilleur ! Je te jure.

Greer laissa tomber sa serviette et regarda Jo. Cette dernière avait les yeux pleins de larmes ; elle baissa la tête et fixa la nappe en murmurant :

— Merde.

— Je t'en prie, Jo.

— Pardonne-moi, dit-elle en séchant ses larmes d'un revers de main. Tu ne sais pas combien tu comptes pour moi. Ça me tue.

— Je sais, chuchota Greer. Je crois que je sais ce que tu ressens.

— Vraiment ? s'étonna Jo. Vraiment ?

— Je sais, Jo. Je pense que j'ai toujours su. Mais...

— Tu aimes un homme qui te vole ta thèse. Et moi qui suis prête à me plier en quatre pour toi et... Oh ! cette vie est une vraie merde !

— Il ne s'agit pas d'un plagiat, argua Greer que ses mots rassuraient. Il faut que tu comprennes.

Jo secoua la tête.

— Que vas-tu lui dire, quand il va rentrer ? Toutes mes félicitations pour ton article, mon chéri ? Tu vas le féliciter ? Tu vas lui donner un gros baiser ?

— Jo...

— Permets-moi de te sacrifier les prochaines cinq années de ma vie pour que tu puisses voir ton nom dans *Nature* ? poursuivit Jo, le regard dans le vague, comme si elle se parlait désormais à elle-même.

— Arrête, Jo. Je ne...

— Je fais tout ce que mon mari me demande, parce que je suis une pauvre petite femme sans cervelle...

— Jo ! cria presque Greer, faisant tourner les têtes dans le restaurant vers ces deux femmes sur leur trente et un en train de se disputer.

Jo se leva en déclarant :

— Je suis désolée, Greer, je ne peux rien pour toi. Je m'en vais.

— Tu dois avoir confiance en moi.

— Je sais.

— Je vais lui parler.

— Très bien, dit Jo en pliant sa serviette en tout petits carrés et en la posant soigneusement sur la nappe.

Après quoi, elle mit sa fourchette bien droite, posa son verre d'eau à sa place d'origine et repoussa sa chaise en arrière. Puis elle abaissa son regard vers le siège où elle avait été assise et hocha doucement la tête, comme si elle était satisfaite, ou attristée, par la facilité avec laquelle elle avait effacé toute trace de son passage. Dans la lumière bleutée du réverbère, Jo avait le teint plus pâle qu'à l'accoutumée, blême, presque maladif.

— Tu aurais été plus gâtée avec Castro.

Sans la regarder, Greer riposta :

— Je serais allée à Cuba avec toi.

Ces mots, qu'elle souhaitait apaisants, avaient des accents d'adieu.

— Jo, ajouta-t-elle comme si elle hélait un bateau à l'horizon, comme si elle murmurait dans le vent.

Alors Jo pivota sur ses talons et remonta State Street. Greer suivit des yeux sa meilleure amie qui ne tarda pas à se fondre dans un océan d'inconnus.

*

En vérité, Greer ne croyait pas tout ce qu'elle avait affirmé devant Jo. Non qu'elle eût cherché à lui mentir, mais elle avait éprouvé le besoin de jouer l'avocat du diable, rien que pour voir comment ce dernier s'en tirerait. Sa soutenance de thèse avait encore pour elle les allures d'un cauchemar dont elle aurait bien voulu se réveiller. Elle relut sa thèse, relut l'article de Thomas, elle erra dans le labo en se repassant dans sa tête leurs conversations – il y en avait tant, c'était impossible de suivre un fil – et au bout du compte en arriva à cette conclusion : Thomas n'avait pas pu voler son équation. S'il lui avait caché quoi que ce soit, il ne lui aurait jamais proposé de lire son papier. Toute cette affaire n'était qu'une malencontreuse série de coïncidences.

— Bon dieu, Lily. Jenks n'a pas pu te sortir une chose pareille. Je vais lui téléphoner sur le champ.

— Thomas, ça n'arrangera rien. Je ne veux pas qu'il revienne sur sa décision. Ce que Jenks et le jury pensent est tellement évident, ce n'est pas toi qui leur feras changer d'avis, même par la force des baïonnettes.

Il venait de rentrer d'une de ses conférences à Harvard. Après avoir posé sa valise dans leur chambre, il s'était précipité pour ouvrir la bouteille de champagne au frais dans le réfrigérateur et avait lancé :

— Seul un premier cru de dioxyde de carbone double fermentation est digne de ma femme !

Greer lui prit la bouteille des mains, s'assit sur le canapé et lui raconta toute l'histoire.

A présent, Thomas arpentait le salon de long en large.

— De toute évidence, ils n'ont pas compris ce qui se passe lorsque deux chercheurs travaillent sur la même base de données. L'esprit ne peut pas suivre des dizaines de chemins...

— C'est ton explication ?

— Mais, bon sang, Lily, tu as mon entière confiance !

— Est-ce là la question ?

— Je sais que tu ne copierais jamais sur moi, ou sur personne d'ailleurs. C'est ce qu'il faut que je dise à Jenks.

— Ce n'est pas ce que je te demandais.

Il s'immobilisa :

— Que veux-tu savoir ?

— Tu ne devines pas, Thomas ?

Elle avait répété cette scène cent fois. Reste calme, répétait-elle, ne l'accuse pas. Il n'avait pas copié sur elle, bien sûr, mais une explication s'imposait tout de même.

— Tu as lu ma thèse, articula-t-elle lentement.

— Seigneur, Lily ! Tu ne penses pas une seconde... Parles-en à Bruce, consulte mes dossiers ! Cela fait un an que nous tournons autour de cette équation, bien avant que je ne la retrouve dans ta thèse.

— Parfait, dit Greer en levant les mains pour montrer qu'elle voulait la paix. Je parlerai à Bruce. Voilà un problème de réglé.

— Lily, ne nous égarons pas.

— Bien, je te suis... Tu travaillais donc sur des équations de dispersion avant que je ne te parle de mes conclusions ?

— Lily, tu ne te rappelles pas ? C'est moi qui t'ai montré où diriger tes regards. Je suis ton professeur, pour l'amour du ciel. Ton conseiller. C'est toi qui l'as voulu. Tu es venue me trouver, tu avais besoin de mes conseils, et je te les ais donnés.

— Je n'avais pas besoin de tes conseils, Thomas, si je me suis tournée vers toi, ce n'est pas en qualité de prof ou même de collègue, mais de mari, parce que je voulais partager mon travail avec toi.

— Ton travail ? prononça-t-il d'une voix haut perchée, chaque syllabe pesant son poids de mépris. Lily, je t'aime tendrement, tu le sais, mais je t'en prie. Le programme Magnolia a toujours été le mien. Je suis enchanté de t'avoir avec moi au labo, mais en aucun cas il ne s'agit de ton travail.

Dans ce cas, pourquoi travaillait-elle plus dur et de plus longues heures que lui, et que Bruce, pour obtenir des résultats ?

— Je ne te crois pas.

— Lily, je te dis la vérité. Je te respecte assez pour être franc avec toi. Tu veux que je me moque de toi ? Tu veux me voir condescendre à admettre que tu as ton propre programme de recherche ? Ton propre labo ?

Elle l'avait entendu prendre ce ton avec des collègues, pendant des conférences, mais jamais avec elle. Elle était sidérée.

— Je soutiens ma thèse, Thomas. Je n'ai pas le droit d'avoir mon propre labo...

Elle ne s'était pas rendu compte jusqu'à cet instant, alors que son corps tremblait de colère, combien elle avait toujours eu soif de son approbation.

— ... Mais j'ai mon propre travail. Ou plutôt, je l'aurais si je n'avais pas passé autant de temps à m'assurer que personne au monde ne pourra toucher à tes pollens.

— Lily, dit-il en s'avançant vers elle et en posant ses mains sur sa tête.

— Qu'est-ce qu'il y a ? répliqua-t-elle sèchement.

— Lil, je t'en supplie. Tu t'es fourré dans la tête que je ne sais pas combien tu as travaillé, que je n'apprécie pas tout ce que as fait. Tu as tort. J'en suis parfaitement conscient. Et en plus, je t'aime. Tu es la seule pour moi, tu es toute ma vie. Tu ne dois pas l'oublier. Tu sais combien tu comptes pour moi.

Voilà. Enfin. Ces mots comme une incantation, un chant primitif qui avait le pouvoir, chez Greer, d'éteindre les plus violents incendies.

— Tu es toute ma vie, Thomas, à moi aussi. Et c'est pourquoi j'ai l'impression de vivre un cauchemar en ce moment...

Elle sentit ses muscles se relâcher à mesure que la colère se changeait en tendresse.

— C'est comme si la terre tremblait sous mes pieds, ajouta-t-elle.

— Ecoute. Tout va s'arranger, dit-il en la prenant dans ses bras et en l'obligeant à s'asseoir. Nous allons y veiller. Tout va bien maintenant...

Il la berçait doucement.

— Ce que je ne comprends pas, c'est comment tu as pu ne pas prévoir ce qui se passerait, après avoir lu ma thèse.

— J'étais très occupé.

Ou bien devenait-il fou ? Greer se frotta le visage et tenta de se reporter en mémoire à l'époque en question. Finalement, était-ce elle la voleuse ? Serait-elle tombée sous le charme de son travail, de ses idées, au point de s'en imprégner malgré elle ?

Greer se renfonça dans les coussins, avec la sensation qu'elle pourrait rester là toujours.

— Je n'arrive pas à croire qu'une chose pareille est arrivée. Quand je pense que je vais devoir parcourir ces couloirs en croisant des gens qui me prennent pour une voleuse.

Elle ferma les yeux.

— Tu n'es pas obligée de retourner dans ces couloirs si tu n'en as pas envie...

Greer l'enveloppa d'un regard plein de lassitude.

— ... On m'a proposé une chaire à Harvard.

*

Pendant l'hiver 1969, à Harvard, Thomas décida qu'il avait réuni assez de preuves pour annoncer une nouvelle découverte. Après avoir étudié plus de cinq cents spécimens de schistes, charbons et grès en provenance des quatre coins du monde, il avait pu constater que le premier angiosperme était toujours le magnolia du crétacé inférieur. Son équipe de recherche mit en forme la base de données en vue d'une présentation publique, et Thomas déclara aux médias que le magnolia était la première fleur sur terre.

C'est vers cette époque que d'autres chercheurs se mirent à leur tour à étudier les angiospermes primitifs. Un botaniste de l'université de Californie et un géologue d'Oxford se penchèrent sur les premières traces de magnolias, allant plus loin que les travaux de Thomas. Tout en acceptant l'hypothèse selon laquelle cette famille venait en tête, ils posèrent une nouvelle question : quelle espèce de magnolia est venue d'abord, à quelle période, sous quelles latitudes ? Deux noms, Gerald Beckett Lewis et Jonathan Cartwright, revenaient sans cesse sous la plume des journalistes quand ils évoquaient les résultats obtenus par Thomas. Leurs photos paraissaient ensemble dans la presse écrite. Les médias, en effet, avaient donné le coup d'envoi d'une nouvelle course : Qui de ces trois sommités allait trouver la première de toutes les fleurs ?

Thomas n'avait pas encore publié son article, que s'était ouverte une véritable chasse aux traces primitives de pollen de magnolia. Il avait toujours supposé qu'il existait du pollen d'angiosperme dès le crétacé inférieur, mais il fallait à présent en apporter la preuve. C'est dans cette direction que le laboratoire multipliait ses efforts. Ils passèrent ainsi, en vain, des mois à examiner des roches très anciennes du continent nord-américain.

En dépit de la concurrence et de la ferveur de leur quête, les membres de l'équipe montraient de moins en moins d'enthousiasme. Trop de gens dans la course, trop de spécimens à examiner... Greer avait la sensation de travailler à la chaîne. Il fallait passer des heures à préparer chaque échantillon pour répondre à une seule question : contient-il du pollen d'angiospermes ? La réponse, bien entendu, étant toujours : non. Elle se retrouvait chaque fois dans une impasse. Et il fallait passer à l'échantillon suivant.

Thomas ne s'arrêtait plus pour regarder dans son microscope à elle. Finies, les promenades d'amoureux dans la serre ! Elle déjeunait seule, ou avec Constance McAllister, quand cette dernière était dans les parages, Thomas étant trop débordé pour s'octroyer plus de quelques minutes de repos.

Greer prit ses distances en retournant à ses recherches dans son labo de Marblehead. Que tel ou tel pollen fût le plus vieux du monde ou tout simplement vieux, que lui importait ? Ce qui l'intéressait c'étaient les mécanismes de son déplacement, et les raisons pour lesquelles il se déplaçait, en d'autres termes comment la nécessité de vivre se manifestait dans la nature. Et comme Harvard lui offrait peu de chances de promotion – une femme ne pouvait dépasser le stade d'assistante de recherche – , Greer s'estimait en droit de priver l'université, et Thomas, d'un peu de sa présence.

Elle se servit de la misogynie des cercles académiques comme prétexte pour justifier sa retraite. Après tout, elle ne pouvait avouer à Thomas que son programme la rasait, ou que la tension au labo était insupportable pour tout le monde, lui y compris.

— Lily, les femmes n'ont même pas encore le droit de se servir des télescopes à mont Wilson et à Palomar, lui rappelait-il. La botanique est à l'avant-garde des sciences. Tu as tout ce qu'il faut pour travailler en terme de matériel. Si tu as besoin de quoi que ce soit, dis-le-moi, je veillerai à ce que tu ne manques de rien. Personne ne nie tes talents.

Ça allait jaser, c'était certain. On se plaindrait de sa place « spéciale » au labo, mais Greer n'en avait cure, plus maintenant. Si elle ne pouvait pas devenir titulaire d'une chaire, pourquoi ne serait-elle pas l'hermétique épouse du célèbre Thomas Farraday ? Ce qui comptait, c'était qu'elle continue à servir la science.

Greer était de plus en plus intriguée par la biogéographie insulaire, un nouveau concept présenté en 1967 par Robert MacArthur et Edward Wilson. La préface de leur monographie comprenait ce qui, aux yeux de Greer, s'imposait comme une vérité incontournable : *« Par leur multiplicité même, ainsi que par leurs différences de forme, de taille, de degré d'isolation et par leur écologie, les îles fournissent les modèles nécessaires à des "expériences" naturelles grâce auxquelles il est possible de mettre à l'épreuve les hypothèses évolutionnistes. »*

Au large de la côte d'Islande, en 1963, une éruption volcanique sous-marine avait fait naître l'île de Surtsey. Une fois les coulées terminées et la lave refroidie, il s'y aventura une première expédition. C'était en 1968. A l'époque, Greer, qui déménageait à Harvard, avait écouté les nouvelles à la radio d'une oreille avide. Les scientifiques avaient constaté la colonisation de lichens et de mousses, et de quatre espèces de plantes. Mais la vie était encore à peine installée, et il était question de monter une deuxième expédition, à laquelle Greer s'intéressait de près. Elle avait toujours rêvé d'explorer une île nouveau-née. Krakatoa, après tout, avait été un site d'une valeur incalculable pour les botanistes du XIXᵉ siècle. Cela dit, Surtsey n'était pas facile d'accès, et les résultats d'une mission telle que celle-ci dépendaient de l'organisation et de la bonne entente du groupe. Elle devait patienter. Et puis, un beau matin, Greer vit une publicité dans la section voyage du journal pour la compagnie Lan Chile desservant l'île de Pâques. C'était exactement ce qu'elle cherchait.

— Thomas, que sais-tu de l'île de Pâques ?

— Des grandes statues, répondit-il distraitement, plongé dans une seconde lecture d'un article de Jonathan Cartwright.

Une page et une bouchée de toast plus tard, il ajouta :

— Supposées avoir été déposées là par des étrangers. Certains évoquent le continent perdu, l'Atlantide. Un bouillon de théories scientifiques, comme tu peux voir.

— On peut y aller en avion maintenant, de Santiago.

— C'est loin.

— Environ quatre mille kilomètres de Santiago. C'est ce qui est passionnant justement : la distance la rend parfaite pour une étude du biote.

— En effet, dit-il, manifestement l'esprit ailleurs.

Depuis qu'il avait eu vent des travaux de Jonathan Cartwright, Thomas avait annulé presque tous ses voyages et symposiums, passant le plus clair de son temps au labo. Et depuis la démission du dernier arrivé des membres de l'équipe, un étudiant de troisième cycle qui avait choisi de servir un autre maître, Thomas était carrément tendu.

— Quoi, il ne croit pas que nous le trouverons ? avait-il maugréé dans l'oreille de Greer un soir au téléphone. Il n'est pas question de rater une occasion pareille. Après tout, c'est moi qui ai fondé ce domaine d'étude !

Thomas passait ainsi sa semaine à Cambridge, et les rares nuits qu'il concédait à Marblehead, s'ils faisaient l'amour, c'était à la va-vite et comme machinalement. Après quoi, il s'enveloppait dans sa robe de chambre et retournait à son bureau pour revoir ses chiffres.

Ce dimanche-là était le premier depuis un mois que Thomas passait à la maison.

— L'île de Pâques ferait un beau terrain d'étude, dit Greer.

— J'en suis sûr.

— Mais coûteux d'un point de vue financier.

Thomas posa sa revue scientifique :

— Tu ne songes pas vraiment à y aller ?

— Si. La biogéographie insulaire ? L'île de Pâques ? Cela réunit toutes les conditions qui permettent d'étudier les processus de dispersion transocéaniques.

Il eut l'air de réfléchir, puis répliqua :

— Et tu voudrais y aller quand ?

— Je n'y ai pas encore réfléchi.

— Je pense que c'est une bonne idée. Un site de premier choix. Et personne n'est plus qualifié que toi, personne ne peut faire un meilleur boulot...

Après une pause, il ajouta :

— Mais est-ce vraiment le bon moment ?

— Tu veux dire à cause du climat à cette époque de l'année ? Il n'y a pas d'agitation politique en tout cas. Ou tu parles de ton travail ?

— Tu m'en veux.

— Je ne te vois jamais. Je suis frustrée, plutôt. Et puis je voudrais que les choses soient bien claires. Tu espères que je ne partirais pas, non pas parce que je te manquerais, mais à cause de ton travail, n'est-ce pas ? Le magnolia. Le labo. Thomas, si tu as besoin de moi, si tu veux que je reste, sois franc un peu, et comme ça on pourra discuter sans s'encombrer de tous nos bouquins et nos lames de microscope.

— J'ai toujours besoin de toi, ma Lily. Tu es ma meilleure chercheuse.

— Ne dis surtout pas ça à Bruce.

— Je le lui ai dit, et tu sais quoi ? Il n'a pas sauté de joie. Il est furieux, mais ça c'est son problème. Lil, la vie n'est pas toujours rose. Bruce est-il numéro un au labo ? Oui. Est-il le meilleur ? Non. Est-ce juste ? Non. Est-ce ma faute ? Non. Car tu ne peux pas me tenir rigueur de la misogynie qui régit notre système social.

— Je te tiens seulement responsable de tes choix.

— Ce sont ceux de Harvard. Lil, nous ne vivons pas dans un monde idéal, mais il s'améliore. Pourquoi ne pas profiter de ce que tu as au lieu d'aspirer toujours à autre chose ?

C'était vrai. Sa plainte, l'épuisement de Thomas – ils lisaient un vieux scénario dont ils connaissaient tous les deux la fin par cœur. Mais cette fois, elle avait un atout supplémentaire dans son jeu dont elle comptait bien se servir.

— J'ai une proposition à te faire, Thomas. Si je tiens ma part du marché, et tu sais que tu peux compter sur moi, je voudrais que mon nom soit cité à côté de celui de Bruce comme co-auteur. C'est tout. Tu es la star du département, ils t'écouteront.

— Lily, je n'ai jamais essayé de te mettre des bâtons dans les roues, au contraire, je t'ai toujours soutenue.

— Je n'ai pas besoin de ton soutien. Je veux simplement que tu reconnaisses ma contribution, par écrit, officiellement. Tu es d'accord ?

— D'accord. Maintenant il nous faut juste trouver un grain de pollen d'angiospermes datant du pré-crétacé.

— Mon dieu, Thomas, autant chercher une aiguille dans une meule de foin.

— Dans un champ de luzerne, tu veux dire.

— J'admire beaucoup ton travail, Thomas, sache-le, et peu m'importe qui trouve la plus vieille graine de pollen de plante fleurie. Ce projet est tellement vaste, d'une portée si remarquable, c'est dommage de le réduire à des mégotages sur une question de dates.

— Hélas, ce n'est pas ainsi que le milieu scientifique voit les choses.

— Je sais, dit-elle en posant la main sur la sienne. Ecoute. Ne t'inquiète pas. Nous la trouverons.

C'est ainsi que son rêve d'île de Pâques fut mis de côté, et qu'elle retourna à Cambridge pendant six mois. Greer travailla au labo dix heures par jour au coude à coude avec les autres, en particulier avec Bruce Hodges, qui n'ignorait plus désormais qu'elle briguait son poste. Tel un géant assoupi, son âme de footballeur machiste s'éveilla, et de temps à autre, pour l'embêter, il lui lançait : « Au fait, comment va ton amie ? Comment s'appelle-t-elle déjà ? Jo ? Oui, c'est ça. Vous étiez très proches toutes les deux... Savais-tu, Greer, que quatre-vingt-dix pour cent des angiospermes ont des fleurs bisexuelles ?

— Va au diable, Bruce.

Greer n'avait reçu aucune nouvelle de Jo depuis la carte postale dans laquelle elle annonçait qu'elle avait trouvé du travail à l'université du Minnesota. Après leur dernier dîner, Jo avait quitté le labo de Thomas pour un bref passage chez le Pr Jenks. Ensuite elle était partie pour le Minnesota, sans un au revoir. Greer avait plusieurs fois envisagé de lui écrire pour l'inviter à Marblehead, mais elle pensait que Jo n'avait pas envie d'entendre parler d'elle, et elle savait qu'elle désapprouverait sa vie avec Thomas. Lorsque l'article paraîtrait – cosigné par Greer – elle le lui enverrait. A cette perspective, un sourire lui venait aux lèvres. La confiance que Jo avait eue en elle, et qu'elle avait longtemps pris pour argent comptant, serait peut-être alors réactivée.

Greer retourna à l'examen de ses grains de pollen. A côté de son microscope, elle gardait un tube d'aspirine, une bouillotte et un tube de crème de salicylate avec laquelle elle se massait la nuque toutes les deux heures. En dépit de la conduite harcelante de Bruce et du stress, un certain esprit de camaraderie se développait au sein du labo. Ils passaient tant d'heures ensemble, à plancher jusque tard dans la nuit, qu'au bout du compte, des liens d'amitié avaient fini par émerger du fond de leur désenchantement.

Bruce prenait du poids à cause de l'existence sédentaire que lui imposait le labo, et la graisse semblait adoucir son caractère. Il était du genre à ne pouvoir lutter que contre un ennemi à la fois, et, désormais, il avait contre lui la balance. C'est à cette époque qu'il se fourra dans la tête de faire la cour à Greer, l'approchant à tout bout de champ, tout sourires, pour regarder dans son microscope. Greer jugea ces démonstrations d'amitié un peu forcées mais préférables à son hostilité antérieure. Puis, un soir, alors qu'il n'y avait plus qu'eux deux dans le labo, il vint la trouver à sa table :

— Salut, Greer.

— Hodges, je n'ai pas le temps de discuter. J'ai encore trois échantillons à compter et puis je me tire d'ici, je n'en peux plus.

— Pauvre Greer, obligée de compter les grains de pollen à la chaîne.

— Arrête, s'il te plaît.

— Tu as toujours été une bosseuse, même au temps du Wisconsin.

— Passe-moi donc le troisième tube sur ta gauche. Et range cette lame dans sa boîte.

Il obtempéra, puis avança un tabouret et s'assit.

— J'ai lu ta thèse, reprit-il.

Greer leva le nez.

— La première, précisa-t-il d'un air candide. Et je me demandais si tu pensais que Thomas avait été influencé...

— Non, Bruce, pas du tout.

— Parce que c'était bizarre.

— La situation était inhabituelle. Nous aurions dû être plus prudents, voilà tout. Tu étais là. Tu sais comment on tombe sur des découvertes, et qu'il est très difficile de déterminer la parenté d'une idée.

— Vraiment ?

*

En mars, trois membres du labo rentrèrent d'Asie du Sud-Est avec une douzaine d'échantillons. Ils furent reçus dans l'euphorie et on dépaqueta chaque caillou comme s'il s'agissait d'un cadeau de Noël. Thomas distribua les échantillons parmi ses assistants, et le lendemain tout le monde était au travail. Greer se retrouvait avec une roche du pré-crétacé en provenance de l'archipel malais, ce qui lui sembla de bon augure.

Après tout, c'était en Malaisie qu'au siècle dernier Wallace avait découvert la sélection naturelle. Elle procéda donc à toutes les opérations nécessaires pour préparer – dissolution, nettoyage, centrifugation – et examiner l'échantillon, ce qui l'amena à rester plus tard que d'habitude. Elle fut d'ailleurs la dernière à quitter le labo. Elle avait trouvé quantité de pollens de gymnospermes – ginkgo, cycas –, des spores de fougères, mais rien qui ressemblât de près ou de loin à du pollen de magnolia. Et finalement, un matin, alors qu'elle était courbée sur son microscope, son cou se bloqua.

— Thomas ! appela-t-elle.

Le bruissement des lames dans les microscopes cessa tandis que toutes les têtes se tournaient vers elle. Thomas, cependant, n'avait pas bougé.

— Thomas, s'il te plaît !...

La douleur était perceptible dans ses intonations. Il se leva brusquement.

— ... Mon cou est coincé.

— Ne bouge pas. Lars, va chercher le lit de camp et les oreillers, ordonna Thomas qui était à présent auprès d'elle. Je vais poser ma main sur ta nuque...

— Oh, merde.

La douleur était insoutenable, à croire qu'on lui fouettait tout le corps de l'intérieur avec un fil électrique.

— OK, je ne te touche pas. Bruce, appelle une ambulance.

— Je suis sûre que ça va s'en aller dans une seconde, dit-elle. C'est venu si vite. Ne faites pas attention à moi. Me regarder avec ces yeux-là ne va pas faire partir la douleur.

— D'accord, mais moi ça me rassure, déclara Bruce.

— Tais-toi, Hodges, riposta-t-elle.

— Ah ! qui aurait cru que Greer serait un jour plus intéressante que les grains de pollen ? plaisanta-t-il. Levez la main.

Greer ne put s'empêcher de rire, à ses propres dépens : elle avait de plus en plus mal.

— Je sais que tu ne peux pas voir toutes ces mains qui se lèvent, Greer, mais c'est un raz-de-marée.

— Imbécile, murmura Greer.

— Vous savez, soupira Thomas, parfois j'ai l'impression d'être à la tête d'une classe de maternelle.

Ils s'efforcèrent de plaisanter jusqu'à l'arrivée de l'ambulance. Greer fut transportée sur une civière. Thomas l'accompagna à l'hôpital, où ils attendirent une heure la visite d'un médecin. Thomas était exaspéré. Dans son tablier de labo, les cheveux en bataille, il avait l'air vieux sous le néon de la salle de consultation.

— Je croyais qu'il n'y avait qu'un sens au mot « urgence » ! s'exclama Thomas en voyant le médecin.

— Pr Farraday ! Je ne savais pas que c'était vous. Nous avons des problèmes de personnel, voyez-vous, pour changer. Cambridge est plutôt prolixe en...

— Nous n'avons pas besoin d'explication, mais de votre aide. Ma femme a un torticolis. Elle est paralysée. Il faut la tirer de là.

— Bien.

Il prescrivit à Greer deux semaines de lit avec une minerve, une cure d'antalgiques et l'interdiction de toucher à un microscope pendant un mois.

— Si vous vous embêtez, prenez un porte-livres, vous pourrez lire sans bouger le cou. Ils ont beaucoup de succès auprès de nos malades.

— Ingénieux, dit Greer, lugubre.

Une fois qu'elle fut confortablement installée dans sa chambre de Marblehead et que Thomas eut téléphoné au labo pour voir si tout allait bien, il se tourna vers elle :

— On supposerait qu'avec un mari de vingt ans plus vieux, il y ait peu de chance pour que ce soit toi qui deviennes grabataire. Et te voilà, ma belle, jeune et tendre épouse, clouée au lit.

Il remonta la courtepointe jusqu'à sa poitrine et la borda.

— Merci de ta considération.

— Mais ne t'inquiète pas, je serai ta Florence Nightingale.

— Une infirmière qui a besoin de se raser.

— Mais qui n'a qu'une malade, prisonnière de mon lit.

— Tu m'achèteras vite ce porte-livres ?

— Voyons, je me fais fort de te distraire !

— Thomas, tu as l'air ivre. Ou plutôt drogué, corrigea Greer en prenant le flacon d'antalgiques et en l'examinant à la lumière de la lampe. Ta bonne humeur devant ce qui m'arrive me fait peur. Je n'ose imaginer dans quel état de joie tu serais si on m'avait trouvé une maladie incurable.

— Quels mots cruels.

Il l'embrassa sur le front, les oreilles, puis déposa un gros baiser brûlant, passionné, sur sa minerve.

— Thomas, voyons. Qu'est-ce qui te prend ?

Cela lui ressemblait si peu après tous ces mois de morosité, de fatigue, d'inquiétude.

— Un homme ne peut-il pas adorer sa femme ?

— Bien sûr que si. Mais j'ai comme l'impression que cet homme ne va pas beaucoup s'attarder auprès de son adorée et sera de retour dans son labo avant le coucher du soleil.

— Mais je continuerai à t'adorer dans mon cœur.

— Bien sûr.

— Tu ne m'en veux pas ?

— Non.

— Tu ne te sens pas trop frustrée ?

— Résignée, ce qui n'est pas forcément une mauvaise chose.

— N'oublie pas : je t'aime. Tu es l'amour de ma vie.

— En langue thomasienne : Je veux retourner tout de suite au labo.

— Lil...

— Ne t'en fais pas pour moi. Regarde, j'ai une pile de bouquins sur les îles et la biogéographie. Tu ne me manqueras pas une seconde. Allez, va rejoindre ta Maguy.

Au cours des semaines qui suivirent, Greer le vit très rarement. Il ne lui manqua guère, et elle était plutôt contente de cette occasion pour rattraper son retard sur ses lectures, mais ce qui la désolait, c'est qu'elle n'aurait plus la possibilité de cosigner l'article. Elle avait déclaré forfait à la plus mauvaise heure : il n'y avait plus de marché qui tienne. Elle suivit l'ordonnance du médecin, resta couchée, avala ses pilules, mais vers la fin de la troisième semaine, comme elle se sentait mieux, elle décida de prendre le volant et de retourner à Cambridge et au labo. Si elle n'était pas encore capable de travailler au microscope, elle pouvait quand même s'occuper du lessivage et de la centrifugation. Ou préparer des échantillons pour la datation. Comme, avec sa minerve, elle avait du mal à regarder dans son rétroviseur, elle conduisit lentement. Les congères grisâtres qui bordaient les rues depuis des mois avaient commencé à dégeler, mais il n'en faisait pas moins un froid humide à vous glacer les os.

Elle se gara à côté de la voiture de Thomas et gravit d'un pas de sénateur l'escalier jusqu'au troisième étage. La porte du labo étant fermée à clé, elle se dirigea au bout du couloir vers les toilettes des hommes où Thomas gardait une clé en cas d'urgence. L'électricité était allumée, mais le labo désert – les épuisettes à moitié pleines, les bocaux d'acide en désordre sur les paillasses, un robinet qui fuyait. On aurait dit qu'ils avaient tout laissé en plan. Greer enleva tant bien que mal son parka et en drapa un tabouret. Elle se dirigea vers le poste de travail de Bruce, fut tentée de jeter un coup d'œil dans son microscope, puis décida que ce n'était pas la peine de risquer un autre torticolis. Elle se contenta de feuilleter les dernières pages de son cahier. Rien d'excitant. Des dessins de pollens de gymnospermes, des chiffres, des pourcentages et, dans la marge, des gribouillis de foot. Les analyses des échantillons du pré-crétacé n'avaient rien donné : ils ne contenaient pas un seul grain de pollen d'angiospermes. Il avait dans cette histoire perdu des semaines, voire des mois. Tout le monde avait l'air de se démener pour ce qui s'avérait être une course de dupes. Greer se demanda si Jonathan Cartwright ne les avait pas volontairement lancés sur une fausse piste. Un coup de bluff pour décontenancer l'adversaire. Un coup de maître. Cartwright était peut-être à Oxford à l'heure qu'il était, plongé dans des recherches fructueuses, pendant que Thomas et les autres se perdaient dans un dédale sans se rendre compte que leur fameux grain de pollen n'était qu'un miroir aux alouettes.

Le bureau de Thomas était encore plus en désordre que d'habitude. S'y entassaient cahiers, diapositives, fiches, livres, dans un capharnaüm qui indiquait que son incapacité à ranger s'était aggravée. Cette course effrénée le minait ; elle aurait sapé l'énergie de n'importe qui. Elle feuilleta son cahier, passa en revue ses données recueillies grâce à la technique de mesure argon-argon qui permet de dater les tufs interstratifiés – en l'occurrence de la roche pré-crétacée en provenance d'Australie – sans relever le moindre pollen d'angiospermes. Ce qui n'avait rien de surprenant. Il fallait s'y attendre.

Elle consulta sa boîte de lames, trouvant de multiples échantillons de pré-crétacés du Groenland et de Chine, en plus des australiens. Décidant d'en examiner quelques-uns, elle les emporta jusqu'à son propre poste de travail, enleva sa minerve et alluma l'appareil. Prenant une lame sans titre, elle la mit en place et ajusta l'oculaire. Puis elle se pencha très doucement. Pas trace de pollen d'angiospermes, bien entendu. Seulement du pollen trilète et monolète, ainsi que du pollen de gymnospermes, conifères et cycas, et plusieurs spores de fougère porteuses d'une ornementation de l'exine spécifique, marquée à l'Equateur. Elles semblaient appartenir à une famille probablement apparue vers le mi-crétacé, même si l'échantillon devait dater du pré-crétacé. Thomas examinait seulement les roches de cette dernière période. Elle grossit la mise au point et tripota la lamelle de manière à retourner les grains, puis se recula pour parcourir un des manuels traitant des spores de fougère, à la recherche de celle qu'elle voyait sur la lame, quand la porte s'ouvrit.

C'était Thomas, l'air débraillé.

— Lily ?

— Je n'y tenais plus. J'ai juste jeté un coup d'œil. Je te jure, mon cou va beaucoup mieux.

— Oh, Lily, dit-il d'une voix navrée. C'est merveilleux ! Génial !

Il se frotta les yeux avant d'ajouter :

— C'est fait.

— Qu'est-ce qui est fait ?

— Je l'ai trouvée, j'ai trouvé Maguy.

*

L'hiver relâcha son emprise tout doucement, retirant peu à peu son tapis de neige, faisant souffler, au lieu de vents polaires, une brise tiède chargée d'odeurs de terre et d'herbe mouillée. Sur les rebords des toits, les stalactites de glace fondaient pour former sur les trottoirs de minuscules flaques d'eau. Les premières pousses printanières perçaient le sol dénudé.

Greer regarda la nature renaître à Marblehead. Elle se promenait longuement chaque matin sur la plage avant de s'installer pour la journée à lire sous la véranda. Cette routine lui convenait, même si ses travaux de recherche lui manquaient.

Thomas vivait entre le labo et leur appartement, retrouvant régulièrement Bruce, envoyant des échantillons pour vérification, dictant son article à la secrétaire du département. Quant à

Greer, elle avait fait une rechute. Le médecin lui avait reproché d'avoir enlevé trop tôt sa minerve, et elle avait dû la remettre. De sorte qu'elle manqua toute la dernière phase du comptage du pollen et de la datation. Et par déception, ou parce qu'elle était têtue, elle démissionna du programme.

Il fallut le symposium du mois de mai pour qu'elle trouve le courage de sortir de sa coquille. Ce fut une simple conférence dans un hôtel. Ils portaient tous des badges avec leur nom, mangèrent des sandwiches et des bretzels, errèrent sur la moquette de la grande salle, serrant la main de collègues appartenant à de lointaines universités. Rien de très différent de ce à quoi elle avait plusieurs fois assisté en compagnie de Thomas, sauf qu'elle se sentait triste, et même un peu jalouse, à la pensée qu'après tant d'efforts de sa part, elle occupait encore une place de spectatrice.

Il ne s'agissait que de la présentation préliminaire de l'article – un dernier jet avant publication – mais cela suffirait à faire entrer dans l'histoire la découverte de Thomas avant celle de Cartwright. Thomas était le premier intervenant. Lorsque tout le monde fut assis, et la lumière baissée, il s'approcha du micro. Greer se tenait assise derrière les gens du labo, avec quelques curieux. La plupart de ces derniers ne portaient pas de badges, ils avaient l'air d'invités venus d'un autre congrès, ou d'un mariage, lassés des festivités qu'on leur offrait, se demandant sans doute ce que pouvait bien être un symposium de palynologie.

En voyant Thomas sur le podium, Greer se rappela ses cours auxquels elle avait assisté des années plus tôt. Sa voix remplissait la salle avec la même intensité qu'autrefois. Il était vêtu d'un costume bleu, pour une fois bien coupé – c'était elle qui l'avait choisi. Au cours de l'année écoulée, il était devenu plus coquet, s'occupant plus activement de sa garde-robe. Mais ses cheveux étaient d'un gris plus clair, et des cernes bistre ombrageaient son regard. Il venait d'avoir cinquante-deux ans.

Thomas commença par une présentation de diapositives – le pollen, une photographie d'une unité sédimentaire, un cliché de Lars Van Delek et Preston Brooks couverts de poussière, la peau brûlée par le soleil, extrayant des échantillons en Australie. Il parla de l'histoire du magnolia, le gène qui se portait candidat à la place de « première fleur » et de la découverte finale de ce qu'il avait décidé d'appeler le *Magnolius farradius*. Finalement, il remercia les coauteurs et leur demanda de monter sur le podium : Bruce Hodges, Lars Van Delek et Preston Brooks.

Elle s'était préparée à ce moment, mais quand même, Greer ne trouva pas le cœur de se joindre aux applaudissements.

— Vous n'applaudissez pas, fit une voix à côté d'elle.

Elle regarda celui qui l'interpellait ainsi d'un siège voisin : un homme mince, la trentaine. Un visage long et pâle, une bouche pincée. Il portait un badge nominatif et se tenait tassé sur son siège comme mort d'ennui. Il avait manifestement mal choisi sa conférence pour piquer un petit somme.

— Moi non plus d'ailleurs, ajouta-t-il.

— Au moins vous êtes lucide.

— C'est impressionnant, et pas croyable, continua-t-il.

— C'est ça, la palynologie.

— Il n'y a pas de femme ici, comment êtes-vous rentrée ?

— Je me suis fais passer pour un homme.

— Moi aussi.

Il sentait le whisky et n'avait pas l'air de tenir très droit.

— Voulez-vous venir vous promener un peu avec moi ? poursuivit-il. Ou prendre un verre ? Cette salle de conférence n'est pas un endroit pour une jeune femme comme vous...

Greer avait beau tendre l'oreille, elle n'arrivait pas à décider s'il avalait ses mots ou s'il avait un accent.

— ... Il y a un mariage sur la mezzanine. Ils ont un orchestre de jazz qui joue du swing. On peut monter voir discrètement. Je dirai que vous êtes ma femme.

Les gens se levaient à présent, s'avançant vers le podium pour serrer la main de Thomas. On s'agglutinait aussi autour de Bruce Hodges et de Preston Brooks. Lars Van Delek s'était mis à l'écart pour parler à un journaliste.

— Allez. Du swing.

— S'il vous plaît, allez-vous-en.

— Vous avez raison, va-t'en, Cartwright.

Greer se tourna alors complètement vers son interlocuteur. Il roulait des yeux, sa chemise était toute chiffonnée. Il n'affichait qu'une vague ressemblance avec la photographie qu'elle avait vue de lui. Jonathan Cartwright.

— Vous ! s'exclama-t-elle. Dites-moi, tenez-vous vraiment un échantillon d'angiospermes du pré-crétacé ?

— Ce n'est pas un sujet pour vous.

— Vous n'en avez pas ?

Il prit un air attristé.

— Je ne crois pas que ce genre de chose existe.

Peut-être s'agissait-il d'une fausse rumeur...

— Vous vous rendez compte, bien sûr, que tout ça ne veut rien dire, reprit Greer en montrant l'estrade d'un geste du menton. Ce n'est pas de la science.

— Vous savez danser le swing ?

— C'est un numéro, destiné à établir un record, mais cela ne signifie rien.

Cartwright s'agrippa aux bras de son fauteuil pour se lever.

— Ils ont un buffet avec plein de *piña coladas*. Et vous savez quoi ? Nous allons nous amuser, parce que rien de tout cela n'a d'importance. Il a tort, complètement tort. J'ai vu ces sédiments. Provenant du même site. Rien. Comment est-ce possible ?

— Je n'en sais rien, répondit-elle en se levant pour se diriger d'un pas chancelant vers son mari.

*

Juin arriva, chaud et sec. Aux nouvelles, on montrait les ravages de la sécheresse, les fermiers ruinés, les enfants agités. Le mois s'écoula jour après jour au compte-gouttes.

Thomas le passa presque tout entier à Cambridge, ne venant à Marblehead que deux fois par semaine, ravi de s'être trouvé sous le feu des projecteurs. Le cou de Greer allait mieux, elle ne portait plus de minerve et était retournée à ses travaux dans son sous-sol. Elle avait grand plaisir à reprendre le fil de son étude des processus de dispersion des graines dérivantes. Oubliée, ou presque, sa déception de ne pas avoir cosigné l'article de Thomas.

Il lui arrivait néanmoins parfois, dans son labo, de revoir en pensée les spores de fougère aperçues dans le microscope de Thomas ce dernier soir dans le laboratoire de ce dernier : des spores qui n'auraient pas dû se trouver dans un échantillon du pré-crétacé. Il était possible qu'elle se soit trompée sur l'espèce. Mais quand même, c'était curieux qu'elle n'en ait pas entendu parler. Personne n'avait évoqué cette incongruité. Et elle aurait bien voulu en savoir plus.

Puis, un après-midi, alors qu'elle était dans son labo, elle reçut un télégramme. L'expéditeur était anonyme et y figurait seulement quelques mots :

« Finalement tu vas devoir faire face au barracuda. »

Greer tint le bout de papier devant elle pendant plusieurs heures, assise sous la véranda, se demandant ce que cela pouvait bien dire. Jo, bien sûr. Mais pourquoi maintenant ?

Et puis elle reçut un deuxième pli, cette fois d'un hebdomadaire scientifique. Elle ouvrit le papier brun et lut le titre :

« ACCUSATIONS DE FRAUDE. DONNÉES FALSIFIÉES PAR THOMAS FARRADAY, Ph. D. »

Thomas, expliquait la missive, était accusé de contaminer ses échantillons afin d'introduire du pollen d'angiospermes du crétacé dans des roches datant du pré-crétacé. Il était dit noir sur blanc que pour coiffer Jonathan Cartwright sur le poteau, il avait fabriqué des faux.

L'auteur de l'accusation était Bruce Hodges.

19

Sur le chemin du retour au campement, il se met à pleuvoir. La terre rouge se change en boue sous les sabots de sa monture. Elsa recouvre de sa jupe mouillée le sac et le *kohau* sur ses genoux, laissant ses jambes à demi nues se balancer sur les flancs du cheval. Une chaleur odorante monte de l'animal. Le cuir de ses bottines devient plus foncé, ses bas se tachent de boue sous la pluie battante. Il faudra que je prenne soin de bien me sécher, songe-t-elle. Il faudra que je me réchauffe. Et que je me lave. Oui. C'est indispensable. Et si le vent vient à forcir, il faut en outre qu'elle attache les caisses, puis qu'elle vérifie les piquets des tentes. Et s'il y a des fuites – quand a-t-elle pour la dernière fois vérifié l'état de la toile ? – elle devra les réparer. Le temps pourrait même tourner à l'orage. Elle l'espère. Cette pluie piquante, cet air imprégné de sel, la boue qui gicle, sont des dérèglements qui l'arrangent.

« Au revoir aux deux mesdames Beazley... »

Elle s'essuie le visage avec ses manches. Au pas lourd de sa monture, elle approche lentement d'Anakena qu'elle commence à apercevoir. Elle descend de cheval au bas de la colline. D'une main elle mène l'animal, tandis que de l'autre elle tient le sac et le *kohau* enveloppés dans un pan de jupe, si bien qu'elle grimpe la pente pliée en deux contre la pluie. Arrivée au sommet, elle constate que le campement en contrebas est désert.

« J'ai de très bons yeux. »

Elsa attache le cheval et descend la pente de l'autre côté pour se réfugier tout de suite sous la tente. La toile claque et s'ébroue autour d'elle. Elle sèche le *kohau* et son cahier. Puis elle allume la lanterne, et dresse mentalement une liste de ce qu'elle doit faire. Vérifier les fuites, redresser les piquets, rentrer des caisses. Deux cafards accourent vers elle ; elle les écrase à coups de botte.

Elle lève la lanterne vers la toile affalée du plafond à la recherche de petites déchirures. Impossible d'entendre le bruit des gouttes tant le déluge gronde, pense-t-elle. Il faut inspecter chaque centimètre carré. Mais tandis que ses doigts explorent les coutures, le silence se fait. Le grondement s'est tu. Elle sort pour voir le soleil s'extraire des haillons gris des nuages. Elle s'assied sur le sable et contemple le ciel qui s'éclaircit.

Au loin, à travers la brume, elle aperçoit l'endroit où ils avaient jeté l'ancre de la goélette à leur arrivée. *Au revoir, les deux mesdames Beazley !* Ce sont les mots mêmes que Kierney leur a lancés depuis la barque. *J'ai de très bons yeux.*

Elsa retourne à la tente et s'assied au bord de son lit. Devant elle, drapée autour d'une ficelle, la chemise de nuit d'Edward. Une image d'Alice jetée en travers du corps d'Edward endormi lui traverse l'esprit, elle s'efforce de la repousser. Elle a encore beaucoup de choses à faire. De dessous son lit de camp, elle tire une pile de cahiers, trouve celui où elle a pris des notes sur le *rongorongo*. Dans une tasse à côté d'elle, elle se saisit du stylo plume que son père lui a donné quand il est tombé malade. *Le Pr Beazley semble très attaché à notre chère Alice.* Elsa enfonce sa plume dans le papier :

> « *Je me suis aperçue qu'il existe une forte ressemblance entre le* rongorongo *et le boustrophédon. Les lignes vont sans interruption de droite à gauche et de gauche à droite. A confirmer.* »

Elle pose son stylo. Etait-ce concevable que son père ait voulu dire... ? Non. Cette idée est ridicule, ce serait trop absurde. Un professeur qui tombe amoureux de la fille simple d'esprit de son collègue ! Elsa ne se sent pas bien. Son front est brûlant. Elle tremble dans sa robe humide. Peut-être a-t-elle attrapé quelque chose chez les lépreux, une fièvre étrange qui vous enivre l'esprit, et vous fait voir des choses effrayantes. Ele se penche en avant et s'emploie avec des gestes nerveux à dénouer les lacets mouillés de ses bottines.

Après tout, c'est de la folie. Tomber amoureux d'une fille qu'il ne lui est pas permis d'aimer. Epouser la sœur de son aimée, celle qui s'occupe d'elle, de manière à pouvoir rester près d'elle. Elsa était celle qui devait se sacrifier, pour Alice. Si elle n'avait pas dû prendre soin de sa sœur, elle aurait pu trouver un vrai mari, elle aurait même pu retrouver Max. Elle n'aurait pas été... Le mot semble résonner dans l'obscurité de la tente : dupée. Avait-elle renoncé à la vie à laquelle elle aspirait, non pas pour Alice, mais pour Edward ? Etait-ce possible ?

— Elsa !

La voix d'Edward lui parvient de l'extérieur.

Une seconde plus tard, sa tête ruisselante passe par la portière de la tente. De l'eau coule de sa barbe. Il se tient dans une expectative prudente. Il s'attend à ce que je le gronde, songe Elsa. Il attend de voir ce que je sais.

— Alice est trempée. Voudriez-vous venir nous aider ?

Nous aider, pense Elsa. Bien sûr, je suis toujours là quand il s'agit d'aider. La gouvernante, toujours. La gouvernante qu'il emploie pour prendre soin d'Alice.

— Elle va attraper une pneumonie.

— Bien, prononce Elsa d'un ton sarcastique qui ne lui ressemble pas. Il faut lui enlever ses vêtements.

Et vous avez peur de le faire vous-même, ajoute-t-elle en son for intérieur. Vous avez peur de ce que cela aurait l'air.

Elsa s'empare d'une couverture, la jette sur ses épaules, se coiffe d'un chapeau et suit Edward jusqu'à la tente d'Alice. Cette dernière tourne le dos à la porte. Son corsage, que l'eau rend transparent, lui colle à la peau. Ses veines battent dans son dos.

— Je vois que quelqu'un est allé courir sous la pluie, dit Elsa. Je me demande bien qui ? Ce n'est sûrement pas Allie puisque je lui ai répété je ne sais combien de fois qu'il ne fallait pas courir sous l'averse.

Elsa se poste derrière elle, pose ses mains sur ses épaules. Sous sa paume, elle sent les os fins qui se cambrent. Elle descend la main le long de la colonne vertébrale. C'est étrange : le corps d'Alice est celui qu'elle connaît le mieux. Mieux que celui d'Edward, mieux même que le sien propre. C'est celui que ses mains cherchent toujours. C'est le corps qu'elle a vu grandir, le corps qu'il a toujours été de son devoir de protéger. Comme elle voudrait laisser ses mains là pour toujours, nichées contre la peau chaude, enfouies dans la chair, et oublier le courant d'air glacé qui souffle entre elles deux. Elle aimerait pouvoir se glisser dans cette autre, ciller des paupières et déclarer : « Je suis Alice. » Au lieu de quoi, elle accomplit les seuls gestes qu'elle connaisse, ceux de la nounou. Elle déboutonne le haut du corsage d'Alice.

— Je vais aller vérifier l'état du matériel, dit Edward en s'esquivant.

Sa délicatesse est à peine exagérée.

— Allie, dit Elsa en prenant le menton de sa sœur. Allie, regarde-moi. Qu'est-ce qu'il y a ?

Mais Alice se contente de se balancer.

— Il faut que tu enlèves ces vêtements mouillés, continue Elsa en déboutonnant le reste du corsage et en défaisant sa jupe.

Dans la malle, elle trouve une serviette propre pour sécher les cheveux d'Alice, elle lui essuie le cou et les bras. Une fois Alice enveloppée dans une couverture, Elsa s'accroupit devant elle et lui prend les mains :

— Allie, il s'est passé quelque chose ?

Les yeux d'Alice décrochent de leur regard intérieur et s'ouvrent à ce qui l'entoure, à Elsa.

— Je veux dire, avec Beazley...

Cette fois, c'est un éclair qui passe dans ses prunelles :

— Beazley ne t'aime pas, il ne t'aime pas !

Il y a tant de haine dans sa voix qu'Elsa manque de tomber à la renverse. Mais le bout de ses doigts, d'instinct, s'avance vers la joue d'Alice.

— Allie.

Alice tressaille, puis donne un coup à Elsa, lui griffe le cou.

— Il aime Alice ! Tu m'entends ? s'écrie-t-elle d'une voix où l'amertume se mêle à la tristesse. Il aime Alice !

Elsa est assise à sa table au bord de la plage. Devant elle, Edward, qui a essuyé la pluie sur son visage, transpire. Des taches rouges sont apparues sur ses joues. Alice dort à présent, sous sa tente.

— Je ne suis pas un malade mental, dit-il. Je vous en supplie, ne me regardez pas avec ces yeux. Je ne suis pas un pervers.

Elsa garde le silence.

— Vous m'avez demandé de m'occuper de votre sœur, je vous ai obéi. J'ai veillé sur elle. Vous m'avez demandé de l'aimer et c'est ce que... Mais je n'ai jamais rien fait ! s'exclame-t-il en sortant un mouchoir de sa poche pour s'éponger le front. Elle joue, vous savez, à ses petits jeux. Elle m'embrasse. Elle joue, Elsa. Ce ne sont que des jeux. Vous ne pensez quand même pas que j'aurais un geste inconvenant...

Elsa le croit volontiers, sauf que quelque chose la dérange, quelque chose d'indéfinissable, quelque chose qui la dépasse.

Il froisse son mouchoir dans son poing.

— Je me suis toujours efforcé d'être un homme bon, Elsa. Je sais que je n'ai rien de séduisant, ni même d'amusant, que je manque d'ardeur, mais je suis bon. J'aurais espéré qu'après tout ce temps vous en seriez convaincue. Je vous en prie, reconnaissez au moins cela.

Elsa contemple le ciel – un dôme bleu pâle. Un homme bon. Oui, et alors ? Chercherait-il à se faire consoler ? A ce qu'elle le rassure sur son propre compte ?

Edward lève à son tour les yeux vers le ciel, puis il regarde l'herbe, puis il la regarde elle.

— Elsa, je ne me berce d'aucune illusion. C'est l'avantage d'être un perpétuel étudiant. Je suis lucide, je ne laisse pas mes désirs m'aveugler. Vous savez aussi bien que moi que vous n'avez jamais eu envie de m'épouser. Cela a toujours été on ne peut plus clair. Vous n'auriez jamais accepté ma main s'il n'y avait pas eu Alice à protéger.

Elsa ouvre sa main devant son visage et examine le réseau de lignes et de sillons tracés dans sa paume.

— Je suis peut-être un vieillard, mais pas un idiot, Elsa. Je connais votre point de vue. Je l'ai su d'emblée.

En effet. Tout ce qu'elle avait jamais demandé, c'était qu'ils se tolèrent, qu'ils soient gentils l'un avec l'autre, un point c'est tout.

— Que souhaitez-vous ? Que je vous présente mes excuses ? Parce que j'ai beaucoup d'affection pour Alice, ce qui était ce que vous vouliez, non ? Eh bien, non ! Vous ne pouvez pas nous contrôler. Vous ne pouvez pas dicter la conduite de trois personnes. Préféreriez-vous qu'elle montre vis-à-vis de moi la même indifférence polie que vous ? Vous ne pouvez pas prendre cette décision à sa place...

Il marque une pause, comme s'il cherchait à rassembler ses pensées.

— ... Elsa, personne ne m'a jamais aimé. Je sais que vous m'estimez, mais je ne suis pas le genre d'homme dont on tombe amoureux. Mais Alice, si, elle m'aime, et je me refuse à la repousser sous prétexte qu'elle n'est pas comme les autres, ou parce que vous n'aviez pas prévu cela dans votre programme. Comment les sentiments d'Alice pourraient-ils se dresser entre nous puisque vous vous êtes assurée, dès le départ, à ce qu'il n'y ait *rien* entre nous... ? Vous m'entendez ? Elsa ?

Elsa se rappelle une phrase de son père. « Le vieux Beazley a eu sa part de chagrin amoureux. De quoi l'envoyer jusqu'au continent africain. » Un chagrin si grand qu'il en a été réduit à chercher le bonheur auprès d'une jeune fille incapable de lui faire du mal ?

— C'est vrai, dit Elsa, les lèvres rigides, la langue pâteuse, chaque mot telle une pierre. *Alice-vous-aime.*

Elle contemple le front plissé d'Edward, ses joues creuses. Il a l'air d'un homme qui attend l'absolution. Et c'est elle qui est censée la lui donner ? Une fois de plus, elle se retrouve dans la position de celle qui donne. Ce serait si facile de tout laisser là, de les laisser, Edward, Alice, elle-même. Au bout du compte, qu'est-ce qui l'oblige à être bonne, aimante, hormis sa propre volonté ? Le devoir n'appartient pas à la sphère du concret, mais du sentiment. Elle prend une grande inspiration. Cela semble si terrifiant, si simple. Elle sent ses lèvres qui se retroussent en un sourire nerveux :

— Mais Alice a l'âge mental d'un enfant.

— Elsa.

— Elle ne peut pas vous aimer. Edward, vous ne devez pas vous méprendre.

— Vous-même affirmez toujours qu'elle comprend plus que...

— Amentia, folie, idiotie. Donnez-lui le nom que vous voulez. Cela n'empêche...

— Je vous en prie, Elsa.

— Vous ne saisissez pas ? Après tout ce temps ? Avec tous

vos diplômes et vos livres et vos études anthropologiques, vous ne pouvez pas la voir sous son vrai jour ? Pourquoi ne l'étudiez-vous pas ? Posez-lui des questions et on verra à quelle théorie vous finirez par aboutir. Vous n'auriez même pas à voyager. De la recherche en-chair-in-situ, Edward. Ecrivez cinq cents feuillets sur le sujet, dressez un glossaire, mais tout cela ne voudra dire qu'une seule chose...

— Arrêtez.

— Une idiote !

C'est le mot couramment employé. Elle scande chaque syllabe en frappant la table du plat de sa main.

— Une idiote !

Edward l'empoigne par les épaules.

— Arrêtez, Elsa. Arrêtez !

Elsa se libère d'une secousse, puis s'effondre sur la table, vidée de toute énergie.

Une larme roule sur la joue anguleuse d'Edward, reste accrochée aux poils supérieurs de sa barbe. Il secoue la tête comme pour s'en débarrasser, ne réussissant qu'à en libérer une nouvelle.

— Vous cherchez à me faire honte ? Je vous assure que rien de ce que vous pouvez me dire ne sera aussi dur que ce que je me suis dit à moi-même, déclare-t-il en baissant les yeux. Je ne nierai aucune accusation que vous proférerez contre moi. Mais n'en faites rien. Ne faites pas cela à Alice. Vous l'aimez, Elsa. Je n'en ai jamais douté une seconde. Mais...

Il lève les yeux et cherche son regard.

— ... Je pense que vous ne la comprenez pas vraiment.

— C'est vous que je ne comprends pas.

— Que voulez-vous que je vous dise ? Tout ce que je peux vous déclarer, c'est que c'est vrai. Aucune dispute, aucune explication, n'y changera quoi que ce soit. Alice est furieuse contre vous, à cause de ce que vous possédez et de ce qu'elle n'a pas.

Alice, amoureuse de lui ?

— Non, dit-elle.

— Peut-être l'aimez-vous trop pour vous résoudre à vous mettre à sa place, à imaginer sa souffrance.

Elsa gratte l'égratignure dans son cou, le sel sur ses doigts brûlants réveille la petite plaie.

— Elsa, je tiens à ce que vous sachiez que j'ai été ferme avec elle. Je lui ai dit que je ne pouvais pas être comme un mari pour elle. Mais alors, elle crie qu'elle vous déteste. Ce n'est pas vrai, bien sûr, mais elle trouve que c'est injuste. Elle veut la même chose que vous. Elsa, vous la connaissez depuis qu'elle est toute petite et vous la considérez toujours comme une enfant, mais elle n'en est pas une. Elle est en partie une femme. Une femme jalouse.

— Une femme ? Je crois que vous laissez votre désir vous égarer.

— Elle a plus de jugement qu'on le croit, c'est vous-même qui le dites. Pourtant vous refusez de reconnaître qu'elle peut avoir une certaine lucidité sur son infirmité. Alice sait qu'elle est différente. On aura beau lui prodiguer de l'amour et des encouragements, rien ni personne ne l'empêchera de se rendre compte de ce dont on l'a privé.

— Privé ?

— Ce n'est pas une accusation.

— C'est quoi, alors ? Depuis le jour de sa naissance, et je pèse mes mots, elle a été choyée, soignée, divertie...

— Vous voyez. Vous n'arrivez pas à différencier ses propres désirs de ceux que vous êtes apte à satisfaire. Vous considérez que son bonheur, sa santé, son bien-être, tout cela dépend complètement de vous. Je sais quels sacrifices vous avez consentis pour elle. Vous pouvez prendre toutes les meilleures décisions du monde, vous sacrifier indéfiniment, personne ne parviendrait jamais à apporter à quelqu'un d'autre tout ce que vous pensez pouvoir apporter. Surtout à Alice. Elle sera toujours poursuivie par un manque et une tristesse auxquels vous ne pouvez rien. Vous laissez ce garçon l'aimer, Boîte-à-biscuits. Alors que vous avez un mari, un homme qui...

— Alice aime beaucoup Boîte-à-biscuits, proteste Elsa, sachant que ce n'était pas ce qu'il voulait dire.

— Elle voulait être sous notre tente avec nous. Elle se sent seule.

— Alice... amoureuse de vous. De quiconque. Et jalouse de moi. Et qui me déteste.

— Elle ne vous déteste pas.

— C'est pour elle que je suis ici, déclare-t-elle en indiquant l'île d'un geste.

— Je sais, réplique Edward sans colère. Et... je crois qu'elle en est consciente.

Elsa se refuse à le croire ; c'est trop.

— Je vous aime, Elsa, quels que soient vos sentiments à mon égard.

Elle voudrait lui dire quelque chose d'agréable, de réconfortant, mais elle n'en a pas la force. Elle-même ne sait pas ce qu'elle ressent pour lui.

— Je ne peux pas rester dans la même tente que vous, lance-t-elle.

— Elsa, vous avez été une compagne charmante.

Elle est sur le point d'ajouter : « et pratique », mais, devant ses yeux gonflés, elle se retient. Toute l'amertume de ses précédentes remarques lui monte à la gorge.

Ils restent assis en silence, les échos de leur conversation planant au-dessus d'eux. Elsa finalement se lève et monte doucement la pente en surplomb du campement. Elle se couche dans l'herbe rêche, écoute les vagues lécher le rivage. Elle ferme les yeux et s'efforce de se rappeler ce qu'elle était avant son arrivée sur l'île, avant son mariage avec Edward, avant la mort de son père. A quoi ressemblait-elle ? Etait-elle vraiment gentille avec Alice ? Des images lui reviennent à flots : toutes les deux à bicyclette l'après-midi dans St Albans, dans le cabinet du Dr Chapple, se promenant dans Hyde Park sous la pluie, s'embrassant dans le noir. Comprenait-elle Alice ? Et Alice... Etait-elle plus heureuse depuis qu'elle se trouvait sous la tutelle d'Elsa ? Sa tutelle... se répète-t-elle, le mot tournant dans sa tête, dans sa mémoire. Une brise, apportant la fraîcheur du soir, souffle dans son visage. Lentement, le ciel s'obscurcit, les ténèbres suintant comme du goudron au bord de l'horizon.

— Elsa !

Le lendemain matin. Elsa est étendue, de nouveau, au sommet de la colline. Elle sait que Kasimiro attend sa visite, mais elle est trop fatiguée pour bouger. Elle a l'impression que cela fait des mois qu'elle s'est rendue dans la colonie de lépreux, enthousiaste rien qu'à la perspective de traduire une petite tablette. Comme elle était contente, cheminant à cheval le long du littoral, le *kohau* sur les genoux. A présent, il lui semble qu'aucune traduction, ni rien d'ailleurs, ne pourra plus lui procurer pareil plaisir. Elle ne peut pas se résoudre à descendre au campement et à revoir Alice, pas encore.

— Elsa !

Edward l'appelle d'en bas de la pente. Lui parvient le bruit de ses bottes grimpant la colline et de sa respiration haletante.

— Je me repose.

Ce n'est qu'un murmure, elle se le dit à elle-même, tout en fermant les yeux. Les symboles du *rongorongo* flottent devant elle, tels des nuages se formant et s'effaçant tour à tour.

— Elsa.

Sa voix, cette fois, part d'un point au-dessus d'elle.

— S'il vous plaît. Je descends bientôt. Je voudrais juste rester seule encore un petit moment.

— Il faut vous lever.

— Edward.

— Rien que pour me rassurer sur ma santé mentale. Il faut que vous voyiez cela.

A contrecœur, elle soulève les paupières. Les symboles disparaissent, remplacés par le ciel gris, l'herbe. Elle n'a pas envie de se trouver ici. Peu lui importe quelle nouvelle sterne inconnue de lui il a repéré, quelles marques étranges il a trouvées sur un *moai*. Elle n'a cure de ses excuses et de ses regrets. Elle a besoin de solitude, mais n'a pas la force de lutter contre lui. Le visage d'Edward, plissé par la perplexité, se balance au-dessus d'elle.

— Je dois être en train de devenir fou, dit-il.

— Oui.

— Elsa, je vous en supplie. Asseyez-vous.

Elsa exhale un soupir :

— Bon. Mais quoi ?

— Dites-moi. Je vous en prie. Voyez-vous ce que je vois ?

Edward montre du doigt la mer.

Elle se redresse sur ses coudes et regarde l'Océan en contrebas. Ce qui ressemble fort à une flotte de navires de guerre se dirige rapidement vers l'île.

20

La Sociedad de Arqueología de América del Sur a fait savoir qu'une petite conférence était prévue sur l'île en octobre au cours de laquelle les quatre chercheurs présenteraient leurs travaux les uns aux autres et à tout insulaire ou touriste souhaitant venir les écouter. A des fins d'organisation, la SAAS mandatait Isabel Nosticio, une Argentine entre deux âges, dépourvue de sens de l'humour mais plutôt séduisante, dont l'abondante chevelure balayait les reins, toujours habillée en rose et maquillée comme un pot de peinture. Après toute conversation, qu'elle ait porté sur les projecteurs ou les hors-d'œuvre, elle rafraîchissait son rouge à lèvres.

— N'oubliez pas, disait-elle en pinçant ses lèvres l'une contre l'autre, qu'il est dans l'intérêt de la communauté pascuane que nous travaillions de conserve. Sa tâche principale consistait à s'assurer que les scientifiques, ces excentriques qui arpentaient les couloirs de la SAAS, parviennent, au bout du compte, à produire une image de la Sociedad efficace, charitable, et pro-Rapa Nui. Car à la suite de la requête que les Pascuans avaient adressée au Chili pour exiger le droit de propriété des terres en dehors de Hanga Roa, la conférence, manifestement, devait avoir un effet d'apaisement.

Mahina n'était guère impressionnée.

A Greer, qui prenait son petit déjeuner dans la salle à manger, elle déclara :

— Ils vous demandent de nous parler de votre travail, du travail qu'ils ont décidé, eux, pour que nous ne nous plaignions pas à leur gouvernement. *Pasto !*

— Je suis désolée, répondit Greer en baissant sa tasse de thé et en se tournant vers Mahina, assise à la table voisine, buvant pour sa part un grand verre de nectar d'abricot.

Chaque matin, elles prenaient ainsi leur repas ensemble, au lever du jour, Greer étant la première levée parmi les clients. Mahina allait ramasser des œufs dans le jardin et cueillir des fruits aux arbres. Après quoi Greer entendait les coquilles qui se brisaient dans la cuisine, le bruit rythmé du couteau tranchant des quartiers de goyave. Elle ne pouvait s'empêcher de penser que Mahina aurait fait une excellente scientifique. Précision et protocole gouvernaient sa vie.

— C'est notre île, continua Mahina, qui, par goût des convenances, refusait toujours de s'asseoir à la table de Greer, si bien qu'elles se parlaient comme deux voyageuses chacune vissée à sa place.

Au fil des mois, Greer avait appris que Mahina avait ouvert la *residencial* six ans plus tôt, quand avaient débuté les vols de Lan Chile. Avant cela, elle avait été maîtresse d'école et avait veillé à apprendre aux enfants pascuans le rapa nui. Parfois, quand elles se trouvaient ensemble dans la rue, des jeunes s'approchaient d'elle avec un respect marqué, manifestement d'anciens élèves. Mahina avait été sans aucun doute une institutrice exigeante mais stimulante. Ses connaissances concernant le folklore de l'île étaient encyclopédiques, et elle prenait son rôle de dépositaire de l'histoire de l'île très au sérieux. Elle demandait à Greer de transcrire les légendes qu'elle lui récitait, puis les relisait attentivement. Au cours des dernières semaines, préoccupées par les nouvelles différées du coup d'Etat militaire au Chili, elles discutaient souvent politique, en particulier des conséquences possibles du putsch sur l'île. Chaque jour Greer sympathisait davantage avec la cause pascuane, même si elle savait qu'il n'y avait pas grand-chose à faire. Le Chili, quel que soit le pouvoir en place, était trop vaste, trop puissant, et l'île de Pâques trop petite pour vivre indépendante. Un navire marchand passait chaque année ramasser la laine des fermes pascuanes. Si le Chili n'avait plus de laine à récolter, pourquoi enverrait-il un navire ? Et dans ce cas, qui les approvisionnerait en ciment, meubles, nourriture ? Cela dit, leurs conversations ne tournaient pas autour de ces considérations utilitaires, mais planaient dans les hautes sphères des idées politiques et du droit à la liberté. Aborder des problèmes logistiques, semblait-il à Greer, serait malvenu.

— C'est une injustice, déclara Greer.

— Connaissez-vous ces difficultés, en Amérique ?

— Oh, mais bien sûr, répondit Greer en coupant un bout d'omelette. Il y a longtemps, nous nous sommes battus contre les Anglais pour obtenir l'indépendance. Cela, au moins, c'était clair et net. Mais aujourd'hui, nos problèmes sont beaucoup plus compliqués. Ce qui est drôle, c'est qu'aux Etats-Unis, le mot « révolutionnaire » a des connotations négatives. Pourtant nous étions bel et bien des révolutionnaires.

— Con-no-ta-tions ?

— Un sens particulier du mot, un peu comme un sous-entendu. Par association.

Mahina écrivit le mot dans son calepin – chaque matin, elles s'échangeaient du vocabulaire : anglais contre rapa nui, rapa nui contre anglais.

— Con-no-ta-tion, énonça Greer. C'est un joli mot. Mais, je vous assure, vous pourriez faire le tour des Etats-Unis sans jamais avoir l'occasion de le prononcer.

— Si seulement je pouvais voyager ! dit Mahina, s'animant tout à coup. J'aimerais avoir assez d'argent pour aller quelque part. Les gens qui viennent ici sont originaires d'un peu partout. D'Allemagne, d'Australie, du New Jersey. J'ai de la chance de rencontrer tout ce monde. C'est vrai.

Mahina regarda Greer et prononça, lentement, un de ses nouveaux mots anglais :

— Privilégié.

Greer approuva de la tête.

— Dieu est miséricordieux avec moi. Pourtant, cela me plairait d'aller quelque part...

— Et Santiago ? Pourriez-vous aller là-bas ?

— C'est une question d'argent, répondit Mahina. J'ai ces vieux livres anglais. Je pourrais les vendre, qu'en dites-vous ?

— Cela dépend de leur valeur. Il y a un marché pour les livres anciens. Je pourrais essayer de trouver un libraire spécialisé aux Etats-Unis.

— Oui, mais de toute façon, je ne peux pas partir. Je dois attendre le retour de Raphael.

— Raphael ?

— Mon mari.

— Votre mari !

En cinq mois, Mahina n'avait pas une seule fois fait allusion à l'existence d'un mari !

— Quand vous êtes-vous mariée, mon dieu ? ajouta Greer.

— Oh, *treinta y cinco*...

— Trente-cinq ?

— Il y a trente-cinq ans. Samedi.

— Mais où est-il ?

— A Tahiti.

— Sera-t-il de retour pour fêter l'anniversaire de votre mariage ?

— Je l'espère, dit-elle avec force hochements de tête. Il a promis que si Tahiti est aussi beau qu'on le dit, il reviendra me chercher.

— Il est votre explorateur.

— *Sí, sí*, acquiesça-t-elle en regardant par la fenêtre.

Le soleil soudain en plein sur le visage, elle ferma les yeux.

— Mais la *residencial* ? Votre maison ? Vous l'abandonneriez pour aller à Tahiti ?

Mahina haussa les épaules, rouvrit les yeux.

— Ne parlons plus de lui.

Sur ce, elle posa sa fourchette et son couteau sur son assiette vide, et essuya la nappe avec sa serviette.

— Vous savez, reprit Greer, à mon avis, Ramón a un faible pour vous.

— Un faible ?

— Vous lui plaisez. Il n'a d'yeux que pour vous.

Mahina secoua la tête :

— Ramón est le frère de mon mari.

— Cela n'empêche pas qu'il peut vous regarder ainsi.

— Ramón ?

— Oui, Ramón. Vous n'avez rien remarqué ?

Mahina laissa échapper un « humph », puis enchaîna :

— Et vous, *doctora* ? Vous aussi vous avez un faible, je crois. *Amor* pour la *doctora*, non ?

— Moi ?

— Moi ? La *doctora* joue à l'innocente ! Vicente, *doctora* ! Il est toujours à vous laisser des livres, un petit mot, un petit truc.

— C'est juste un collègue. Il veut se rendre utile.

— Vous n'êtes pas mariée. Qu'y a-t-il de mal ? Il ne vous plaît pas ? Il est trop petit, c'est ça ? Les Chiliens sont tous petits, c'est vrai. Pas comme les Rapa Nui.

— Non, Mahina, il n'est pas trop petit.

Il était plus grand que Mahina, et plus grand que Greer. Mais cette dernière ne put s'empêcher de rire, amusée à l'idée qu'après avoir passé des mois à s'interroger sur ses sentiments, la réponse tournait peut-être autour d'une question aussi simple que celle de sa taille.

— J'ai été mariée.

— Votre mari vous a quittée ? interrogea Mahina en penchant la tête de côté.

— Il est mort. Il y a dix mois. D'une crise cardiaque.

— Oh, ma pauvre *doctora*, dit Mahina en se levant et en se postant derrière Greer. C'est si triste.

Elle souleva les cheveux de Greer, les repoussa sur le côté et entreprit de lui masser les épaules. Puis elle posa son menton sur le haut de la tête de Greer. Engourdie par son parfum au gardénia, puissant et sucré, Greer sentit ses paupières s'alourdir. Elle ne s'était pas attendue à un soulagement de cette nature – un aveu, l'amitié de Mahina, une caresse.

— Merci, dit Greer.

— *Doctora*. Ne vous sentez jamais seule.

*

Ce que Mahina avait dit à propos de Vicente était exact : il venait souvent, avec des livres, des journaux, des articles. Il avait procuré à Greer toute la littérature dont elle pouvait avoir besoin. Au cours des dîners hebdomadaires des chercheurs, ou lors de ses visites au labo, il la tenait au courant des derniers développements de ses recherches sur le *rongorongo* et l'épisode des Allemands. Elle connaissait même les détails de sa routine. Le matin, il faisait sa gymnastique sur la plage. Le soir, les jours où l'avion de Lan Chile atterrissait sur l'île, il lisait le journal au bord de la *caleta* en compagnie de Mario et Petero, échangeant avec eux les feuilles une fois lues autour d'une bouteille de Pisco. Greer, en réalité, savait sur le bout des doigts l'emploi du temps de tout un chacun. Ramón jardinait chaque matin après le petit déjeuner ; il prenait un plaisir infini à tailler ses avocatiers et ses goyaviers, à couper les fleurs fanées de ses plantes, à arpenter les travées entre ses maniocs. En passant devant l'Espíritu, elle entendait Sven chanter sous sa douche. Il était difficile de préserver son intimité sur cette petite île. Au bout de cinq mois, les gens savaient tous où se rendait Greer, et ce qu'elle y faisait. Deux fois par semaine, elle faisait ses courses chez Mario, le rouquin rencontré le premier jour. Une fois par semaine, elle descendait jusqu'au *correo* poster des demandes concernant sa recherche. Elle puisait un réconfort dans cette régularité, dans la chaleur des salutations qui émaillaient son laborieux quotidien.

Le soir, après le dîner à la *residencial*, Greer retrouvait parfois les autres clients pour écouter les histoires de l'île que racontait Mahina, ou pour offrir son expertise sur ce qu'il y avait à voir d'un point de vue touristique. Mais en général, elle se retirait dans sa chambre, prenait un longue douche, puis se couchait avec un livre. Elle relisait à présent le journal du capitaine Cook. Il avait abordé cette côte en 1774, environ cinquante ans après Roggeveen :

> « ... *Tandis que le navire se rapprochait du rivage, un des indigènes se mit à nager à sa rencontre, et insista pour grimper à bord, où il demeura deux nuits et un jour. Il commença tout de suite à mesurer, de la poupe à la proue, la longueur du navire en nombre de brasses ; tandis qu'il comptait ses brasses, nous observâmes qu'il prononçait les chiffres comme à Otaheite ; néanmoins, la langue qu'il parlait nous sembla totalement incompréhensible...*
> *Avant de quitter l'Angleterre, je fus informé qu'un navire espagnol avait visité l'île en 1769. On en décelait des souvenirs parmi les gens qui nous entouraient ; un homme était coiffé d'un chapeau européen à larges bords, un autre avait une veste en toile courte et encore un autre, un mouchoir en soie rouge. »*

Greer posa son livre et regarda le rideau gonflé comme une voile par la brise. Ses yeux glissèrent ensuite sur la table de chevet en osier, la table en acajou, la plaque de la Vierge Marie suspendue au-dessus de sa tête. Il n'y avait pas que l'écosystème qui souffrait de l'isolement de l'île. Les objets ne disparaissaient pas, ils changeaient de main. Tout ce qui se trouvait dans sa chambre resterait ici. Ce mouchoir en soie rouge et la veste en toile, ils étaient encore sans doute enfouis au fond d'un placard pascuan.

> *« Ils paraissaient aussi savoir à quoi servait le mousquet, et s'en méfier beaucoup. Sans doute une expérience gagnée auprès de Roggeveen, qui, à en croire les auteurs de ce voyage, leur a laissé un nombre suffisant de gages d'amitié.*
> *... Sur presque toute sa surface, le sol n'était qu'une terre désolée, faite d'argile desséchée, et recouvert de cailloux...*
> *Sur le versant oriental, au bord de la mer... trois plates-formes de pierre taillée, ou plutôt ce qu'il en restait. Sur chacune se dressaient quatre de ces grandes statues ; ou plutôt elles étaient toutes tombées sur les deux premiers, et une seule était couchée sur le troisième ; toutes sauf une s'étaient brisées dans la chute et dans une certaine mesure défigurées... »*

Greer avait aussi noté ceci : la plupart des *moai* avaient déjà été renversés en 1774. Alors que Roggeveen les avait vus debout. Dès lors, leur chute avait dû se produire entre sa visite et celle de Cook, autrement dit entre 1722 et 1774. Si une catastrophe naturelle en avait été la cause, ce n'était pas la même qui avait ravagé le couvert végétal, puisque Roggeveen lui-même avait constaté la désolation du paysage. Qu'était-il donc arrivé ? On se serait attendu à ce qu'un cataclysme de cette ampleur soit transmis par la tradition orale de l'île, et pourtant on n'en entendait jamais parler. Etait-ce l'œuvre des Pascuans eux-mêmes ? Après avoir passé toutes ces années à les sculpter et les transporter ? A travers l'histoire, des monuments avaient été détruits, des églises brûlées, des idoles réduites en morceaux, des portraits défigurés, mais toujours par des actes de violence perpétrés par des mains ennemies, des envahisseurs, des usurpateurs.... Les Européens n'avaient pas touché aux *moai*. Mahina avait bien évoqué l'existence de deux tribus adverses sur l'île : les longues-oreilles et les courtes-oreilles. L'une avait-elle soumise l'autre à son autorité ? Quoi qu'il en soit, pourquoi démolir ce que l'île avait de plus beau ? Les chercheurs occidentaux se perdaient en conjectures sur la construction de ces colosses, stupéfaits qu'un peuple primitif eût les moyens d'ériger et de transporter des idoles aussi superbes. Mais comment un peuple, quel qu'il fût, pourrait supporter de les voir jetés à terre ? C'était la question la plus captivante, en fait. Greer poursuivit sa lecture :

« *Pas plus de trois ou quatre pirogues furent aperçues dans l'île ; et elles étaient toutes fort étroites et constituées de pièces disparates cousues ensemble avec une fibre mince. Elles ont environ dix-huit ou vingt pieds de long, leur poupe et leur proue sont sculptées et légèrement rehaussées, et elles sont très étroites et équipées d'avirons. Elles ne semblent pas pouvoir transporter plus de quatre personnes, et ne sont en aucune manière bâties pour le voyage au long cours...*
A l'occasion de cette excursion, comme la veille, nous n'avons aperçu que deux ou trois petits buissons. Les feuilles et les graines de l'un d'eux (que les indigènes appellent tor-romedo*) rappelaient celles de notre vesce des haies ; mais les gousses s'apparentaient plutôt en taille et en forme avec celles du tamarin. Les graines ont un goût amer ; et les indi-gènes, en voyant nos hommes en mâcher, leur ont fait signe de les recracher ; d'où nous avons conclu qu'elles étaient empoisonnées. Le bois présente une couleur rougeâtre, et il est dur et lourd ; mais très tordu, petit et court, pas haut de plus de six ou sept pieds. Au sud-ouest de l'île, ils ont trouvé un autre buisson, dont le bois était blanc et friable, tout comme ses feuilles, qu'on aurait dit en cendres. Ils ont vu aussi à plusieurs endroits la plante à tissu otaheitienne, mais celle-ci sans vigueur, et haute d'à peine deux pieds et demi. Ils n'ont pas vu un seul animal, et très peu d'oiseaux ; ni rien qui puisse pousser des navires à atterrir sur cette île s'ils n'y sont pas contraints par une absolue nécessité...* »

De nouveau, Greer prit note qu'ils avaient remarqué la pré-sence de toromiros, une plante de la famille des fabacées appa-rentée sans doute au mûrier dont l'écorce sert aux Polynésiens à fabriquer leurs tissus *tapa*. Ses pensées furent interrompues par des voix en provenance de la cour : une femme et un homme. La première s'exprimait en espagnol, et quoique Greer entendît mal, elle était presque certaine qu'il s'agissait d'Isabel Nosticio. Cette dernière, tout en étant une des clientes de Mahina, n'était jamais là le soir. Greer sortit du tiroir de sa table de chevet deux petits morceaux de mouchoir en papier dont elle fit des boules qu'elle s'enfonça dans les oreilles.

« ... Nulle nation ne se battra pour la primeur de la découverte de cette île, car aucune terre n'est moins accueillante au mouillage. Elle ne présente ni point d'ancrage solide, ni bois pouvant servir de carburant, ni eau potable valant la peine d'être embarquée. La nature a été parcimonieuse à l'extrême avec ce coin du monde. »

Greer posa un marque-page dans le livre ouvert avant de le refermer. Elle songeait à l'amiral von Spee, lequel était devenu, comme prévu, la dernière lubie de Vicente, qui pour l'heure avait un peu oublié le *rongorongo*. Vicente était de ces hommes constamment en proie à de nouvelles obsessions ne satisfaisant jamais son insatiable appétit : le ballon à air chaud, la cryptographie, l'histoire militaire allemande. Pour l'heure, l'escadre de von Spee le maintenait en haleine, et il ne parlait plus que de cela, se demandant sans cesse ce qu'ils avaient bien pu embarquer, tant et si bien que Greer à son tour sentait son imagination s'enflammer. Une flotte de navires de guerre jetant l'ancre au large de l'île, des dizaines d'officiers allemands se promenant au milieu des *moai*. Mais la question qui la taraudait tandis qu'elle sombrait doucement dans le sommeil était la suivante : si les marins en général trouvaient l'île si inhospitalière, pourquoi ces Allemands y avaient-ils fait escale ?

Au dîner de la SAAS le lendemain soir à l'hôtel Espíritu, Greer montra à Vicente le passage dans le journal de Cook.

— Je suis d'accord avec vous, Vicente. Quand on y réfléchit, qui serait assez fou pour débarquer ici afin de réapprovisionner une flotte entière ? De combien d'hommes s'agissait-il ?

— Deux mille.

— Ils n'auraient pas pu choisir plus pauvre port d'escale.

— A moins, sourit Vicente, qu'ils n'aient cherché à stocker autre chose que du charbon et des vivres frais.

— Ou, intervint Sven, s'ils espéraient se cacher. Au cas où vous n'auriez pas remarqué, on est loin de tout ici. Un bon refuge pour une flotte qui a la planète entière aux trousses.

— Vous verrez, déclara Vicente d'un ton calme, j'en attends la preuve, des papiers qui indiqueront où sont allées les tablettes.

La phrase rituelle de Vicente. Il n'en démordait pas, à croire qu'aucun doute ne venait jamais le visiter.

Cependant, Greer approuvait cette théorie.

— Voyons. L'amiral von Spee était un homme expérimenté. Un naturaliste. Il décrivait la flore et la faune de tous les lieux où il venait à stationner. Comment n'aurait-il pas lu le journal de Cook ? Il était de son devoir de parer à tous les dangers. On ne se le figure pas jetant l'ancre à tout hasard.

— Vous ne devriez pas alimenter sa folie, taquina Sven. Vous êtes trop indulgente avec lui.

— Il se trouve qu'elle a raison, se défendit Vicente. Si von Spee est venu ici, c'est pour une seule et unique raison : le *rongorongo*.

— Toi aussi, rétorqua Sven en riant. Mais cela ne veut rien dire.

— Bien. Et si on changeait de sujet, claironna Greer.

C'est ainsi qu'étaient circonscrits leurs dîners : chacun avait droit à cinq minutes sur son travail. Sinon, c'était parti pour des discussions sans fin.

— Les mystérieux carottages ? lança Vicente.

— Ils n'ont toujours rien perdu de leur mystère, répondit Greer. C'est la même chose que la semaine dernière, et que la semaine d'avant. Je compte les graines. C'est lent, c'est rasoir. Je vous passe les détails.

Greer saupoudra un peu de sel et de poivre sur son assiette de poulet, puis tira vers elle la coupelle pleine de la dernière en date des mixtures de Sven : coriandre fraîche et confiture de mangue. La monotonie de leur régime au poulet les incitait à savourer toute innovation, même les plus étranges. Elle trempa une bouchée de poulet dans la sauce. C'était sucré, légèrement épicé.

— Pas mauvais, Sven.

— Ce qui serait vraiment bon, ce serait du saumon mariné en gravlax, avec des pommes de terre hasselbach...

— Venons-en à cette conférence, dit Vicente. La *señorita* Nosticio m'a demandé d'intervenir en premier, et je voudrais m'assurer que vous êtes d'accord.

— Tu crois vraiment que les gens vont venir ? interrogea Sven. Je me vois déjà en train de pérorer devant vous trois.

— Comme pendant nos dîners, dit Greer.

— Touché.

— Je blaguais.

Mais en son for intérieur, elle espérait que la salle ne serait pas vide. L'idée de participer à une conférence lui plaisait.

— Les gens vont venir, Sven. Mario et Petero, en tout cas, et Mahina. D'autres aussi. Mais d'abord : tout le monde est-il d'accord pour que j'inaugure la soirée ?

Ils venaient de déterminer une bonne fois pour toutes l'ordre de préséance : Vicente, Sven, Burke-Jones et Greer, quand Luka Tepano vint à passer par là. Greer l'apercevait souvent devant chez Mahina ou l'Espíritu, toujours l'air dans la lune. Parfois, quand elle descendait jusqu'à la *caleta* la nuit pour regarder la mer, elle le voyait assis sur les rochers. Ce soir, il tenait un bouquet de marguerites.

— Voilà bien le bouquet le plus triste que j'aie jamais vu, soupira Sven. Aucune femme n'a envie d'en recevoir de pareil, même une femme des cavernes.

— C'est la pensée qui compte, dit Vicente. Pour les femmes.

Et il se tourna d'instinct vers Greer.

— Je me fais le porte-parole de toutes les femmes pour dire : oui, vous avez raison.

— Les hommes sont pareils, observa Vicente. Tout le monde. C'est la pensée.

— Belle pirouette, Vicente, opina Sven avec un grand sourire. Tu aurais dû être diplomate.

— Vous serez contents d'apprendre que je l'ai envisagé.

— On offre des fleurs parce que c'est joli, et si simple. Elles incarnent la beauté. Pourquoi est-ce que l'on peint des fleurs ? N'est-ce pas, Greer ?

— Je ne sais pas.

— Ne me dites pas que la spécialiste des fleurs va se défiler.

— Botaniste, Sven. Palynologue. Vous savez bien que je ne suis pas fleuriste !

— Oui, mais la science est truffée de trop de mots techniques. Allez, vous nous donnerez bien votre opinion, rien qu'une petite indication pour nous mettre sur la voie...

— Eh bien, dans mon esprit, la seule qui sait peindre les fleurs, c'est Georgia O'Keeffe.

— Et que faites-vous de Van Gogh et de ses tournesols ? questionna Vicente.

— Je pense que la seule image fidèle que l'on puisse donner d'une fleur est celle d'une fleur unique. La quantité en obscurcit la beauté. Examinez quelque chose de près, et tout vous sera révélé. Une fleur. Un grain de pollen... Même cette île, conclut-elle avec un geste de la main.

— Attention, la taquina Sven, à vous entendre, on croirait que nous faisons œuvre utile ici. Les gens risquent d'être induits en erreur.

— Pourtant, c'est bien ce que nous faisons, répliqua Greer en s'appuyant au dossier de sa chaise avec un soupir, gagnée par une subite fatigue. Même si nous sommes les uns comme les autres dans une impasse, nous posons les bonnes questions ; les questions importantes.

Ils se turent un instant pour méditer sur le sens de leur vie quotidienne, de tous ces mois de labeur minutieux, laborieux. C'était pour eux, surtout pour Greer, une nécessité.

— Je trouve que Greer devrait intervenir la première, dit Sven, pour mettre l'eau à la bouche de notre public.

— J'ai plutôt envie de me faire porter pâle, protesta-t-elle. Je n'ai rien à dire puisque je n'ai rien trouvé.

Burke-Jones se leva tout à coup.

— Je suis fatigué, décréta-t-il.

Et là-dessus, sans attendre les au revoir, il s'éloigna dans la rue.

— Il ne réside pas comme vous à l'Espíritu ? s'étonna Greer.

— Si, mais il aime se balader. Ça le détend.

— Un homme énigmatique jusqu'au bout.

— Nous lui laissons de la marge, fit remarquer Sven.

— Pourquoi ?

— Tu ne lui as rien dit ? s'exclama Sven. Tu la soûles avec ton amiral von Spee mort et enterré depuis soixante ans, mais tu ne lui dis pas un mot de notre collègue ?

— C'est sa femme, dit Vicente en se tournant vers Greer. Elle est morte il y a un peu moins de deux ans. Et depuis, il est ici, à étudier le déplacement des *moai*. Il était architecte à Londres, assez connu. On lui avait commandité un théâtre. Ç'aurait été le plus grand de Londres, mais quand sa femme est morte, il a tout laissé tomber.

— Pauvre Randolph, murmura Greer.

Ils sirotèrent le fond de leur verre, puis tentèrent de relancer la conversation en se plaignant de la SAAS, en se perdant en conjectures sur l'arrivée prochaine du navire chilien qui devait leur apporter des provisions, et en commentant le coup d'Etat de Pinochet. Vicente sortit le journal et le déplia pour leur montrer le gros titre : *La Muerte de Pablo Neruda*.

— C'était il y a cinq jours, dit-il, de tristesse, paraît-il, à voir son pays tomber entre les mains d'un dictateur pareil. On dit en plus qu'il venait de publier un poème sur Rapa Nui.

Cette nouvelle et l'histoire de Burke-Jones les laissèrent songeurs. Ils ne tardèrent pas à se dire bonsoir.

Greer retourna au labo vérifier un échantillon qui trempait dans de l'hydroxyde de potassium. Dans le couloir, elle aperçut de la lumière sous la porte de Burke-Jones. Elle ne lui avait jamais parlé en dehors des dîners de la SAAS, mais à présent, elle se disait qu'elle devrait aller le voir. Après tout, elle savait ce qu'était un deuil, et le désir de fuir. La porte étant entrouverte, elle frappa doucement. Pas de réponse. Elle poussa le battant. Il était affalé sur une table à l'autre bout de la pièce. Ses mains, invisibles, occupées. En s'avançant, elle vit ce qu'il avait devant lui : un paysage miniature – l'île jonchée de *moai* d'une quinzaine de centimètres, d'échelles en cure-dents, des boules de fils à dent. A quoi s'ajoutaient des flacons de colle ouverts, des ciseaux, du carton, du papier fort en couleur et, dans un coin, un seau de papier mâché. Il fredonnait tristement tout en manipulant son île miniature.

— Randolph, appela-t-elle. C'est Greer.

Toujours pas de réponse.

— Randolph, répéta-t-elle.

Ignorait-il sa présence volontairement ? Ou bien était-il si captivé par l'univers qu'il s'était construit à son usage qu'il n'y avait plus dans sa vie de place pour une visiteuse d'une taille normale. De son point de vue, elle ne pouvait sans doute que prendre l'allure d'une géante venue écraser son monde parfait ?

*

La conférence, comme l'avait prédit Sven, fut peu courue. Il avait plu dans la journée – ce qui était inhabituel pour octobre – et les trois rangées de chaises disposées en demi cercle par Isabel Nosticio étaient mouillées, les nappes sur les tables du buffet trempées, et la grande feuille blanche devant servir d'écran pour la projection avait glissé à terre. Cela dit, tout le monde était de fort belle humeur, après deux bouteilles de Pisco Sour consommées à la *caleta* en regardant le retour des bateaux de pêche. Ils remontèrent bras dessus bras dessous le long du rivage jusqu'à la « salle » de conférence, en s'échangeant des anecdotes à propos d'autres symposiums. Sven se vanta d'avoir pratiqué la manœuvre de Heimlich sur un collègue au milieu d'un discours. Vicente avait un jour rencontré trois autres linguistes qui avaient fait un voyage en ballon au-dessus des Andes. Greer ne put s'empêcher de se demander ce qu'ils penseraient de l'histoire de sa soutenance de thèse. En se préparant tout à l'heure dans sa chambre de la *residencial*, elle s'était rendu compte que c'était sa première prise de parole publique depuis ce malheureux événement. En se regardant dans la glace, elle tenta d'apercevoir le reflet de celle qu'elle avait été alors, cette jeune femme sans peur et si confiante, un fantôme dont elle ne gardait qu'un vague souvenir.

Devant l'état du lieu à ciel ouvert où devait se tenir la conférence, ils éclatèrent tous de rire, y compris Isabel, laquelle, en voyant le nombre des spectateurs, commença à comprendre que c'était sans espoir.

Ils prirent chacun leur place, cependant, et Vicente, comme prévu, prit la parole le premier. Il portait une chemise blanche de smoking et une cravate marron. Greer se fit la réflexion qu'avec son attaché-case en cuir, il avait l'air, debout derrière son pupitre, éclairé par les torches, presque d'un acteur, en tout cas d'un personnage habitué à concentrer sur lui les regards.

Vicente ouvrit la séance en se pliant aux formalités d'usage, en espagnol et en anglais : merci à la Sociedad, à Isabel, à ses sponsors, à ses collègues.

— Test. Test.

Vicente tapota sur le micro en souriant.

— Tout le monde m'entend bien là-bas derrière ?

Il n'y avait là qu'une quinzaine de spectateurs, des amis pour la plupart, plus quelques touristes passés un peu plus tôt à la *caleta*.

— Tout là-bas au fond ? A la rangée Z, vous êtes avec nous ?

Les rires fusèrent, même celui d'Isabel.

— Excellent, dit-il. Comme vous le savez tous, ontogénie est une récapitulation de la phylogénie. L'embryon se développe suivant le même processus que la vie. Ce qui est vrai aussi de l'évolution de la race humaine.

Il poursuivit en disant que les grands tournants de l'humanité – la découverte du feu, le début de la mise en terre des morts, les peintures rupestres et l'invention de l'écriture – sont reflétés dans l'histoire de chacun d'entre nous. Pour chacun, en effet, il y a eu une découverte aussi essentielle que celle du feu : celle d'un talent, d'une passion, d'un amour. Et puis est venu le moment où il a fallu enterrer le passé, avant de le représenter et d'archiver ses sentiments sur le monde grâce à l'écriture. Il conclut en reculant sur le podium :

— Le *rongorongo* est le parfait exemple d'un procédé grâce auquel la société protège ses expériences vécues.

Comme on applaudissait derrière elle, Greer se retourna pour voir Mahina debout à l'entrée dans une robe violette. Elle avait lâché sa chevelure qui cascadait sur ses épaules dégagées par un grand décolleté. Greer lui adressa un sourire radieux, et Mahina se faufila entre les chaises, saluant les uns et les autres au passage. Après avoir vérifié que le siège était sec, elle s'assit à côté de Greer.

Sven s'avança jusqu'au pupitre et planta une torche à côté de lui. Vêtu d'un jean et d'un tee-shirt jaune délavé, il n'avait rien dans les mains, ni fiche ni feuille de papier. Après avoir remercié Isabel, il fit un bref exposé sur le thème des volcans et des changements climatiques, se plaignant d'un manque endémique de données satellitaires et d'un surplus de stylos à bille. Il termina en frappant des deux mains à plat sur la table en disant :

— J'en ai plus qu'assez !

Alors qu'il retournait s'asseoir, le rire haut perché d'Isabel sonna dans la nuit.

Ensuite, ce fut au tour de Burke-Jones. Greer ne l'avait jamais entendu parler aussi longtemps. Il avait mis un costume repassé et ses cheveux, dans la clarté des torches, portaient des traces de peigne. D'après la légende, dit-il, les *moai*, une fois achevés, avaient marché jusqu'au bord de l'eau, parcourant depuis la carrière des distances allant parfois jusqu'à dix kilomètres. D'un point de vue scientifique, l'absence de toute marque sur le tuf ou sur les côtés des statues tendrait à indiquer qu'elles ont été déplacées en position debout. D'après lui, cette prouesse aurait été accomplie grâce à des cordages enroulés autour de leur cou qui auraient permis de les faire avancer en les balançant. Il termina en annonçant, les yeux étincelants, qu'il offrirait dès le mois prochain une démonstration de sa théorie. Il espérait que les habitants de Rapa Nui voudraient bien se joindre à lui dans cette reconstitution des exploits de leurs ancêtres.

Greer était la dernière à intervenir. Elle glissa ses pieds dans ses sandales qu'elle avait abandonnées sur l'herbe. L'ivresse du Pisco s'était évaporée. Comme ses recherches étaient encore loin d'avoir abouti, son discours allait être bref. Elle avait passé ces dernières semaines à préparer des échantillons, à centrifuger, à compter les graines connues et inconnues, se contraignant à un labeur qui d'habitude occupe toute une équipe de laboratoire. Elle avait commandé à Kew des livres sur les pollens de Polynésie et des échantillons d'herbier, lesquels n'étaient pas encore arrivés. Il lui fallait encore un bon mois avant d'être en mesure de déterminer la nature de l'ancienne couverture végétale de l'île.

En se présentant au pupitre, elle remercia elle aussi la SAAS et Isabel. Elle salua ses collègues et exprima sa gratitude à Mahina Huke Tima, dont le visage s'éclaira d'une juste fierté. Cet hommage reçut un écho dans l'obscurité du fond de la salle : Ramón, debout derrière les chaises, venait d'applaudir. Il ne regardait pas Greer, mais Mahina.

Greer posa ses feuilles devant elle et commença :

— Une des premières choses que l'on ait comprise à propos de l'évolution, à propos de cette théorie qui cherche à expliquer les changements biologiques, c'est que la clé est l'isolement. Pour que des transformations importantes surviennent dans un organisme, il faut que celui-ci soit tout seul, séparé des autres, de ses parents si vous voulez. Les îles ont longtemps présenté le meilleur terrain d'étude, et Rapa Nui est si isolée du point de vue de sa géographie, si isolée du point de vue de l'histoire humaine, qu'elle est un creuset idéal pour l'observation des modes de spéciation, de migration et d'évolution. En particulier, l'île de Pâques est unique en ce qu'elle manque de toutes les ressources naturelles...

Un silence désapprobateur tomba sur l'assemblée. Greer leva

les yeux pour croiser le regard d'Isabel qui fronçait les sourcils, son presse-papiers serré contre son cœur. Ce que Greer venait de dire ne semblait pas très pro-Rapa Nui. Leur île, à l'en croire, était tout à fait désolée.

— Mais cet inconvénient ne pourrait pas être plus avantageux pour nous, plus parfait !

Elle décrivit à quoi servait le carottage, dans l'espoir de noyer sa remarque péjorative sous un flot de chiffres.

— ... Le taux de graminées par rapport aux fougères à la base du prélèvement remontant à vingt-six mille ans avant Jésus-Christ... Quarante-trois pour cent des graminées et des ptéridophytes à six mètres à l'intérieur du trou de forage primaire...

Quand elle leva enfin les yeux de ses notes, elle vit d'abord le sourire de Mahina, puis elle la vit bâiller. Vicente se frottait les yeux. Greer les remercia de leur attention et rassembla ses affaires.

La voix de Vicente s'éleva dans son dos.

— Vous êtes une femme honnête, Greer. Vous nous aviez prévenu que carotter était une opération longue, fastidieuse et barbante, eh bien, vous n'aviez pas menti.

— Je crois que vous avez bien dormi.

— Ce n'est pas de ma faute. C'est une maladie chez moi. Quand mon cerveau est bombardé de chiffres et de statistiques, il surchauffe et a ensuite besoin de se reposer.

— Ha-ha.

— Cette maladie s'est déclarée à une conférence sur la cryptographie quand quelqu'un a parlé pendant cinq heures de la relation entre les nombres premiers et le cunéiforme. Le sommeil m'a sauve la vie.

— Enfin, Burke-Jones a été si génial, que c'est difficile de suivre après ça.

— Oui, il a été bien, c'est ce que j'ai trouvé aussi.

Ils se tournèrent tous les deux pour chercher des yeux l'intéressé, mais il était déjà parti. Le public se promenait parmi les chaises. Mahina se tenait devant le buffet, une chips à la main. Ramón lui murmura quelque chose à l'oreille, et elle rit.

— Votre logeuse s'amuse, observa Vicente.

— Il l'adore.

— Ah, Ramón. J'ai tout de suite vu qu'il était amoureux d'elle.

— Ils ont l'air de si bien s'entendre. J'aurais voulu l'encourager. Mais cela ne me plaît pas de penser que je deviendrais un suppôt de l'infidélité.

— Il n'est pas marié.

— Mais Mahina, si. Son mari est loin.

Vicente hocha la tête de stupéfaction.

— A... Tahiti ?

— Oui.

— Pauvre chère Mahina.

— Pourquoi ?

— Je vous ai raconté que dans les années cinquante et soixante, quand le Chili interdisait aux Pascuans de quitter l'île, des hommes ont volé des bateaux, construit des radeaux, n'importe quoi pour partir à Tahiti. Le mari de Mahina était l'un d'eux. Un de ces disparus en mer.

— Mais c'était il y a plus de dix ans ! Mon Dieu, elle ne peut quand même pas encore espérer le voir rentrer...

— Qui sait ? Mais elle refuse de s'intéresser à un autre homme. Plusieurs ont bien tenté leur chance. Et elle est très séduisante. Dommage.

Greer regarda du côté de Mahina. Elle avait les mains croisées dans le dos pendant que Ramón se penchait vers elle. Le violet de sa robe rehaussait le rouge de ses joues, et un sourire illuminait son visage. Vicente avait raison : elle était séduisante.

— Pauvre Mahina, dit Greer.

Quelques personnes s'apprêtèrent à partir. Les deux adolescents – Claudio et César – engagés pour la soirée par Isabel se mirent en devoir de plier les chaises. Isabel et Sven étaient assis côte à côte, genou à genou.

— Je devrais rentrer, déclara Greer. J'ai une foule de choses à faire demain.

— Compter du pollen ?

— Quoi d'autre ?

— Venez avec moi, dit Vicente en lui prenant la main. Vous ne pouvez pas continuer à vous accrocher à ces stupides principes d'indépendance.

— C'est sur quoi repose mon pays. Voyez-y de ma part une forme de patriotisme.

— Allons, Greer, permettez-moi au moins de vous raccompagner jusqu'à la *residencial*. Je sais y aller les yeux fermés.

Greer se tournant vers lui s'étonna de voir une telle douceur sur son visage éclairé par la lune ; il avait l'air si généreux. Elle avait envie qu'il la raccompagne, mais se dit que ce serait encore plus dur de lui dire au revoir une fois là-bas.

— Un autre soir, Vicente.

Après une pause, il murmura presque :

— C'est drôle, je sais presque tout sur vos recherches, vos bains d'acide, vos comptages de pollen. Je sais quand vous aimez travailler, ce que vous aimez manger, boire. Nous avons appris tant de petites choses l'un sur l'autre pendant tous ces mois, pourtant je souhaiterais aussi connaître les autres choses.

— Les petites choses comptent beaucoup.

— Mais je voudrais aussi savoir à quoi ressemble votre vie en dehors du travail. Est-ce un crime ?

— Non, ce n'est pas un crime, répliqua-t-elle, frappée par la sincérité de ses intonations. Mais il y a des questions auxquelles il n'est pas commode de répondre.

— Toutes les questions importantes, non ?

— Vous avez raison, dit-elle en déposant un baiser sur sa joue. Je vais y réfléchir.

Sur ces paroles, elle le laissa planté là.

Greer fut réveillée de bonne heure le lendemain matin par quelqu'un qui frappait à sa porte. Elle se leva péniblement pour ouvrir. C'était Mahina. Vicente demandait à la voir d'urgence. (Mahina interdisait à tout homme de s'approcher des chambres des clientes.) Tout en enfilant sa robe de chambre et en suivant Mahina dans la cour, Greer songea à ce qu'elle avait appris la veille au sujet du mari de sa logeuse.

Vicente l'attendait dans la grande salle vêtu d'un jean et d'un tee-shirt blanc. Il brandissait une feuille de papier d'un air enjoué.

— Alors, pas de gueule de bois ? lui lança Greer.

— Un de mes nombreux talents : la tolérance au Pisco, riposta-t-il en lui tendant le papier. Ce n'est pas l'original, bien sûr. Une traduction. Mais elle provient tout droit des archives allemandes. Qu'en dites-vous ?

« *Urgent. Cargaison précieuse à bord. Aucune chance que nous puissions rentrer. Besoin d'un port sûr pour la débarquer. Pas question de garder la cargaison à bord.* »

C'était un télégramme du navire de von Spee, le *Scharnhorst*, daté du 22 octobre 1914. Greer fit un rapide calcul.

— Deux jours avant de quitter l'île ?

Vicente acquiesça. Manifestement, il s'efforçait de ne pas trépigner d'excitation.

— C'est incroyable. Y a-t-il une réponse ?

— S'il y en a eu une, elle a coulé avec le navire. Mais il y a peut-être un autre télégramme de von Spee. Au sujet de la cargaison. Je l'attends.

— Oh, Vicente !

Il sourit :

— Je sais, je sais.

Derrière lui, Mahina, les mains sur les hanches, pencha la tête de côté.

— *Doctora*, votre collègue vous a encore apporté un petit quelque chose ?

21

Huit navires se rapprochent de l'île. Cinq d'entre eux, d'après la fumée noire qui sort de leurs cheminées, sont des navires de guerre. Trois embarcations de plus petite taille filent dans leur sillage. Depuis le bord de la falaise, Edward et Elsa contemplent le cortège avec stupeur. Aucun bateau ne s'est profilé à l'horizon depuis leur propre arrivée. Et maintenant, en voilà huit ! Un sombre pressentiment fait frissonner Elsa tandis que les navires longent la plage d'Anakena pour se diriger vers le versant est de l'île.

— Ils ne vont quand même pas jeter l'ancre ici, dit Edward.

Elsa hausse les épaules.

— De toute façon, il faut aller les accueillir, poursuit Edward. C'est sûrement une flotte européenne. Peut-être britannique. Ils ont peut-être du courrier. Ou au moins le journal.

— Allemande.

— Allemande, britannique, japonaise. Du moment qu'ils ont le journal.

Allemande. C'est justement ce qui la trouble.

Edward s'éloigne en disant :

— Je devrais envoyer une lettre à la Société royale de géographie. Un compte rendu de ce que nous avons fait ici... Et vous devriez en rédiger une sur les tablettes. Histoire de les mettre en appétit. Si nous profitons de ces navires, nous pourrions recevoir nos réponses par le bateau de la compagnie chilienne. Elsa, vous vous sentez mal ?

Elsa, dont le regard n'a pas quitté l'horizon, se tourne vers lui, regarde les traces de ses pas dans l'herbe.

Edward est déjà auprès des chevaux.

— Je ne pense pas qu'ils vont prolonger leur escale, qu'en pensez-vous ? dit-il en détachant la bride en corde de l'animal et en l'enfourchant.

— Alice ? réplique Elsa en levant les yeux vers lui.

Elle n'a pas vu Alice depuis la veille.

— Elle dort.

— Mais si jamais elle se réveille... Je devrais rester avec elle.

Comme si le vent l'avait apporté, le souvenir de leur dispute lui revient. Une idiote ! Le mot lui revient à l'esprit.

— Ça ira ? demande-t-il.

— Trouvez de qui il s'agit et revenez m'informer.

Edward part au galop. Elsa s'assied dans l'herbe à côté de la tente d'Alice. Elle ferme les paupières, tente d'arrêter la ronde de ses pensées. Ces navires de guerre. Ils l'obsèdent. Et si c'était une flotte allemande ?

Elsa ne tarde pas à se relever. Elle essuie le sable de sa jupe et se faufile dans les plissés vaporeux de la moustiquaire. Alice dort sur son lit de camp, couchée en chien de fusil. A ses côtés, Pudding est occupé à se lisser les plumes dans sa cage. Les cheveux d'Alice ont séché en désordre autour de son visage. Elsa s'allonge le long du lit de camp, écoutant sa sœur gazouiller dans ses rêves, un bruit si doux, si enfantin, qu'Elsa tend la main pour lui caresser le bras. Alice bouge. Elsa retire vite sa main. Elle a peur de la réveiller, de la voir de nouveau en colère. Elle a peur d'Alice. A cette pensée, elle frémit. Tout ce qui concerne Alice sera désormais différent pour elle. Elsa devra s'y résigner. Et tout en se faisant cette réflexion, elle a l'impression de perdre un peu de son identité, comme si une force inconnue tirait un de ses fils vitaux et commençait à défaire point par point le tissu de sa vie.

Le hennissement d'un cheval la réveille. Elle ouvre les yeux dans la lumière grise de l'après-midi. Alice, sur le lit à côté d'elle, dort encore.

— Elsa ! s'écrie Edward. Chère Elsa, nous avons des visiteurs !

Elle se compose un visage alerte. Sortant sa tête de la tente, elle aperçoit au sommet de la colline une douzaine de silhouettes de cavaliers. Une constellation de boutons en cuivre sur fond bleu marine. Elle salue de la main.

— Vous aviez raison, ce sont des Allemands !

De nouveau la voix d'Edward. Sa voix de conférencier.

— Ils sont venus s'approvisionner, et voir un peu le pays. J'ai expliqué à l'amiral ce sur quoi nous travaillons et il a été très intéressé par vos tablettes. Je lui ai dit que vous lui en montreriez volontiers une.

— Tout de suite ? crie-t-elle brutalement, incapable de maîtriser son mouvement de panique.

— L'amiral espérait en voir une dès aujourd'hui. Ils sont en mer depuis longtemps. Je suppose qu'ils ont été privés de stimulations intellectuelles.

Edward marmonne quelque chose au demi-cercle au-dessus de lui. De gros rires fusent du côté des militaires.

— J'ai insisté, dit à son adresse une voix au timbre, à l'accent familiers.

Elle lève de nouveau la tête vers la rangée de cavaliers, mais elle ne distingue pas les traits des visages sous les casquettes des uniformes enrubannés de doré. Elle va devoir grimper jusque là-haut. Son cœur bat à tout rompre tandis qu'elle se retire sous la tente, prend le *kohau* qu'elle a montré à Kasimiro, et ressort pour grimper la colline d'un pas chancelant. Au milieu du demi-cercle, sa casquette retenue par une épaisse bande d'or, se tient l'amiral.

— Vous avez apporté un *kohau*, dit Edward. Formidable.

Elsa déballe la tablette et la tend toute droite comme un fusil à l'amiral. Ce dernier garde les lèvres serrées, comme s'il luttait contre le rire qui agite ses moustaches. Elsa demande :

— *Was machst du hier ?*

Il se tourne vers Edward :

— Madame parle allemand.

— Elsa parle couramment, confirme Edward.

Pour rompre la glace, Edward met pied à terre et prend doucement le *kohau* des mains d'Elsa.

— Vous voyez, Amiral, déclare Edward, chaque *kohau* est sculpté d'une série de signes. Regardez. Là, vous voyez ? Il y en a en forme d'oiseau, et ici... des mammifères. D'autres ressemblent à de simples gribouillis. Mais Elsa a déjà distingué plus de deux mille caractères.

— Votre femme a le cœur à l'ouvrage.

— Elle a étudié la langue rapa nui et le *rongorongo*. Elle est sur le point de trouver une traduction.

— Et que disent ces tablettes, frau Beazley ?

Elsa ne trouve pas ses mots.

— Nous pensons, intervient Edward, qu'elles racontent l'histoire de l'île. Celle-ci, par exemple, explique apparemment le transport des *moai*.

— Ce ne pourrait pas être une sorte de message ? Une lettre annonçant un événement ? Un mariage ?

Elsa secoue la tête. Elle juge ces propos inacceptables.

— Ou un voyage ?

— Vous voyez, amiral, nos recherches chez les Rapa Nui, tous les entretiens menés par Elsa, semblent indiquer que les tablettes sont une chronique de l'histoire et de la mythologie de l'île. Elles ont été composées par des scribes formés spéciale-ment. Elles ne pouvaient pas être utilisées par n'importe qui pour communiquer. Elsa a aussi l'intention de trouver la clé de cette langue.

— Bien. *Gut*, dit l'amiral. Maintenant...

Il se tourne vers ses officiers.

—... Je voudrais demander à frau Beazley si elle accepterait de nous accompagner pour une brève visite en ville. Pour nous aider à traduire certaines choses. Des listes de provision.

Edward regarde Elsa :

— Il va faire noir dans quelques heures.

— Nous la raccompagnerons, ne vous inquiétez pas.

— Elsa ?

Elsa regarde tour à tour Edward et l'amiral. La vue de ces deux hommes côte à côte lui paraît de l'ordre de l'impossible.

— Entendu, prononce-t-elle. Pour les provisions.

— Seulement si vous vous en sentez capable, prévient Edward en ajoutant au bénéfice des Allemands : Nous avons eu une très longue journée.

— J'y vais. Vous irez voir Alice.

— Bien entendu, dit Edward en passant à Elsa les rênes de son cheval. Vous êtes sûre ?

Elsa acquiesce.

Au moment où elle le frôle, il lui murmure :

— Essayez de mettre la main sur un journal. Il prétend qu'ils n'en ont pas, mais si vous demandiez...

Elle enfourche l'animal.

— Nous vous la ramènerons bientôt, assura l'amiral, donnant un coup de talon sec au flanc de sa monture.

Elsa se tient la tête basse devant les cavaliers en file indienne qui soulèvent une poussière rouge sur le chemin côtier. Soudain, elle est saisie d'une envie irrésistible de partir au grand galop, de prendre la fuite.

— *Reitet hier weg !*

Une voix s'élève, autoritaire, derrière elle. D'un seul coup, le roulement des sabots se tait. Le silence n'est rompu que par le bruit d'un seul cheval qui se rapproche. C'est seulement lorsqu'il est à côté d'elle, que sa confusion éclate dans un seul souffle :

— Max ?

Il lui prend la main.

— *Mein Liebling.*

22

Fin octobre, Greer avait terminé de prélever et d'examiner tous ses échantillons. Elle les envoya dans un centre de datation par le radiocarbone afin d'établir une carte écologique de l'île pour différentes périodes. Le livre de Selling, *Studies in Hawaiian Pollen Statistics*, était finalement arrivé, ainsi que les échantillons de l'herbier de Kew qui allaient l'aider, au cours du prochain mois, à identifier les graines de pollen inconnues.

Comme Vicente et Sven aidaient Burke-Jones à extraire un *moai* de la carrière – ils devaient amollir le sol sous la statue en vue de l'expérience –, Greer était seule dans le bâtiment de la SAAS. Les heures passaient tranquillement tandis qu'elle faisait glisser son tabouret d'un microscope à l'autre – elle en avait installé deux sur les longues paillasses du labo, et pour celui dont elle se servait le plus, avait bricolé un stand incliné de manière à ne pas avoir mal au cou. De toute façon, les jours où elle travaillait le plus, elle portait une minerve souple. A midi, Mahina lui apportait son déjeuner, et Greer lui montrait parfois son pollen. Mahina parvenait à distinguer les subtiles différences entre les graines – elle repérait du premier coup d'œil les petits sillons et l'exine – et se plaisait à comparer ce qu'elle voyait dans le microscope avec les images du guide des pollens.

De temps à autre, lors d'une de leurs rares pauses à la carrière, Vicente passait lui dire bonjour, ou Sven venait blaguer un instant avec elle : « Alors, comment vont les *Pollenisiens* aujourd'hui ? » Parfois, la nuit, en attendant la fin du cycle du centrifugeur, Greer allait au bout du couloir voir dans son labo

Burke-Jones, qui venait s'y réfugier après sa journée en plein air pour peaufiner son île de Pâques miniature.

Greer se disait que ce qu'elle était en train d'apprendre sur la couverture végétale de l'île en ces temps reculés pouvait lui être utile. Elle avait, par exemple, trouvé dans les couches intermédiaires de ses prélèvements du pollen de *Triumfetta semitriloba*, cet arbre commun du Pacifique à partir duquel on fabrique de la corde. S'ils s'étaient servis de cordages pour déplacer les statues, déclara-t-elle à Burke-Jones, sans doute les avaient-ils fabriqués avec les fibres de l'écorce de cet arbre.

— Il en pousse encore aujourd'hui à Tahiti, lui lança-t-elle du seuil de son labo, car sachant qu'il n'aimait guère les visites, elle prenait garde à ne jamais aller plus loin. On pourrait en commander. Je suis sûre que la SAAS jouerait le jeu. Parlez-en à Isabel.

Il se leva pour inspecter ses dioramas.

— Je pense en effet qu'ils se sont servis de quelque chose de doux et de fibreux.

— Alors, faisons-nous-en livrer. Et on pourra tous vous aider à tisser des câbles de traction. De combien de mètres avez-vous besoin ?

Burke-Jones regarda droit devant lui, comme s'il scrutait le résultat de ses calculs dans les airs.

— Cent cinquante-cinq mètres.

— On aura qu'à en demander cent soixante.

— Ce serait du gâchis, cinq mètres en trop.

— Ça peut toujours servir. Au pire, on fabriquera un hamac pour les futurs chercheurs de la SAAS. Voulez-vous que j'écrive au service des forêts de Tahiti ?

— J'aimerais que ma simulation soit la plus exacte possible.

— Alors, commandons cette *semitribola*.

Il se tourna vers elle avec un petit sourire :

— Voilà une chose dont on peut se réjouir.

— En effet, Randolph.

D'autres plantes émergeaient du passé de l'île.

Du pollen de *Sophora toromiro*, qui s'apparente à l'arbre pagode japonais, était apparu dans les carottages des trois cratères. Le genre *Sophora* était connu pour ses calices en forme de cloche, ses fleurs blanche et jaune et ses feuilles pointues. Le *Sophora toromiro* était sans aucun doute ce petit arbre qu'avait remarqué le capitaine Cook : « *Nous n'avons aperçu que deux ou trois petits buissons. Les feuilles et les graines de l'un d'eux (que les indigènes appellent* torromedo) *rappelaient celles de notre vesce des haies...* » Le *toromiro*, par conséquent, avait survécu à tous ses pairs botaniques.

D'autres types de pollen n'étaient présents que dans la couche supérieure des prélèvements, et ce pollen était presque identique au *Broussonetia papyrifera*, ce mûrier donc l'écorce servait à fabriquer du papier, et au même titre que le mûrier avec lequel aux quatre coins de la Polynésie on fabrique le tissu *tapa*. Encore une fois, Cook avait observé « *à plusieurs endroits la plante à tissu otaheitienne, mais celle-ci sans vigueur, et haute d'à peine deux pieds et demi...* » Le pollen de mûrier, cependant, était absent des sédiments des basses couches, laissant supposer qu'il était arrivé avec les premiers colons.

Dans les couches les plus basses, en effet, la nature du pollen changeait radicalement. On y trouvait au moins dix différents *Pteridophya*, dont les fougères, bien sûr.

Le plus intéressant était un pollen de type inconnu qui encombrait le fond des carrotages : des graines oblongues creusées dans leur longueur d'un profond sillon. Quel que soit cet angiosperme, il avait jadis tapissé l'île et avait disparu depuis plusieurs centaines d'années, ce pollen se faisant plus rare à mesure que le mûrier à papier s'imposait. Greer avait l'intention d'en envoyer des échantillons à Kew pour voir s'ils avaient quelque chose d'analogue, mais elle savait que c'était peu probable. Si cette plante avait couvert l'île pendant des milliers d'années, elle était si éloignée de ses ancêtres que sa généalogie serait difficile à retracer.

Et pourtant, la question du bois la hantait. Roggeveen et Cook avaient mentionné l'un et l'autre des pirogues aux longues planches, mais ni les troncs du *Sophora toromiro* ni ceux du mûrier à papier ne suffiraient à construire de telles embarcations. Le pollen des couches basses provenait-il d'un grand arbre à bois lourd ?

Le français Jean-François de Galaup, comte de La Pérouse, en visitant l'île en 1786, avait lui aussi noté la présence de ces pirogues :

> « *Elles sont composées seulement de planches très étroites,
> de quatre ou cinq pieds de long, et peuvent tout au plus
> transporter quatre hommes. J'en ai vu trois de ce côté de
> l'île, et cela ne m'étonnerait guère que, bientôt, par manque
> de bois, il n'en reste plus une seule...*
> *L'exactitude avec laquelle ils ont mesuré le navire montre
> qu'ils n'avaient pas été des spectateurs passifs de notre art ;
> ils ont examiné nos câbles, nos ancres, nos compas et nos
> roues, et ils sont revenus le lendemain avec une corde pour
> reprendre leurs mesures...* »

M. de Langle, ami et compagnon de voyage de La Pérouse,
qui avait exploré l'intérieur de l'île, avait observé des buissons
de mûrier à papier et de mimosa, faisant remarquer que seul
un dixième de l'île était cultivé, et que le reste était recouvert
d'une herbe grossière. Les seuls oiseaux aperçus par M. de
Langle furent des sternes au fond des cratères. Les statues qu'il
vit dans l'œil de son télescope étaient renversées. Bref, ses informations n'apportaient rien de neuf.

Ce qui frappa Greer, c'était que Langle et La Pérouse étaient
tous les deux persuadés que l'île avait jadis abrité une végétation différente. Langle estimait la population à deux mille âmes
et ajoutait : « *Il y a des raisons de penser qu'elle avait été plus
considérable à l'époque où l'île était plus boisée.* » La Pérouse
accusait même les Rapa Nui d'avoir détruit la forêt. Il se lamen-
tait sur le nombre de rochers de lave qui jonchaient le paysage,
expliquant :

> « *... Ces pierres, qui nous ont gênés pour marcher, sont d'une
> grande utilité, car elles contribuent à maintenir la fraîcheur
> et l'humidité du sol, et compensent en partie le manque
> d'ombre procurée par les arbres que les habitants ont eu l'im-
> prudence de couper, certes en d'autres temps, sans doute très
> reculés, ce qui a exposé leur pays aux rayons du soleil et l'a
> privé de sources et de cours d'eau...*
> *... M. de Langle et moi-même ne doutons pas que ce peuple
> doit ses malheurs actuels à l'imprudence de leurs ancêtres...* »

Un soir, Greer était en train de lire dans la grande salle de
la *residencia*, quand Mahina entra.
— *Iorana, doctora !*

Elle avait des pêches en boîte dans les bras.

— Regardez. Des *Peti*, ajouta-t-elle en posant l'une après l'autre les boîtes sur le bord de son bureau. Ramón nous a donné des *peti*.

— *Iorana*, Mahina.

— La *doctora* est toujours à travailler, dit-elle après avoir jeté un coup d'œil au livre de Greer.

— Je sais. C'est encore un livre de voyage à propos de l'île de Pâques. Connaissez vous des légendes sur les arbres de l'île ? Des arbres qui auraient poussé ici autrefois ? Du temps de l'arrivée de Hotu Matua ?

— Je vous ai déjà raconté l'histoire de Hau Maka, et de son âme de rêveur qui a volé vers le soleil et trouvé la plus belle île de toutes.

— Dans cette histoire, est-ce qu'il avait des arbres ?

— Il y avait de tout, prononça Mahina en s'asseyant à son bureau. Un poisson, un fruit, des fleurs. L'âme du rêveur voit tout ce qu'elle désire.

— La Pérouse prétend que les Pascuans ont abattu les arbres. Et j'ai trouvé un étrange pollen dans mes prélèvements, tout au fond, et je me demande s'il y aurait mention des arbres dans la tradition orale.

— Il y a une histoire que j'ai entendue quand j'étais petite, mais c'est seulement une légende, comme vous dites. C'est pas scientifique.

— Dites toujours.

— Eh bien, cela raconte comment le grand arbre est apparu. Il y avait une femme, Sina, qui aimait un homme appelé Tuna, mais elle ne pouvait pas l'avoir. C'était interdit. Elle eut beaucoup d'autres hommes, des prétendants, comme vous dites, et ces prétendants capturèrent Tuna dans un grand filet. La nuit avant qu'ils ne le tuent, Sina est venu le voir, pour lui dire *iorana* et Tuna a dit que le jour suivant elle devait planter sa tête dans la terre et qu'il deviendrait un grand arbre pour qu'elle ne l'oublie pas.

Greer nota tout ceci dans son cahier, et Mahina relut pour vérifier si ce qu'elle avait écrit correspondait bien à son récit. On y retrouvait le même motif que dans toutes les autres mythologies : l'esprit-arbre, l'arbre-totem, les fables de mort et de renaissance, de sacrifice et de sagesse. La vie humaine y était liée à la vie de la plante. En Australie et aux Philippines, les arbres contenaient les esprits des ancêtres. Les Russes Kostrubonku et les Indiens Kangara faisaient des funérailles à la végétation quand elle mourait. D'après les mythes nordiques, Odin créa le premier homme et la première femme à partir de deux troncs d'arbre trouvés sur le rivage.

Ces contes tentent d'expliquer la création du monde, de donner un sens au chaos qui entoure les peuples primitifs. Pourquoi raconter l'histoire d'un grand arbre quand il n'y en avait pas ?

— C'est pour faire comme si, avança Mahina.

— C'est un mythe végétal, dit Greer, mais il est utile.

— C'est un mythe, répéta Mahina. Parce que nous n'avons pas de grands arbres ici...

Elle alla se poster à côté de Greer pour regarder les premières pages du livre.

— La Pérouse. Oui, c'est bien.

— Beaucoup d'encre gâchée à se plaindre de chapeaux volés.

— Des chapeaux ?

— *Hau*, dit Greer en montrant sa tête du doigt. Tous les récits de voyage mentionnent des vols de chapeaux à répétition. Les Pascuans semblaient très amateurs de chapeaux.

Après un instant de réflexion, Mahina rétorqua :

— Ils avaient peut-être besoin d'ombre.

*

C'était la première semaine de novembre, l'été, mais des nuages gris avaient stagné dans le ciel toute la matinée. Les gens regardaient en l'air, espérant que s'il pleuvait, ce serait bientôt, avant qu'ils ne remontent leurs manches, se saisissent des cordes fibreuses et se mettent à traîner le *moai* en bas de la colline.

Burke-Jones, dans sa tenue de safari, surveillait son diorama sur le capot de sa Jeep. Il avait donné à chaque figurine un numéro correspondant à un des cinquante êtres humains qui attendaient ses instructions.

L'excitation était presque palpable dans l'air. Cela faisait une semaine que tout le monde ne parlait que de ce moment. Dès lors que Burke-Jones avait annoncé ses intentions, l'île tout entière avait été comme en transe. Près de cent Pascuans foulaient à présent les pentes herbeuses du Rano Raraku, le volcan où se trouve la carrière des *moai*, curieux de voir comment leurs ancêtres s'y étaient pris. Pour Burke-Jones et Vicente, et même pour Greer, il s'agissait d'une expérience d'ordre scientifique. Mais pour les Rapa Nui, ce n'était pas un événement destiné à entrer dans un fichier, mais l'expression de leur héritage, l'épopée de leurs ancêtres.

La logistique, cependant, était impressionnante. Les cinquante volontaires devaient commencer par se tenir debout le long d'une ligne qui serpentait entre des douzaines de *moai* couchés tandis que Burke-Jones tendait à chacun un pendentif numéroté à passer autour du cou au bout d'une ficelle. Ensuite il appela les volontaires par groupes de cinq, et leur montra sur son diorama où il fallait qu'ils se postent. Quand son groupe fut appelé, Greer fut étonnée de constater que Burke-Jones s'était inclus lui-même – un petit personnage en cure-dents à côté d'une petite Jeep Matchbox positionnée exactement comme il l'était en réalité. Elle jugea rassurant de voir qu'il existait des chercheurs plus obsessionnels qu'elle-même. Il désignait pour chaque groupe un chef – des cure-dents à bout rouge. Le leur était Sven.

— Oh ! non ! s'exclama Vicente dont le numéro « 34 » s'étalait sur son tee-shirt marron clair.

Il avait roulé ses manches de chemise et portait un short kaki à la place de son pantalon en toile habituel.

— Il serait temps que l'on me respecte, déclara Sven.

— Il me reste toujours la possibilité de faire un coup d'Etat, observa Vicente avec un clin d'œil. C'est dans mon sang.

Burke-Jones leva les yeux de son diorama :

— Il faut que vous soyez très attentifs à l'endroit où vous devez vous tenir, dit-il en montrant du doigt une rangée de cure-dents. L'équipe numéro deux occupe la rangée du milieu au nord de la statue.

Sven se tourna vers Greer et Vicente :

— L'équipe numéro deux prendra position au...

— Ça chauffe, Sven, lui jeta Greer.

— Tu vois comme mes subordonnés me parlent ? dit Sven à l'adresse de Burke-Jones.

— Ce qu'il ne faut pas faire pour l'amour de la science, soupira Vicente.

Mais Burke-Jones était retourné à son examen passionné du diorama.

— Vous avez vos consignes, dit-il. Equipe numéro trois !

— Bonne chance, Randolph, lança Greer.

— Vite, s'il vous plaît !

Les volontaires étaient manifestement dépités par cette démonstration d'autorité. Les équipes trois et quatre s'éloignèrent de la Jeep de mauvaise grâce, et Sven lui-même finit par laisser tomber son petit jeu et à prendre Burke-Jones par les épaules en déclarant :

— Aucune société, si avancée fût-elle, n'a pu bénéficier d'une organisation pareille. Allez, on y va !

Mais Burke-Jones se montra intraitable.

L'opération prit plus d'une heure. Tout le monde finit par avoir un numéro, et savoir où il devait se tenir et qui était son chef d'équipe. Vicente, qui avait emporté son appareil photo, mitrailla Burke-Jones tandis que ce dernier assignait à chacun sa place tout en consultant son diorama et en comparant ce dernier, d'un air sidéré, avec la scène qui se composait sous ses yeux. Voilà un fait remarquable, songea Greer : sur le même versant d'une colline, trois échelles se côtoyaient. Les figurines en cure-dents, les volontaires grandeur nature et au-dessus d'eux, au bord du cratère, à plat dos, un géant de pierre qu'ils devaient tirer jusqu'en bas afin qu'il surplombe tout le paysage.

Au moment du départ, Vicente passa son appareil à Mahina en lui demandant de continuer à photographier. Elle se rangea sur le côté, avec des douzaines de Pascuans, les vieux et les faibles seulement venus en spectateurs. Greer était une des deux seules femmes à participer activement, et encore, elle avait obtenu ce privilège de haute lutte. Burke-Jones souhaitait reproduire à l'identique les conditions historiques, et il était presque certain qu'aucune femme n'avait contribué à descendre le *moai*. Vicente avait au bout du compte réussi à le persuader qu'elle ne fausserait pas le résultat. Il avait montré Sven du doigt à table en face de lui :

— Soyons honnêtes, il n'y avait sûrement pas de Suédois parmi ceux qui tiraient, ni d'architecte anglais comme contremaître.

Isabel, qui était restée pour assister à l'expérience, se tenait à côté de Mahina. Vêtue d'un pantalon moulant rose et de tennis blanches, elle attendait les bras croisés. Toutes les deux minutes, elle penchait la tête en avant, faisait glisser ses lunettes de soleil sur son nez et inspectait les volontaires, Sven en particulier, avant de rechausser ses lunettes.

— En position ! s'écria Burke-Jones.

La foule se rapprocha de la statue couchée. Autour de son énorme cou étaient passées des cordes, lesquelles avaient été faites à la main à partir du *Triumfetta semitriloba* importé de Tahiti et livré par avion. Depuis plusieurs jours, chaque soir, Greer, Sven et Vicente s'étaient réunis à la *residencial* où Mahina leur apprenait à tous les trois ainsi qu'à quelques amis à elle à tresser les fibres. Ils avaient en tout obtenu plus de deux cents mètres de corde qui, à présent, se déployaient en éventail autour de la statue, à croire qu'il lui avait poussé des cheveux.

Burke-Jones fit retentir son sifflet trois fois, et tout le monde s'accroupit pour soulever les cordes, lesquelles s'animèrent comme autant de tentacules. Greer enfonça ses talons dans l'herbe, plia les jambes et gonfla la poitrine. Vicente se trouvait devant elle, Sven devant Vicente. Le sifflet retentit – deux notes longues, une courte – et les équipes au complet se levèrent comme un seul homme. Greer sentit le sang lui monter au visage. La fibre rêche de la corde lui brûlait les paumes. Elle portait alternativement son poids sur sa jambe droite et sa jambe gauche, mais quoi qu'elle fît, chaque muscle de son corps se rébellait. Toutes sortes de bruits jaillirent autour d'elle. Des grognements, des geignements, un *mi madre*. Quelqu'un de l'autre côté de la statue envoya Burke-Jones en enfer. Finalement, le sifflet retentit et, d'un seul coup, de conserve, ils laissèrent tomber les cordes et s'écroulèrent dans l'herbe.

Plusieurs femmes dans le public brandirent des gourdes pour donner à boire aux volontaires. Vicente et Greer tétèrent la leur.

— Une longue journée qui s'annonce, je crois.

La déception se percevait déjà parmi les volontaires. Ils burent leur eau, s'épongèrent le front, s'appuyèrent à la statue. Greer détendit précautionneusement son cou, qui lui faisait mal pour la première fois depuis un an.

Un nouveau coup de sifflet. Ils soulevèrent les cordages. Burke-Jones siffla encore. Greer avait l'impression que ses muscles étaient en feu et qu'elle laissait la peau de ses mains sur la corde. Un coup de sifflet pour signaler une pause. Rien n'avait bougé.

Burke-Jones l'avait prévu. Trois des chefs d'équipe furent convoqués, et on commença à ramasser des cailloux. En une heure, un tas de pierres avait été accumulé sous la tête du *moai* – ce qui allait permettre de rehausser assez la statue pour faire effet de levier. Alors que l'on disposait ce lit de pierres, le soleil atteignit son zénith. Les volontaires s'enveloppèrent la tête d'un foulard ou d'un mouchoir, s'aspergèrent le cou avec leurs gourdes. Seule une petite brise soufflait de l'Océan. En se tournant vers la côte, Greer aperçut Luka Tepano à cheval au bas de la colline. Il inspectait les mouvements des volontaires, les cordes, les pierres que l'on roulait. On était assez loin de la grotte de la vieille dame, et il semblait être venu seulement pour regarder. Il paraissait cloué sur place, mais quand Greer jeta de nouveau un coup d'œil de son côté quelques minutes plus tard, il avait disparu.

Une équipe de volontaires flanquaient la tête, assis de manière à ce que leurs pieds poussent les pierres dessous à mesure que l'on tirait le *moai*. Nouveau coup de sifflet ; cette fois, Burke-Jones avait ordonné qu'ils appliquent un mouvement de bascule, dans l'espoir que la force conjuguée de cinquante personnes aurait de l'effet. *Uno. Dos, Tres. Hi-ya ! Etahi. Erua. Etory. Hi-ya* ! C'est alors que de l'autre côté de la statue s'élevèrent des cris. Le sifflet retentit à tout bout de champ – un arbitre en folie. Tout le monde lâcha sa corde. Vicente et Sven sur les talons, Greer courut de l'autre côté : l'équipe numéro trois – quatre hommes à bout de souffle – était affalée sur l'équipe numéro quatre qui râlait fort. Une des cordes avait cassé.

Burke-Jones signala la pause déjeuner tout en examinant la fracture de son câble de traction, puis il ajusta son diorama. Mahina avait descendu la colline pour s'asseoir avec Greer et Vicente, tandis qu'Isabel étendait ses jambes dans l'herbe. Ils avaient tous leur main en visière devant leurs yeux pour se protéger du soleil.

— Ces cordes ne sont pas assez solides, énonça Vicente. Peut-être si elles étaient plus épaisses.

— Espérons que ce sont les cordes, dit Sven, parce que je ne crois pas que nous soyons assez costauds.

Vicente exhala un soupir :

— Pauvre Burke-Jones. Cela fait des mois qu'il prépare ce moment.

— Burke-Jones finira par obtenir gain de cause, énonça Sven. J'ai confiance en lui. Il a tout prévu. On va peut-être y passer la semaine, mais il finira par y arriver.

— Maintenant, on peut se rendre compte combien il était difficile de déplacer ces énormes machins, dit Vicente.

Greer songeait pour sa part à la légende que Mahina lui avait raconté au sujet du grand arbre. Dans ses lectures, elle avait trouvé un mythe analogue dans d'autres îles de Polynésie – le mythe du cocotier. Bien entendu, elle n'avait pas trouvé l'ombre de pollens de cocotier dans ses carottages. Le pollen inconnu n'était pas encore identifié – ni Kew ni le musée suédois d'histoire naturelle n'avaient été capables de lui donner un nom. L'un et l'autre lui conseillaient d'envoyer un échantillon à l'université de Strasbourg, en France, où venait d'ouvrir ses portes un nouveau laboratoire de palynologie, employant les meilleurs palynologues du monde. Elle avait suivi leurs conseils et attendait. Quoi qu'il en soit, l'espèce était endémique à l'île et si différente des plantes connues qu'il était presque impossible de retracer ses origines. Et s'il s'agissait d'une espèce de palmier ? Un grand arbre produisant du bois de construction, assez solide pour transporter les *moai* ? Les cordes et les pierres, manifestement, ne suffisaient pas à la tâche ; une pensée qui était venue à Burke-Jones, assurément, puisqu'il était en train de distribuer des madriers d'arbre pagode de deux mètres de long importés spécialement – ce que l'on trouvait de plus proche à ce *toromiro* qui avait jadis recouvert l'île.

Armés de ces madriers, leurs pendentifs à numéro volant au gré du vent, les volontaires ressemblaient à une bande de marathoniens au bout du rouleau. Ils tirèrent leurs fardeaux jusqu'en haut de la pente et se rassemblèrent autour de la statue. Greer doutait de l'efficacité de ce nouveau procédé – le bois d'arbre pagode n'était pas très solide, et les madriers étaient en outre trop courts pour cet usage. Ce dont ils avaient besoin, c'était de madriers aussi longs que la statue, c'est-à-dire d'au moins six mètres, qui permettraient de renverser cette masse énorme sur le dos.

Un coup de sifflet. La moitié des volontaires se mirent à tirer les cordes, l'équipe numéro trois enfonçait des cailloux sous la statue, et deux autres équipes glissaient des madriers sous la tête, s'efforçant de s'en servir comme levier. Un craquement sinistre annonça qu'un des madriers avait cassé, puis une corde se rompit. Burke-Jones siffla. C'était raté.

Greer s'assit pour reprendre son souffle. Certains spectateurs étaient déjà partis, comme les fans d'un match de foot quand leur équipe est en train de perdre. Mahina, cependant, était restée. Elle prenait des photos des volontaires écroulés dans l'herbe. Greer consulta sa montre-bracelet : presque quatre heures. Bientôt, Burke-Jones allait devoir ajourner son opération.

Greer, épuisée, jeta un coup d'œil du côté du sentier du littoral où étaient garées les Jeep et attachés les chevaux, et là, elle revit Luka Tepano. Cette fois, la femme de la grotte se tenait assise derrière lui sur sa monture, avec la main en visière devant son visage contre le soleil. Ils se rapprochèrent du site, mais s'arrêtèrent à une quinzaine de mètres en ouvrant de grands yeux. Sven, qui discutait intensément avec Isabel, laquelle s'épongeait le front avec un mouchoir en dentelle, ne remarqua pas leur présence. Seule Greer semblait les avoir vus. Elle les salua d'un geste de la main.

— Combien d'essais avant de s'avouer vaincus ? demandait Sven.

— La chance vient toujours avec le dernier, non ? renchérit Vicente.

— Quarante-huit hommes, deux femmes, un tas de cailloux et des arbres. Combien d'arbres a-t-il fait venir, Greer ?

— Dix arbres pagode, répondit-elle en s'écartant du groupe, et quinze *semitriloba* pour la corde.

— Vingt-cinq arbres, dit Sven. On ne peut en tout cas pas l'accuser de ne pas avoir essayé.

— Pauvre Burke-Jones, soupira Greer, en le regardant réarranger son diorama, bientôt nous allons devoir tenter de bouger ce colosse avec des cure-dents et du fil à dents. C'est tout ce qu'il nous reste.

— Nous avons encore la bonne volonté, et notre moral, fit observer Vicente.

Ils reprirent position, à présent de l'autre côté du *moai*,

Burke-Jones ayant tout chamboulé, comme si ce simple déplacement pouvait palier à l'inefficacité de leurs outils. Greer nota
que Luka et la vieille dame étaient toujours là. Un coup de
sifflet, et les derniers fragments du bois de l'arbre pagode
furent enfoncés dans la terre, les cordes tendues comme des
arcs et les pierres roulées sous la statue. Des jurons fusèrent de
tous côtés tandis que les volontaires, pour cette dernière tentative, se donnaient à fond. Mais lorsque le coup de sifflet de la
fin retentit, Greer lâcha sa corde et se recula d'un pas avec un
immense soulagement. Le silence tomba sur la scène ; la foule
se tourna vers Burke-Jones, dont le regard, fixé sur la statue,
était dépourvu d'expression.

— A mon avis, il va lui falloir une bouteille entière de Pisco
ce soir, commenta Sven.

— Il a l'air malade, dit Vicente.

Ils essuyèrent tous les trois la sueur qui coulait sur leur visage
et se dirigèrent vers la Jeep d'un pas chancelant.

— Bon, je crois qu'on en a fait assez pour aujourd'hui,
déclara Sven en tapotant le dos de Burke-Jones.

— Randolph, ajouta Vicente, tu as bien travaillé. Il faut toujours tester ses hypothèses, puis en tirer les conclusions qui
s'imposent.

— Je vois un verre de Pisco Sour glacé dans ta main, mon
ami.

Burke-Jones ouvrit la bouche, laissa un instant pendre sa
mâchoire, puis la referma. Six heures d'activité intense l'avaient
manifestement vidé. Il n'avait plus rien à dire.

— Randolph, avança Greer. Je pense que ce à quoi nous
avons assisté aujourd'hui a peut-être quelque chose à voir avec
une particularité de mes carottages...

Burke-Jones acquiesça lentement, puis il grimpa dans la Jeep,
démarra et s'en alla. Le diorama, qui n'avait pas bougé du
capot, vola dans les airs avant de retomber sur l'herbe, la petite
Jeep Matchbox atterrissant à l'endroit exact où avait été la
grande, les figurines en cure-dents s'éparpillant dans le vent.

Lorsque Greer rentra à la *residencial* ce soir-là, une lettre de
l'université de Strasbourg l'attendait sous sa porte. Elle ouvrit
la petite enveloppe. C'était écrit à la main :

« *Seigneur ! Je n'ai rien ici qui ressemble à la bestiole que tu m'as envoyée, mais je suis prête à parier qu'il s'agit d'une espèce de palmier. A vue de nez, évidemment. Mais il nous faudrait une preuve pour être sûrs (sinon ce n'est pas scientifique, n'est-ce pas ?). On pourrait chercher du côté des macrofossiles. Feuilles, écorce, noix.*

L'île de Pâques ! Moi qui avais peur que tu aies été engloutie (la prochaine fois, tu pourrais faire suivre ton courrier, ou laisser ton numéro de téléphone. Est-ce qu'ils ont des téléphones là-bas ?). Quand j'ai appris pour Thomas, j'ai essayé de t'appeler. Mais j'ai eu la nette impression que tu ne voulais pas entendre parler de moi. Tu aurais aussi bien pu avoir disparu grâce au programme de protection des témoins du FBI ! Mais je suppose que je devrais te présenter mes condoléances.

Si un jour tu viens à passer par Strasbourg, viens donc me dire un petit bonjour. La cuisine est divine, le vin, je ne te dis pas. Pas de plongée sous-marine ici, mais de toute façon, j'ai laissé tomber à cause d'une hernie discale. Je fume, je ne sais pas, environ cinq paquets par jour. Je suis heureuse.

Je pense souvent à toi, tu sais. Viens me voir, je t'invite.

Affectueusement,

Josephine (c'est comme ça qu'ils m'appellent ici, ça me plaît assez) Banks.

PS. Tu devrais changer ton nom en Dr Sandor. Quand j'ai lu Dr Farraday sur la demande d'analyse, j'ai manqué d'avoir une crise cardiaque. Au fait, as-tu entendu parler de l'expédition du National Geographic à Surtsey en février ? Pile dans ton domaine. Ils sont à la recherche de palynologues. »

Greer s'assit au bord de son lit et posa la lettre à côté d'elle. Elle ôta ses bottes, enleva sa chemise humide et regarda de nouveau la feuille. Jo. Greer pensait ne plus jamais entendre parler d'elle. Dans son esprit, Jo l'avait éliminée de sa vie. Greer n'avait jamais songé à le lui reprocher, sachant combien cela avait dû être dur pour elle de voir accuser son amie de plagiat, humiliée devant tout le département. Jo, qui sans l'ombre d'un doute, savait ce que Thomas avait fait. Elle qui avait vu Greer s'obstiner à nier l'évidence. Elle devait s'être retenue d'accuser Thomas, de crainte que son intervention en défense de son amie ne soit interprétée comme une manifestation de sa jalousie. Finalement, Jo n'avait eu d'autre choix que de laisser Greer trouver toute seule. Elle n'avait sûrement pas prévu, en revanche, que cela lui prendrait cinq ans.

Greer contempla la signature de Jo, son écriture si familière. Ce retour d'affection aurait dû lui faire plaisir, mais assise dans cette petite chambre où elle avait passé ces derniers mois, elle se sentit prise d'une subite irritation. Avec ces quelques mots, lui revenait d'un seul coup tout le passé. Jo, Thomas, la soutenance. Tout ce qu'elle était venue fuir ici justement. Ce chapitre de sa vie à Madison qui lui semblait désormais incompréhensible. Depuis la mort de Thomas, une question la taraudait : comment avait-elle pu être aussi aveugle ? Pourquoi n'avait-elle pas pris conscience de sa trahison ? Elle était intelligente ; elle avait fait des études brillantes, elle était agrégée de botanique et de palynologie. Et pourtant, alors que la preuve s'étalait sous ses yeux, elle avait détourné le regard.

Greer considéra la lettre, la plia et la glissa dans son enveloppe. Elle était pleine de courbatures, mais comme elle n'avait pas sommeil et n'avait aucune envie de rester couchée dans son lit à se réciter des noms savants de plantes, elle décida de se changer et d'aller retrouver Burke-Jones.

Le laboratoire était plongé dans l'obscurité. Vicente et Sven, épuisés, étaient rentrés à leur hôtel pour dormir, et il y avait des chances que Burke-Jones, lui aussi, se soit retiré à l'Espíritu. Quoique son silence tout à l'heure avait plutôt été signe du contraire. Elle ouvrit la lumière et passa la tête dans la pièce. Tout était bien rangé, mais il ne semblait y avoir personne. En franchissant le seuil, elle vit, pour la première fois, la maquette dans sa totalité. La longue table contre le mur n'était en effet que le commencement de l'affaire. Perpendiculairement aux deux côtés de la pièce, six petites tables accueillaient des îles vertes en papier mâché, avec de minuscules *moai* empêtrés dans les cure-dents et les fils à dents. Çà et là, ces figurines étaient dressées debout sur des tas de petits bonbons. Elle caressa du bout du doigt une tête : elle présentait la même rugosité que les vraies statues – du tuf volcanique. Burke-Jones avait-il trouvé un sculpteur pour lui fabriquer ces centaines de *moai* de la taille d'une cannette de soda ? Ou les avait-il sculptés lui-même, lui qui se montrait en tout si méticuleux ?

Elle se promena dans le dédale de ces univers parallèles – les différences entre les îles étaient subtiles. Les *moai* sur certaines tables paraissaient plus redressés que sur les autres. Et puis elle s'aperçut qu'il y avait une chronologie. Ce qu'elle contemplait, c'étaient les différentes étapes historiques de l'île de Pâques. La dernière table présentait un paysage jonché de statues couchées.

Greer ferma la lumière et sortit. Il faisait frais dehors à présent, le ciel était noir. Eclairant ses pas avec sa lampe de poche, elle fit une halte à l'hôtel Espíritu pour s'entendre dire d'une voix ensommeillée par le gardien de nuit, Elian, que Burke-Jones n'était pas encore rentré. Elian porta un verre invisible à ses lèvres et pouffa de rire : « *Señor* Burke-Jones boit, je crois. »

Greer prit le chemin de la grande rue. Toujours personne. Puis, à la sortie de la ville, elle aperçut sa Jeep au bord de la route qui menait à l'ancienne colonie de lépreux. Elle suivit ce chemin jusqu'à l'endroit où le clair de lune baignait un demi-cercle de huttes abandonnées. Une silhouette était assise au milieu.

— Randolph ?

Pas de réponse. En se rapprochant, elle comprit que ce n'était pas Burke-Jones comme elle l'avait cru, mais Luka Tepano.

Il était assis, les genoux contre la poitrine, les bras autour de ses jambes pliées, les mains posées sur le bout de ses chaussures. En la voyant, il leva le visage vers elle.

— Je vous ai vu près du *moai* aujourd'hui, lui dit-elle.

C'était la première fois qu'elle lui adressait la parole.

— *Habla usted inglés ?* ajouta-t-elle. Je cherche un de mes amis. L'ingénieur anglais. Le monsieur qui avait organisé l'expérience.

Il eut un petit sourire, mais Greer n'était pas certaine qu'il eût saisi le sens de ses paroles. Il posa de nouveau son menton sur ses genoux. Il était vieux, son visage accusant des rides profondes quoique rasé de près. Son abondante chevelure était bien coiffée, avec une raie au milieu. Bref, en dépit de ses vêtements miteux, il avait une allure soignée et une attitude pleine de dignité. Il semblait absorbé par ses pensées. Si Burke-Jones était passé par là, cet homme ne l'avait sans doute même pas remarqué.

— *Iorana*, lui lança-t-elle en continuant sur le même chemin vers le cimetière, ce chemin qu'elle avait suivi lors de sa première semaine sur l'île.

Et là, parmi les croix éparses, elle le trouva.

— Randolph, c'est Greer. Je suis venue voir si tout va bien.

Elle se rapprocha des croix, blanches contre le ciel noir, avec à leur pied des marguerites et de grandes capucines.

Adossé à une pierre tombale, les mains sur ses genoux, il avait l'air serein.

— Regardez, dit-il en renversant légèrement la tête en arrière. Une. Deux. Trois. Quatre. La Croix du Sud.

Greer leva à son tour les yeux vers la constellation.

— Il y a des avantages à manquer de réverbère, commenta-t-elle.

Elle s'assit à côté de lui. Dans la pierre devant elle était gravé : *Te Haha Huke. 1864-1922*. Né en 1864, l'année où avaient débarqué les missionnaires, longtemps après la chute des *moai*.

— Ecoutez, Randolph, j'ai trouvé quelque chose qui pourrait peut-être vous aider. Pas seulement *Triumfetta semitriloba*, mais aussi des palmiers. Il y a des chances pour qu'il y ait eu des palmiers sur l'île. J'ai du pollen fossile d'une plante qui a dû recouvrir toute l'île à l'époque où sont arrivés les premiers colons. Le seul problème, c'est qu'il n'existe aucun arbre qui corresponde. Je suppose qu'il s'agit d'un palmier, et une spécialiste de l'université de Strasbourg est d'accord avec moi. Evidemment, on ne peut déterminer l'espèce avec exactitude. Cet arbre a pu posséder toutes sortes de caractéristiques que nous ignorons et qui nous empêchent de savoir ce qu'il y avait sur l'île. Mais tout ça pour dire qu'il poussait autre chose que *Sophora toromiro*. De ça, j'en suis convaincue.

— Très bien.

— Ils avaient plus que des cordes, insista-t-elle. Voyez-vous où je veux en venir ?

Il se tourna vers elle, le visage paisible. Elle crut qu'il allait lui répondre, au lieu de quoi il l'embrassa sur la bouche. Ses lèvres étaient chaudes et sèches, elles prirent tendrement les siennes. Greer sentit son corps se tendre avec curiosité sous l'effet de cette sensation d'intimité, une sensation qu'elle avait oubliée.

— Pardonnez-moi, dit-il en se reculant.

— Ça va.

Elle s'adossa de nouveau à la pierre. Son premier baiser depuis près d'un an, son premier d'un autre que Thomas depuis plus de dix ans. C'était bizarre.

— Vous avez déjà vu Lydia ? interrogea-t-il en tirant doucement de sa poche revolver un portefeuille bourré de papiers.

Une seconde plus tard, il lui présentait un petit cliché aux bords usés. Dans le noir, Greer distingua vaguement des traits féminins.

— Lydia, répéta-t-il.

— Elle est ravissante, approuva Greer en tenant l'image devant elle comme si elle la voyait parfaitement. Une très belle femme.

— Elle avait lu ce livre sur l'île de Pâques. Un ouvrage illustré. Et savez-vous ce qu'elle a dit ? Eh bien, elle a dit : « Randolph, je me demande comment ils ont bougé ces énormes statues. »

Il lui reprit la photo pour la ranger dans son portefeuille en déclarant :

— Mais ne parlons plus de ça.

Greer se leva en lui disant :

— Randolph. Vous devriez rentrer dormir.

Elle lui tendit les mains et il s'y accrocha, se leva d'un seul mouvement, d'une légèreté qui la surprit alors qu'elle avait tenté toute la journée de soulever l'énorme masse de la statue.

Ils rentrèrent sans mot dire à Hanga Roa et montèrent dans la Jeep. A l'hôtel Espíritu, Elian se rua à leur rencontre avec un large sourire, supposant bien entendu que Greer avait trouvé Burke-Jones ivre mort sur la route. Il attrapa le bras du présumé ivrogne pour le guider à l'intérieur.

Greer rentra ensuite chez Mahina en passant devant les autres hôtels, les *residenciales* ; elle observa la lumière filtrant dans les persiennes et se demanda si derrière ces fenêtres il y avait des gens comme Burke-Jones, venus chercher dans cette île des réponses à d'impossibles questions. Sous l'enseigne de la *residencial* Ao Popohanga, elle tourna à gauche et prit le chemin de la côte sud. Il était près de dix heures, mais elle n'avait pas la moindre envie de retourner dans sa chambre et de retrouver cette lettre qui lui rappelait tout ce qu'elle avait perdu.

*

Lorsque son escroquerie avait été dénoncée, Thomas avait démissionné de sa chaire de Havard, emballé son matériel de labo et de bureau et déménagé le tout à Marblehead. Tout cela dans le plus grand silence. Il avait transporté ce qui représentait toute sa vie – vingt ans de cahiers bourrés de notes, de prix encadrés, de coupures de presse, de lettres, dont une d'Albert Einstein – dans des boîtes en carton, dressant des listes des endroits où il les rangeait – le grenier, le sous-sol, le bureau – comme s'il cherchait à organiser la débandade. Alors que Greer elle-même n'avait pas encore saisi la portée de ce qui était arrivé. Il avait faussé des données. Il n'y avait pas de magnolias. Bruce l'avait dénoncé. Mais pendant tout ce temps-là, où avait-elle été, elle, Greer ? Que faisait-elle mariée à un homme qui avait si peu de considération pour la science ? Qui avait si peu d'amour pour elle qu'il s'était (il n'y avait plus à en découdre) approprié *son* équation ?

Greer savait à présent qu'elle devait le quitter. Mais comment s'y prendre ?

— Je ne m'attends pas à ce que tu restes avec moi, lui avait déclaré un soir Thomas.

Greer avait failli rire : après toutes ces années où elle s'était efforcée de se montrer à sa hauteur, il ne s'attendait à rien de sa part.

— Je ne te quitte pas à cause du scandale, lui avait-elle dit. Tu sais pourquoi je te quitte.

Sa colère était si énorme qu'elle pouvait à peine parler.

— Je sais.

Il était assis sous la véranda avec, sur les genoux, un vieux cahier datant du Wisconsin. Il semblait étrangement calme, comme si de rien n'était, comme s'il ne lui devait aucune excuse.

— Comment se fait-il que tu n'aies jamais évoqué « le mensonge en pollinisation » ? lui lança-t-elle. Dans tes conférences d'introduction. Le figuier étrangleur. *Rafflesia arnoldi*. L'armoise. Pourquoi ne pas avoir parlé aussi de *Mohavea conferti-flora* ou d'*Epidendrum chioneum* ? Des fleurs qui font semblant d'être autres. Celles qui pratiquent le mimétisme. Pour tromper les abeilles.

— Lily, tu as le droit d'être déçue.

— Tu veux dire que j'ai le droit d'être furieuse !

— Cela n'a rien à voir avec toi.

— Sache, Thomas, que c'est justement le pire !

Décider de partir était une chose, mais où ? Là était la question. Greer envoya des demandes de poste à d'autres universités, des demandes de bourse à des fondations. Et alors qu'elle n'avait toujours pas trouvé sa nouvelle voie, Thomas avait eu une crise cardiaque. Il était mort dans l'ambulance en route pour l'hôpital.

Elle ne l'avait pas interrogé sur sa thèse mais, désormais, il était clair qu'il lui avait volé son équation. Ce qu'elle ne comprenait toujours pas, pourtant, c'était la raison qui l'avait poussée, elle, à fermer les yeux. Cette pensée la hanta pendant des mois. Pendant qu'elle emballait ses affaires, pendant qu'elle veillait aux préparatifs des funérailles, pendant qu'elle se débattait dans la paperasse des assurances, elle ne cessait de revivre cette soirée à Madison où il était rentré de sa conférence et avait sorti du réfrigérateur une bouteille de champagne, en se demandant pourquoi elle ne lui avait pas jeté à la figure : Voleur !

Mais, finalement, après tous ces mois sur l'île, une fois apaisé le désarroi où l'avait plongée le chagrin, Greer savait pourquoi elle s'était tue. Elle avait fermé les yeux sur sa trahison pour ne pas salir l'image de l'homme dont elle était tombée amoureuse, elle se cramponnait à une illusion, à leur passé commun.

L'amour, songeait Greer, ou le souvenir de l'amour, était coriace. Parmi les émotions, c'était la mieux adaptée.

Greer n'était pas sûre du lieu où elle se trouvait le long du chemin. Fatiguée, les jambes toutes courbatues, elle descendit vers un endroit où un tapis d'herbe se déroulait au pied des rochers et s'allongea de tout son long. Une brise fraîche soufflait de l'Océan et elle apercevait une mince ouverture dans la falaise en contrebas. Il y avait tant de fissures sur cette île, songea-t-elle, à croire que quelqu'un l'avait maladroitement laissée tomber d'une immense hauteur.

Ses paupières étaient lourdes, ses yeux secs. Devant elle, sur le sol sombre, elle aperçut un minuscule crabe qui avançait vers elle, les pattes serrées, rapide. Il se rapprochait peu à peu, luisant et noir dans le clair de lune, son ventre, en se soulevant, produisant comme un éclair rouge.

— Te voilà, marmonna-t-elle en se laissant glisser dans le sommeil.

23

Au bord du cratère du Rano Raraku, Max raconte la guerre à Elsa. La nouvelle de l'assassinat de l'Archiduc et de la déclaration de guerre austro-hongroise l'avaient surpris en Chine. Depuis des mois la flotte stationnée à Tsingtao s'efforçait de regagner l'Allemagne. Pagan, Ponape, Eniwetok, Majuro, Samoa, Tahiti, Christmas Island – ils avaient déjà parcouru en zigzag près de treize mille kilomètres d'océan.

— Huit navires filant sous un nuage de fumée noire au nez et la barbe des patrouilles alliées, spécifia Max en contemplant au fond du cratère les visages de pierre à moitié sculptés.

A Fanning Island, ils avaient dynamité la station télégraphique. A Bora Bora, ils s'étaient fait passer pour français en hissant des drapeaux tricolores et en repeignant le nom des navires. Max fait un récit détaillé de chaque escale, chaque rencontre avec le danger. Après avoir passé si longtemps en compagnie de ses seuls officiers, il semble euphorique de pouvoir ainsi s'exprimer en toute liberté, de montrer son étonnement, et peut-être sa peur, de se trouver au milieu d'une guerre qui est en train de balayer l'Europe tout entière. Il n'est plus l'homme qu'Elsa a connu à Strasbourg, celui qui l'écoutait si attentivement quand elle lui parlait d'Alice.

— Mais vous, Elsa, êtes-vous ici depuis longtemps ? Sur cette île, ce doit être étrange pour vous.

— Etrange, oui...

Depuis deux ans, cette île était en effet toute sa vie. Alice et Edward, Te Haha et Boîte-à-biscuits, l'écriture mystérieuse, le rapa nui. Depuis maintenant deux ans, elle baigne dans un flot incessant de nouvelles découvertes. Mais maintenant, c'est la présence de Max qui lui paraît insolite.

— Elsa, vous ne vous sentez pas bien ?

— Si... C'est seulement que je ne m'attendais pas à vous revoir.

— Cela ne vous... chagrine pas ?

— J'ai juste besoin d'un peu de temps pour m'y habituer.

— Mais vous avez pensé à moi ?

— Quelle question !

En réalité, elle n'avait pas autant pensé à lui qu'elle l'aurait cru. Elle se rend compte subitement qu'il a été supplanté dans son cœur, non par Edward, mais par son travail. Comme si ses recherches sur le passé de l'île l'avaient en quelque sorte soustraite à son propre passé. Comme si ce dernier n'était qu'un objet qui la suivait partout, à la façon d'une valise qu'elle aurait été obligée de traîner avec elle, une espèce de fourre-tout. Elle avait troqué ses désillusions contre la mort d'une civilisation.

— Vous êtes encore plus belle.

— Vous avez trop regardé vos officiers.

— Est-ce que je vois... oui, je crois que oui. L'ombre d'un sourire ?

— Max.

Une fenêtre s'ouvre en elle, et elle tend le bras pour toucher doucement sa main. Comme c'est curieux. Elle se revoit trois ans plus tôt, à Strasbourg, assise auprès de lui dans le jardin, à l'abri des haies et des buissons, dans ce petit coin du monde qu'ils avaient fait leur. Max dans un costume marron, pipe à la bouche, lui décrivant les différentes espèces que l'on trouvait dans le jardin, leur habitat naturel, lui montrant comment le bec des colibris était ajusté au millimètre près aux longs pétales du fuchsia.

Une brise froide lui glace le visage.

— Il se fait tard, dit-elle en se levant.

— Elsa.

— Je suis désolée.

— Venez demain. Venez au port là où nous avons jeté l'ancre. Je vous en prie. Nous parlerons encore. Vous m'entretiendrez de vos tablettes et de vos statues. Et, si vous voulez, de votre mari.

Elle monte sur son cheval. Au moment où Max lui tend sa lanterne, une pensée stupéfiante lui traverse l'esprit :

— Vous n'êtes pas ici... à cause de moi ?

— Je vous savais ici.

— Mais...

Elle ne sait pas ce qu'il veut dire.

— Nous avons traversé tout le Pacifique en nous arrêtant dans une demi-douzaine d'îles depuis la Chine. Nous avions besoin de rassembler nos forces. Et vous étiez sur une île. Dans le Pacifique sud. Vous étiez sur celle-ci, *Liebling*. Je n'allais quand même pas décider de me réapprovisionner en charbon aux îles Juan Fernández.

— Je n'arrive pas à croire que vous êtes là, ici, devant moi.

— Vous avez besoin de repos, Elsa. Il est tard. Mais venez demain.

Il jette un coup d'œil par-dessus son épaule, vers le bas de la pente qui s'enténèbre, et donne un coup de sifflet. Un bruit de galop déchire le silence et il surgit un officier à cheval, qui s'arrête pour saluer. De nouveau, les traits de Max se durcissent. Comme si elles étaient aimantées, ses bottes noires et luisantes se collent l'une à l'autre. Il salue à son tour.

— Elsa, dit-il en se tournant vers elle et en lui prenant les bras. Vous avez conscience, n'est-ce pas... vous ne devez rien dire à propos de la guerre, à personne...

Il baisse le ton pour répéter :

— A personne.

Elle comprend, avant tout, qu'elle ne doit pas en parler à Edward.

— *Nicht*, répond-elle avant de faire emboîter à son cheval le pas de celui de l'officier silencieux.

Le lendemain matin, elle dit à Edward que l'escadre a réclamé son aide.

— Une chose est sûre, ils ne font pas de manières pour dire ce qu'ils veulent.

Edward est occupé à tremper sa passoire à thé en argent dans sa tasse. Ils ont bu presque toute leur réserve et désormais ne font infuser qu'une pincée de feuilles, s'efforçant d'en tirer le plus de saveur possible.

— Ils veulent acheter du bétail, dit Elsa. Il vaut mieux que je parle aux gens. Pour qu'il n'y ait pas de malentendu au sujet du paiement.

— Oui, il vaut mieux les aider. Toujours pas de journal ?

— J'essaierai de nouveau aujourd'hui.

— Avec toute l'aide qu'ils réclament, ils pourraient quand même offrir quelque chose en échange.

— En effet.

— J'ai pensé..., commence Edward en passant la tasse de thé à Elsa de l'autre côté de la table. L'intérêt qu'ils ont montré pour les tablettes...

Il soulève la bouilloire du maigre feu et verse de l'eau bouillante dans une deuxième tasse.

— ... m'a paru extraordinaire...

Il plonge la boule en argent dedans et remue le tout d'un air contemplatif.

— ... Il n'est peut-être pas prudent de montrer à ces Allemands que vous travaillez sur leur traduction.

— Edward.

La conduite de Max ne peut, bien entendu, que paraître suspecte aux yeux d'Edward.

— Je sais que je n'ai de la mer qu'une expérience d'amateur. Mais quand même. Lorsque l'on jette l'ancre quelque part, il y a des choses plus importantes que de s'occuper de tablettes en bois, non ? Je ne voudrais pas que votre travail soit récupéré par d'autres. Et au cas où ils souhaiteraient photographier les *moai*, je crois qu'il vaut mieux que je cache mes fouilles.

Il est inutile de défendre la conduite de Max.

— L'endroit le plus sûr est la goélette, avance Edward. Je peux la faire nettoyer et la préparer à prendre un chargement. Ils n'y verront que du feu. A mon avis, on devrait aussi y cacher vos cahiers.

— Bien sûr.

Un cri s'échappe de la tente d'Alice, puis les mots :

— Méchant Pudding.

Edward boit une gorgée de thé sans se presser.

— Je tiens à ce que vous sachiez que j'ai mis les choses au point avec elle. Je lui ai expliqué, en détail, les limites de notre relation. Toute manifestation d'affection a été strictement interdite. Baisers, caresses. Elle comprend que c'est tout à fait hors de question. La pauvre était dans tous ses états. Elle est furieuse contre moi. Elle a l'impression que je... que je la rejette. Et je pense que pour le moment, je dois garder mes distances.

— Comme vous voudrez, dit Elsa en se levant. Je vais voir si tout va bien.

— Elle n'a peut-être pas envie de vous voir.

— Alice et moi, nous ne vous avons pas attendu pour avoir nos différends. Ce n'est pas notre première dispute. Je vais m'en sortir. Elle aussi.

Mais sous la tente, Alice tourne le dos à Elsa.

— Allie. Tu ne peux pas rester fâchée pour toujours.

— Pudding, dit Alice. Ne sois pas fâché.

— Allie, regarde-moi. Parle-moi.

— Pudding se fait toujours gronder.

— Allie, je vais aller à Vinapu. Veux-tu venir avec moi ?

Alice laisse échapper un « pfft ! »

— Vinapu. Vinapu. Vinapu.

— Tu n'es pas obligée si tu n'en as pas envie. Je viendrai te voir plus tard, à mon retour.

— Pudding n'a jamais le droit d'aller à Vinapu.

Elsa se rapproche d'elle et esquisse un baiser sur la tête d'Alice. Cette dernière se tient immobile comme une statue.

— Je n'en ai pas pour longtemps, dit Elsa. A tout à l'heure, Allie et Pudding.

Elsa rabat la toile à l'entrée de la tente et appelle Edward :

— Elle va bien. Elle a juste besoin d'un peu de repos.

Puis Elsa met le cap sur le côté sud et le port.

Le sentier est envahi par une odeur de charbon en combustion. Elle entend les cliquetis des chaînes et des cables, le grondement des moteurs, les vagues sonores d'un chant allemand. Plus loin, sur la falaise en surplomb du port de Vinapu, elle voit danser sur l'eau huit embarcations grises. S'il n'y avait autant d'agitation tout autour d'eux – des mâts de charge dégoulinant de tuyaux de toutes sortes, des barques instables acheminant lentement de pleines cargaisons d'hommes bronzés vers la berge –, ces navires auraient ressemblé à de grands morceaux de métal mort. Sur le flanc du plus gros, des charbonniers jettent des paniers de charbon dans des soutes carrées en chantant, *Wem Gott will rechte Gunst erweisen.*

Elsa attache son cheval et descend à pied le sentier jusqu'à la baie encombrée de barques, de chaloupes et de pirogues rapa nui. Une chaloupe est quasi échouée sur le rivage, enchaînée à l'embarcadère. Une pyramide de tonneaux en bois raboteux s'y élève, alors que non loin se dresse une tour de caisses et, sur les rochers, à quelques mètres, des douzaines de sacs en jute souillés vomissent patates douces, ananas, citrouilles. Un jeune officier s'évertue à les traîner un à un vers la rive tout en fumant une cigarette.

Quand il aperçoit Elsa sur le sentier, il souffle avec nonchalance un panache de fumée en direction du soleil.

— *Von Spee ? Ja ?*

— *Ja*, répond Elsa.

Il laisse choir son sac pour la conduire jusqu'à un petit canot à moteur. Après avoir éteint sa cigarette, il met en route le canot qui s'ébranle en crachouillant. Elsa regarde le rivage s'éloigner derrière eux, se rendant compte tout d'un coup qu'elle n'a pas quitté l'île du tout depuis deux ans. Ils ne tardent pas à aborder le navire au plus gros tonnage, un vaste mur de tôle soudée qui leur cache le ciel. Et le long de cette façade, des échelles en corde se balancent comme des lianes. L'officier coupe le moteur devant une échelle en métal. Il se lève et d'un geste de la main, désigne Elsa, puis l'échelle.

— *Ja ?*

Elsa fait oui de la tête. Elle enroule un pan de sa jupe autour de son poignet et se met en devoir d'escalader le mur, ses bottes raclant l'acier à chaque barre. Une fois en haut, elle se retrouve dans l'énorme espace du pont principal, au milieu d'une forêt de cheminées et de mâts de charge, d'un gigantesque filet de cables tendus. Tout en s'avançant, elle imagine le vaisseau en mer, piquant dans les vagues écumantes, bourdonnant des cris de centaines d'hommes aboyant des ordres, attrapant des filins, se mettant en position. Et l'artillerie. Bien sûr, il y avait aussi le bruit des fusils et des canons. Et ne risquaient-ils pas aussi de devenir la cible d'autres fusils, d'autres canons ?

— *Hallo ! Hallo !*

D'un pont inférieur monte vers elle un officier souriant, son uniforme blanc étincelant au soleil.

— *Ich suche admiral von Spee ?* demande Elsa.

A ces mots, son visage, bronzé et charnu, s'éclaire de joie. Il la guide jusqu'à une échelle, puis dans un dédale d'étroits couloirs éclairés par des ampoules nues. Une porte noire ornée d'un blason doré. L'officier frappe quatre coups. Sans attendre l'ouverture du battant, il salue Elsa en pliant le buste tout en esquissant un geste gracieux du bras. Mais à l'instant où la poignée tourne et où la tête de l'amiral apparaît, il lui décroche un salut bien sec, bien militaire.

— Max, mais c'est une ville flottante.

— *Weg*, ordonne Max.

L'officier tourne les talons et s'éloigne.

Max pose sa main sur l'épaule d'Elsa.

— Vous êtes arrivée jusqu'ici. Et vous avez l'air reposée.

— Où est passé tout le monde ?

— En permission. Ils le méritent après tout ce temps en mer. Mais venez vous asseoir.

Elle le suit dans une petite cabine. Des cartes recouvrent entièrement la table sous le hublot, sinon la pièce est vide. Elle s'assied sur un banc qu'agrémentent des coussins. Un sofa ou un lit.

— Je dois avouer que je vous imaginais vivant dans un peu plus de luxe.

— Vous auriez dû nous voir à Tsingtao. Des tapis, des tableaux, des tapisseries françaises. Le pont décoré pour servir de piste de danse. Cette cabine avait une boiserie. J'ai eu ma part de luxe.

— Et vous avez redécoré ?

— Tout ce qui était inflammable... nous l'avons laissé en Chine.

Inflammable. De nouveau une image s'impose à son esprit, celle du navire sous le feu des canons, enfoui sous des nuages noirs. Elle se lève et regarde par le hublot, du côté du rivage ;

— Les Pascuans vont venir vous rendre visite. Ils ont sorti leurs pirogues. Ils aiment bien surprendre les gens.

— Ils sont déjà venus. Nous leur avons donné des savonnettes et de la viande en boîte, quoique nous n'en ayons pas trop. Cela nous coûte cher, tous ces salamalecs.

— Vous allez entrer dans l'histoire de Rapa Nui. Ils ne reçoivent pas souvent de la visite.

— Du moment qu'ils ne l'annoncent pas à la radio.

— Il n'y a pas de radio.

— Je sais.

Elle se retourne pour lui faire face ; leurs yeux sont graves.

— Ils sont à notre recherche, Elsa. Les Britanniques.

— Heureusement que la mer est grande.

— L'Allemagne est à des milliers de kilomètres. Des milliers !

Elle considère les cartes sur la table et enroule le bas de l'une d'elles, puis d'une deuxième.

— Combien de temps comptez-vous rester à l'ancre ?

— Pas plus de quelques jours. Nous attendons un dernier navire.

Que peut-elle lui dire ? Ne partez pas ? Elle se figure les ondes de sa voix se propageant dans toute l'Europe. Son appel serait si futile, si naïf.

— Eh bien, dit-il, rompant le silence, maintenant, vous voyez ce que je fais quand je ne promène pas les enfants dans la forêt.

Elsa lâche les cartes :

— Et maintenant vous savez ce que j'ai fait depuis que j'ai arrêté de courir après vos enfants.

— Il est beaucoup plus vieux que je ne l'avais imaginé.

— Ha ! Vous n'avez rien à dire.

— Vraiment ? J'ai vieilli ?

— Ça vous vieillit un homme de commander un navire de guerre.

Leur gaieté est semblable à la houle qui gonfle et puis se volatilise, à l'oiseau qui vient tournoyer quelques secondes dans une pièce avant de s'envoler par la fenêtre.

— C'est grave, n'est-ce pas ? dit Elsa.

— Oui, *Liebling*.

— Et vous êtes en danger.

Il lui prend la main.

— Il y a près de deux mille hommes sous mes ordres. La plupart sont plus jeunes que vous. A Samoa, ils sont descendus à terre, ils ont flirté avec les femmes, ils ont bu, et ensuite ils ont écrit, comme ils l'ont toujours fait, sur les troncs des arbres et sur les gros rochers. *Fritz était ici, 1914, marin à bord du Scharnhorst.* Avant de lever l'ancre, nous avons envoyé d'autres hommes effacer tout cela, tous leurs noms, les traces qu'ils ont voulu laisser...

Il marque une pause avant d'ajouter :

— ... Ils nous ont pris en chasse.

Elle comprend à demi-mot ce qu'il est en train de lui dire : il ne rentrera pas chez lui. Tout est contre lui. Et c'est pourquoi il est venu.

— Dites-moi, Elsa. A quoi pensez-vous ?

Elle pense à son navire dépouillé de tout son bois, de tous ses tissus. Elle pense au navire en flammes.

— L'Angleterre, dit-elle. La maison de mon père. J'aimerais la revoir.

— Oui. Moi aussi, je rêve au retour. A Strasbourg.

— Au jardin.

— Au jardin, soupire-t-il. Votre sœur est avec vous, n'est-ce pas ? Alice ?

— Alice.

— Elle se porte bien ?

— Bien ? Oui. Mais autrement.

Elsa se dirige vers le hublot, Max derrière elle. Ils regardent à travers la vitre le rivage, les falaises, l'herbe clairsemée, les statues couchées. Comme tout cela avait l'air petit d'aussi loin.

— C'est curieux, ce paysage, dit-il. Il ne ressemble pas à ce que j'ai vu sur les autres îles. Je n'en ai jamais vu d'aussi petite.

— Qu'avez-vous vu ? Sur les autres ?

— Des arbres à pain et des cocotiers. Des tortues et des oiseaux exotiques. Les autres îles étaient comme des jungles.

— Je pense que celle-ci l'était aussi. Et puis il s'est passé quelque chose.

— Quoi ?

— Cela a un rapport avec les *moai*, avec la façon dont ils ont été transportés, et pourquoi ils sont comme cela, couchés sur leur visage.

— Elles sont comme des tombes, ces statues, énonce Max.

— Elles sont des tombes. Ces plates-formes sur lesquelles elles se dressaient debout, des gens ont été enterrés là-dessous. Les statues symbolisent les morts. Les ancêtres. Et je ne crois pas qu'elles soient tombées. On raconte des histoires sur ces tablettes en bois. Des histoires sur l'île. Cet endroit était recouvert de forêts. Ce pourrait être juste une légende, juste du folklore, mais...

— Dites-moi.

— Vous voulez vraiment savoir ?

— Pourquoi pas ?

— C'est triste, dit-elle.

— Bien, ainsi nous sommes sûrs que c'est vrai.

*

Au cours des six jours qui suivent, Edward démonte ses fouilles et cache les *kohau*, leurs cahiers, le journal d'Elsa avec la traduction du *rongorongo*, plus leurs croquis de *moai* – tout ce que les Allemands pourraient emporter – sur la goélette, laquelle, nettoyée, se trouve de nouveau ancrée dans l'anse d'Anakena. Elsa aide Max à approvisionner les navires. Ils obtiennent par le troc du bœuf, de l'agneau, du poulet. Elle aide même plusieurs officiers à acheter des sculptures sur bois.

Lorsque vient enfin l'heure des adieux avec Max, cela se passe dans sa cabine. Ils restent assis en silence l'un auprès de l'autre, écoutant le tintement des chaînes de l'ancre, le clapotement des vagues contre la coque du navire. Comme à l'époque où ils étaient assis dans le jardin, sauf que cette semaine, il n'ont pas été obligés de respecter les convenances. Pour compenser le manque de paroles, Elsa l'embrasse, et tout de suite elle sent son poids sur elle, et à travers son poids, son absence, le ressentant tout à la fois présent et déjà perdu pour elle. Et c'est à cet instant, alors qu'elle est allongée sous lui, qu'elle retourne en pensée dans la maison d'Edward, le jour où elle s'était tenue penchée sur la malle vide en se demandant ce que l'avenir lui réservait, comme si, après ce long voyage, elle était finalement devenue ce moi futur.

Elle l'attire contre elle.

— Ne pleure pas, *Liebling*.

— Je ne pleure jamais, dit-elle.

Mais une larme coule au coin de son œil.

Lorsque Max se lève, elle ne peut réprimer son inquiétude :

— Ne pars pas.

Et dans la demi-obscurité, voilà son sourire :

— Finalement. J'avais peur que tu veuilles te débarrrasser de moi.

— Reste.

— Impossible.

— Alors, quand tout ceci sera fini, nous nous retrouverons. Vous viendrez me voir dans le Hertfordshire. Vous verrez nos jardins au printemps. Vous me direz comment toutes ces fleurs se nomment.

— Bien sûr.

— Nous pourrons prendre un train pour Londres et visiter le British Museum.

— Absolument. Le British Museum.

Il la prend dans ses bras et une expression de douleur se peint sur son visage, une expression qu'elle ne lui connaît pas. Comme s'il parlait tout seul, d'une voix neutre, il prononce :

— Nos vies seront pleines de grands bonheurs.

*

— Alors, ils partent ? demande Edward.

— Oui, marmonne-t-elle en se rappelant les instructions de Max. Ils font route vers Pitcairn pour voir ce qui s'y passe pendant quelques jours, puis mettront le cap sur les îles Marquises et Tahiti. (En fait, ils en viennent.) On dirait qu'ils font la tournée du Pacifique.

La réalité du départ finit par la frapper de plein fouet. Max est parti. La flotte est partie. Ils sont retournés en mer, où ils seront pourchassés. Elsa s'efforce de se souvenir de ce qu'elle doit faire : Kasimiro, oui, elle doit retourner voir Kasimiro. Elle doit trouver la clé. Max était d'accord pour penser que c'était de la plus haute importance. Les tablettes, le *rongorongo*. Cela, au moins, c'était une réalité permanente.

— Alice n'a pas été bien, dit-il nerveusement. Vous pourrez la calmer ?

— Que s'est-il passé ?

— Rien. Toujours la même chose. Le règlement.

— Faut-il lui rappeler le règlement ?

Son ton est irrité. Elle n'a pas envie de retourner à cette vie, à ce chaos.

— Je vous le promets. Je lui ai fait comprendre.

— D'accord.

— Vous savez, je trouve encore extrêmement curieux qu'ils n'aient pas eu un seul journal à bord.

— Les Allemands n'aiment peut-être pas lire, Edward. Bonne nuit.

Elle allume une lanterne, la soulève et se rend sous la tente d'Alice.

— Allie, murmure-t-elle.

Mais la tente est vide.

— Allie ! appelle-t-elle de nouveau dans la nuit.

C'est alors qu'elle voit la cage. La cage de Pudding, dans le coin de la tente, la porte ouverte, une plume grise solitaire collée par terre.

Le collier de graines en forme de cœur gît, brisé, sur le sol.

Sa voix s'élève à présent, avec des notes aiguës, dans les ténèbres :

— Allie, où es-tu ?

24

La fièvre se déclara à l'aube, se glissant d'abord sur son front, puis rampant sur ses joues, s'enroulant autour de sa gorge pour la prendre par les épaules, la secouer, la tirer du sommeil, sauf qu'elle refusait de se réveiller. Elle s'enfonça plus lourdement dans l'herbe fraîche. Ses doigts, chauds et crispés, s'accrochèrent à un caillou froid, un glaçon. Son esprit se ralentit, s'assoupit, puis ce fut le réveil, brutal. Des images défilaient devant elle : une grenouille gigotant pendue à l'envers, une graine flottant dans un bocal. Une île. Une fleur blanche dans une flaque d'ombre.

Sa langue gonfla, brûlante, un pain au levain dans le four de sa bouche. Son cou devint rigide, son larynx épais, chaque conduit se durcissant jusqu'à ce que le filet d'air qui passait tant bien que mal atteigne ses oreilles. Je suis devenue un arbre, pensa-t-elle. Elle se tourna alors, ou eut l'impression de se tourner. Son visage rencontra une matière ferme et mouillée, ses cheveux, trempés de sueur, retombèrent autour d'elle. Le noir complet. Ses orteils la démangeaient – ou était-ce les doigts de sa main ? Ce crabe, où avait-il filé ? Etait-il à présent en train de la piétiner de ses grosses pattes chaudes – était-ce lui qui répandait dans tout son corps cette onde de feu ? Elle étouffait. Le soleil se levait, déversant ses rayons comme autant de coulées de lave. Elle était un volcan, soulevée par une explosion.

— Je vais vous aider. Passez votre bras autour de mon cou. Je vous en prie, Greer. Essayez de bouger. Voilà. C'est bien. Parfait. Vous voyez que c'est facile.

Elle flottait au-dessus de l'herbe – était-ce un rêve ? Elle cherchait la fleur blanche. Mais elle était incapable de garder les yeux ouverts, le sol défilait sous elle, oscillait. Un tremblement de terre. Elle sentait les secousses, entendait ses dents claquer comme des dés dans un cornet. Ensuite la voilà qui atterrit, de l'eau se déverse sur son visage. De l'eau lui bouche les yeux, le nez, la bouche. Puis c'est une flèche, un mousquet, un revolver ou une boule de canon qui traverse son bras, lui troue la chair, pénètre dans son épaule, son cou, sa tête...

Les paupières closes, la respiration rauque, elle tentait en vain de se dresser sur son séant. La pesanteur, telle une vague déferlante, la rejetait aussitôt à terre.

Malgré les épaisses couvertures sous lesquelles elle était enfouie, elle tremblait.

— Froid, murmura-t-elle.

— Je sais, c'est la fièvre. Ça donne des frissons. Mais ça va passer.

— Quand ?

Silence. Elle souleva une paupière lourde ; une douce lumière jaune brillait sur la table de chevet toute proche – une bougie ? Ou une ampoule floue à cause de la fièvre ? Elle distinguait à peine le mur blanc, le bureau, le pied du lit. Où était-elle ?

A travers les couvertures, elle sentit une main lui serrer le coude.

— Là, dit-il, sa voix à des kilomètres, comme une voix enregistrée, un enregistrement d'enregistrement.

Elle laissa glisser sa tête sur son épaule et regarda en bas. Par terre, à côté de son lit, il était allongé à plat dos, un bras replié sous la nuque.

Elle se réveilla dans le noir avec la sensation qu'une cascade d'eau tiède arrosait sa bouche.

— Greer, il faut boire. Il faut débarrasser votre organisme de toutes ces toxines. S'il vous plaît, essayez.

Mais ses lèvres, pesantes et molles, semblaient à peine tenir à la chair de son visage.

Une bête se retourna dans son estomac, étira ses membres,

fit la pirouette et bondit vers sa gorge. Sa gorge prit feu, son nez prit feu.

— Oui, *querida*. Tout va bien. Votre corps se charge de se laver tout seul.

Une odeur rance lui remplit les narines. On lui essuya le visage avec une serviette.

— *Bueno, doctora.*

— Mahina ?

— *Sí, doctora.*

Greer s'obligea à ouvrir les yeux et vit une lumière tachetée à travers les rideaux. Comme des ombres. Mahina et Vicente semblaient flotter de-ci de-là dans la pièce, versant de l'eau dans une bassine, tordant des vêtements, pliant des serviettes, murmurant des mots espagnols. Ils se déplaçaient avec des mouvements fluides ; on aurait dit des danseurs, de ravissantes et grâcieuses infirmières.

— Quel jour... ?

Sa gorge lui faisait trop mal, elle ne pouvait pas parler.

— Samedi, dit Vicente. Trois jours. Le médecin dit que vous allez de mieux en mieux. Mais il vous faut encore prendre du repos. Vous reposer et beaucoup boire.

— Le médecin ?

— Le docteur pour la *doctora*, chanta la voix de Mahina.

— Je ne vais pas mieux.

— Vous avez un bien meilleur teint, lui assura Vicente.

— *Sí, sí*, approuva Mahina. Mais pour le moment, il faut dormir.

En voulant se tourner sur le côté, Greer se tira elle-même les cheveux qu'elle avait tout emmêlés. Elle souleva lentement un bras pour s'en dégager.

— *Momento*, dit la voix de Vicente.

Elle sentit alors ses doigts séparer sa chevelure en trois bandes, une agréable fraîcheur baigner sa nuque tandis qu'il soulevait la masse de ses cheveux et commençait à lui faire une tresse. Chaque fois qu'il rabattait une mèche, les pensées de Greer se brouillaient.

Dans ses rêves, elle voyait l'île d'un vert émeraude. Elle planait au-dessus d'elle, examinait chaque fougère, chaque sentier moussu, chaque blanche efflorescence.

A son réveil, une brise soufflait par sa fenêtre et elle se crut là, dans le ciel au-dessus de l'île, transformée en nuage. Mais lorsqu'elle ouvrit les yeux, tout lui revint : la chambre, la *residencial*, l'île de Pâques, la fièvre.

— Vous avez encore des frissons ? l'interrogea Vicente, assis sur un petit tabouret à son chevet.

Il était mal rasé, et son pantalon était tout chiffonné.

— Juste des courbatures, dit-elle.

— Votre corps a dû se battre pour éliminer les poisons, approuva Vicente en se caressant le menton. Vous avez bien meilleure mine.

Greer abaissa son regard sur elle-même. Le drap était entortillé autour de ses chevilles. Ses jambes pâles sortaient d'un caftan orange en coton froissé. Dans sa main, la plaque de la Vierge Marie. Avait-elle été glissée là par Mahina, ou l'avait-elle saisie dans son délire ? Elle la posa.

— Le venin, dit-elle, il est sorti ?

— Avec les araignées, il y en a très peu. Mais il est puissant. Il avait déjà atteint vos organes vitaux. Mais vous êtes sortie d'affaire. Vos joues ont retrouvé des couleurs, c'est très bien. Vous ne pouvez pas savoir. Quand je vous ai trouvée... oh, c'était quelque chose.

Vicente se leva lentement en terminant par :

— Je dois aller voir Mahina pour lui dire que vous êtes réveillée et que vous parlez. Que la fièvre est tombée.

En sortant, il ferma la porte derrière lui.

Greer prit une profonde inspiration. Ses paupières n'étaient plus aussi lourdes. Son front n'était plus brûlant. Sa gorge plus glacée. Elle leva les deux bras en l'air et les plia sans difficulté. Elle tourna la tête dans tous les sens, remua les doigts de pied. Quel merveilleux mystère qu'un corps, songea-t-elle. Elle plaqua ses mains contre le mur et étira ses pieds jusqu'au bord du lit. Chaque tendon, chaque fibre musculaire, chaque nerf, s'éveilla. Jamais elle n'avait été aussi impressionnée par le tonus de ses jambes et de ses bras.

Greer regarda autour d'elle. Sur la table de chevet s'élevait sa pile de livres et le bocal avec sa graine de magnolia. La bassine se trouvait encore sur le bureau, à côté d'un tas de vêtements pliés et d'un pichet d'eau.

— *Doctora !*

La porte s'était ouverte à la volée et Mahina, suivie de Vicente, entra en trombe. Elle posa aussitôt sa paume sur le front de Greer.

— *Sí, sí*, dit-elle à Vicente. *Está mejor*.

Mais sa joie fut de courte durée, elle ajouta aussitôt sur un ton de reproche à l'adresse de Greer :

— Pourquoi êtes-vous partie comme ça ? En dehors de Hanga Roa ! Dans le noir ? Vous êtes folle. Vous avez été malade trois jours.

— Je suis désolée, Mahina. Je suis sortie marcher un peu. J'étais fatiguée. J'ai été saisie par le sommeil.

— Vous avez de la chance. Beaucoup de chance. Il faut faire attention sur cette île. Il y a beaucoup de choses qui peuvent mal tourner. Quand vous rentrerez en Amérique, vous ferez tout ce qui vous passe par la tête. Mais ici, vous restez chez Mahina la nuit et vous dormez dans votre lit. D'accord ?

— D'accord.

Mahina plissa les paupières.

— D'accord, répéta Greer.

Se postant au pied du lit, Mahina arrangea le drap et le remonta sur les jambes de Greer.

— Vous avez reçu beaucoup de visites. Je ne savais pas que vous connaissiez tant de monde sur Rapa Nui, dit-elle en bordant le drap d'un côté. Ils pensent que la *doctora* est en train de mourir, alors ils viennent tous trouver Mahina. Mario. Vittorio...

Elle passa de l'autre côté du lit pour terminer de la border tout en poursuivant :

— ... Comme ils iraient au cinéma. Ici il n'y a rien à faire, rien qui se passe, alors ils viennent regarder ma *doctora*...

Mahina contempla Greer, « sa » *doctora*, replia le haut du drap et le glissa sous les aisselles de Greer. Elle avait réussi à faire le lit avec Greer couchée dedans. Elle enchaîna, la main sur la hanche :

— ... Je leur ai dit, non, allez-vous-en. Même à Ramón, j'ai dit non. Je leur ai dit que la *doctora* n'aimait pas les indiscrets.

— Mais vous avez laissé Vicente ?

— Ah ! oui, sourit Mahina, manifestement contente que Greer aborde ce sujet. Mais Vicente est votre collègue.

— J'ai de nombreux collègues ici, Mahina. Mais merci quand même.

— *Señor* Urstedt et Isabel sont venus aussi. Je leur ai dit non, et *señor* Urstedt a voulu se glisser par votre fenêtre.

— Par bonheur, dit Vicente, Sven ne passait pas. Mahina l'a attrapé par les jambes. Dommage que vous ayez raté ça, Greer. Ça vous aurait amusé.

Mahina se frotta les mains en souriant, enchantée de cette plaisanterie.

— *Sí, sí*, maintenant je vais aller préparer le déjeuner d'Isabel. Elle est embêtée. Elle veut maigrir et ne peut manger que des fruits et des légumes ! Quand vous aurez faim, Greer, je vous ferai cuire dix poulets !

Elle partit en claquant légèrement la porte. Ils l'entendirent fredonner dans la cour.

— Vicente, voyons, je vous dois un grand merci.

— C'est Luka Tepano qui vous a trouvée. Il vous a portée jusqu'à moi. Et ensuite on a chacun joué notre rôle. Surtout Mahina. Vous êtes comme sa fille pour elle. Elle ne veut pas que vous partiez, fit observer Vicente en montrant d'un geste la façon dont elle avait ligoté Greer au matelas.

— De toute façon, pour l'instant, je ne vais nulle part. Je suis vidée.

— Oui, bien sûr, acquiesça Vicente en reculant vers la porte. Vous avez besoin de vous reposer.

— Non, je ne voulais pas dire...

— Je vais vous laisser dormir. Mais, d'abord...

Il tira de sa poche un petit objet qu'il déposa au creux de la paume de Greer.

— ... Vous le teniez dans votre main quand on vous a mise au lit. Vous ne vouliez pas le lâcher. J'ai dû vous ouvrir les doigts un à un.

Il rit en concluant :

— Vous avez beaucoup de force, vous savez.

— Je tenais ça ?

Une noix. Coquille pétrifiée.

— C'est un fossile.

— Cela explique peut-être pourquoi vous étiez dehors à cette heure. Vous étiez sur la piste d'un fossile. Et pressée avec ça. Il était dans les grottes. Et quand vous l'avez trouvé, quand vous l'avez ramassé, il y avait une araignée cachée dessous.

— Cette histoire me plaît. Elle me plaît beaucoup.

— Bon, maintenant, reposez-vous.

Il ferma doucement la porte. Greer fit rouler la noix dans sa paume, la leva à la lumière.

— Salut, petit *Angio sperma*.

Un soir, quelques jours plus tard, Vicente vint lui annoncer dans sa chambre que Burke-Jones avait décidé de quitter l'île.

— Il a dit qu'il était désolé, déclara Vicente debout à côté de son lit. Il m'a demandé de vous dire au revoir de sa part.

Greer n'avait pas revu Randolph depuis la nuit du cimetière.

— Il ne pouvait pas venir lui-même ? Ce n'est pas si loin à pied de l'Espíritu.

— Vous connaissez Burke-Jones. Ce n'est pas le genre à aimer les adieux. Mais il a dit que vous alliez lui manquer. En fait, il a dit...

Vicente baisse la tête et bougonne :

— ... Elle va me manquer.

Greer se souvint de la photo dans son portefeuille. Lydia.

— L'Angleterre va lui faire du bien, je pense.

— Burke-Jones part pour l'Inde, spécifia Vicente.

— L'Inde ?

— Je sais. C'est une surprise pour nous tous.

— Qu'est-ce qu'il y a en Inde ?

— Plus d'un milliard de personnes.

— Déciment, vous êtes de bonne humeur.

— Ça, c'est bien vrai ! s'exclama-t-il en s'asseyant au bord du lit. J'attends un télégramme.

— De ?

— De qui d'autre ? De mon amiral allemand préféré ! Un autre message radio de son navire.

— Je trouve que vous vous intéressez plus à ces tablettes manquantes qu'à celles que vous avez déjà.

— Cette pensée m'a effleuré, je l'avoue.

— La quête éternelle de l'universitaire.

— Mais je touche au but. Je vais trouver ces tablettes.

— Mais revenons à l'Inde, que va faire Randolph là-bas ?

— Quelque chose à voir avec la construction du Tāj Mahal.

— Attendez, dit Greer en fermant les yeux et en levant la

main en l'air. J'ai une vision subite. Une image de... des centaines de Tāj Mahal miniature.

— Une maquettte couverte de petits palais de marbre.

Ils rirent.

— Je le félicite, en tout cas, approuva Greer en remontant sa couverture. Mais il va me manquer. Sven sera triste.

— *Señorita* Nosticio va se charger de le consoler.

— Isabel ? Vous voulez dire qu'ils sont ensemble ?

— Je vous l'avais dit. Il aime les femmes plus âgées.

On frappa doucement à la porte.

— C'est ouvert, lança Greer.

Mahina entra avec deux bols. Elle enveloppa Greer et Vicente d'un regard satisfait. Elle leur tendit à chacun un bol et sortit de la poche de son tablier deux fourchettes brillantes.

— Merci, Mahina, dit Greer.

— *Peti*, chantonna-t-elle en refermant la porte derrière elle.

— Des pêches. Ah... Je sais ce que cela signifie. Vous êtes dans ma chambre, assis sur mon lit...

Greer planta sa fourchette dans la coupole luisante de sa demi-pêche et la souleva.

— ... La dot selon Mahina, termina-t-elle.

— Ça me plairait d'avoir une fête *umu*.

Greer glissa un morceau de fruit dans sa bouche et laissa le sirop lui enduire la langue.

— Vous savez, j'ai toujours voulu parler à Mahina... de son mari.

— Pas un sujet facile à aborder.

— Elle est mon amie. Je devrais pouvoir y arriver.

— Que lui diriez-vous ?

— Je n'en sais rien. Qu'elle devrait prendre un billet d'avion pour Santiago, Buenos Aires, Rio. Bref, elle devrait voyager, vivre sa vie. Je les vois d'ici, Mahina et Ramón, roucoulant comme deux tourtereaux dans un hôtel de luxe, se faisant servir, pour une fois.

— Je crois qu'il existe une expression pour ce genre de considération : se mêler de ce qui ne vous regarde pas.

— Se mêler des affaires de ceux qu'on aime, c'est se préoccuper d'eux, corrigea Greer.

— C'est une façon un peu spéciale de voir les choses. Mais, Greer, et vous ? Où voulez-vous aller ?

— Bonne question.

Tout en parlant, Vicente se concentrait sur ses pêches qu'il s'employait à couper en quartiers.

— Combien de temps comptez-vous rester encore ? lança-t-il.

— Sur l'île ? Je n'en sais rien.

Curieux qu'elle n'y ait pas encore songé, se dit-elle. Ses recherches arrivaient à leur terme, mais la perspective de rentrer à Marblehead lui paraissait irréelle ; sa maison, sa vie là-bas, incroyablement lointaines.

— Quand tout sera bouclé, je suppose, répondit-elle. J'attends des nouvelles de mon fossile. Si mes suppositions sont confirmées quant à son espèce, je pourrais attaquer la rédaction des conclusions de mon programme.

— Et vous serez libre de partir,

— Pas libre. Mais oui, ensuite je pourrai partir.

Le lendemain, Greer se sentit la force de retourner au labo vérifier ses échantillons afin de s'assurer que tout était bien en ordre. Elle décida de revoir ses notes et les textes qu'elle n'avait pas encore lus. Elle s'installa devant une des tables de son laboratoire.

Le dernier récit de voyage européen avait été écrit par un jeune Français, Pierre Loti, qui avait visité l'île en 1872, près d'un siècle après le capitaine Cook. Le ton de Loti était différent de celui des autres explorateurs. C'était celui d'un écrivain, d'un poète, en quête d'émerveillement.

> « J'y ai abordé jadis, dans ma prime jeunesse, sur une frégate à voiles, par des journées de grand vent et de nuages obscurs ; il m'en est resté le souvenir d'un pays à moitié fantastique, d'une terre de rêve. »

Au même titre que les autres visiteurs, Loti constate que ses mouchoirs et ses chapeaux sont hautement convoités. Il déplore le vol d'un chapeau en velours rouge à boutons en cuivre que lui a chipé sur sa tête un petit garçon qui s'est ensuite tout de suite mis à chanter. Mais à Loti, les Rapa Nui ont offert un accueil à nul autre pareil. Lorsqu'il fait le tour de l'île, à un moment donné, il se trouve fatigué et se voit emmené par un Pascuan dans une hutte.

> « *La toiture en roseaux qui m'abrite est soutenue par des nervures de palmes – mais où donc les ont-ils prises, puisque leur île est sans arbres et ne connaît guère d'autre végétation que celle des herbages ?... Dans ce réduit, qui n'a pas un mètre et demi de haut sur quatre mètres de long, mille choses sont soigneusement accrochées : de petites idoles de bois noir, qu'emmaillotent des sparteries grossières, des lances à pointe de silex éclaté, des pagaies à figure humaine, des coiffures en plume, des ornements de danse ou de combat, et beaucoup d'ustensiles d'aspect inquiétant, d'usage à moi inconnu, qui semblent tous d'une extrême vieillesse. [...] Mais, quand on y songe, tout ce bois si desséché de leurs massues et de leurs dieux, à quelle époque peut-il remonter et d'où leur est-il venu ? ... Et leurs chats, leurs lapins ? ... Je veux bien que les missionnaires les leur aient amenés jadis. Mais les souris qui se promènent partout dans les cases, personne, je suppose, ne les a apportées, celles-là !... Alors, d'où arrivent-elles ?... Les moindres choses, dans cette île isolée, soulèvent des interrogations sans réponse ; on s'étonne qu'il puisse y avoir ici une faune et une flore.* »

Loti succombe doucement au sommeil.

> « *A ce réveil, dans ce pauvre gîte de sauvages, me vient d'abord la notion d'un dépaysement extrême. Je me sens loin, loin comme jamais, et perdu. Et je suis pris aussi de cette angoisse spéciale qui est l'oppression des îles et qu'aucun lieu du monde ne saurait donner aussi intensément que celui-ci ; l'immensité des mers australes autour de moi m'inquiète soudain, d'une façon presque physique.* »

Greer pose le livre ; Loti avait raison. Elle se souvenait de son premier jour dans le cratère du Rano Aroi, debout au milieu des roseaux. Même dans cette « *terre de rêve* », elle avait ressenti un moment l'angoisse de la solitude. Et comment en aurait-il pu être autrement ? L'île avait quelque chose de mythique, c'était comme une peur qui se matérialisait : la solitude elle-même. C'était peut-être la raison qui l'avait poussée à venir jusqu'ici, le désir d'explorer la géographie de sa solitude.

Des voix sonnèrent dans le couloir. Isabel et Sven. Elle entendait le bruit de leurs pas qui se rapprochaient de sa porte. On toqua. Il y eut un rire étouffé. Puis un autre toc toc !

— Entrez.

— Ah ! vous voilà de nouveau à l'ouvrage ! Vous êtes donc remise sur pied ! s'exclama Sven en lui donnant l'accolade. Cela n'a rien de surprenant, vous n'auriez pas pu être mieux soignée.

— C'est vrai, admit-elle en souriant malgré elle.

Même sur cette île isolée, elle avait trouvé une communauté : des gens qui se souciaient de voir comment elle allait, des relations, des amis. Elle était sur le point de terminer son premier travail sur le terrain. Elle se remettait doucement de ce que Thomas avait fait. Que voulait-elle de plus ?

— Quand ils vous ont transportée chez Mahina, vous aviez vraiment l'air mal en point. Je vous jure, on aurait dit une morte.

— Merci, Sven.

— Et vous voilà avec les joues toutes roses ! Vous étiez blanche, ça je vous le garantis.

— Je commence à sortir, à marcher un peu, la vie reprend son cours.

— Nous en sommes très heureux, avança Isabel en prenant la main de Sven.

Elle avait une bonne tête de moins que lui, et une bonne dizaine d'années de plus, mais ces différences, d'une façon ou d'une autre, produisaient un effet d'équilibre.

— On va faire un tour, déclara Isabel. Vous voulez vous joindre à nous ?

— Un tour où ?

— Autour de l'île !

— Y a-t-il quelque chose que vous n'ayez pas encore vu ?

— Oh, dit Isabel, nous n'avons pas exploré toute la côte, ni tous les cratères. Je suis une exploratrice sur dossier. Aujourd'hui, Sven m'emmène découvrir ces choses à pied.

A cet instant, Greer s'aperçut de la tenue d'Isabel : des chaussures de marche, un short kaki et un tee-shirt de Sven, jaune, trop large, avec, écrit en gros sur la poitrine : *Swede e* π.

— Je préfère rester tranquille et lire. Merci quand même.

— Si vous avez besoin de quoi que ce soit, dit Sven, dites-le-nous. Et si vous n'avez besoin de rien, inventez quelque chose.

Maintenant que Burke-Jones est parti, tout tourne au ralenti par ici.

Après leur départ, elle entendit Sven chanter en s'éloignant dans le couloir.

Greer reprit la lecture de la dernière partie du récit de Loti, quand il raconte comment un chariot de fortune avait été fabriqué avec une chaloupe de la frégate et que les marins de son navire – ils étaient cent – entreprirent de déplacer un *moai*. Les Pascuans ne s'y opposèrent pas, à croire que pour eux, les statues ne valaient rien. Roggenveen, cent cinquante ans plus tôt, avait vu du feu allumé devant les idoles et les Pascuans s'agenouiller devant elles en signe de vénération. Loti témoignait d'une tout autre attitude :

> « *Des gens nous suivent en grande troupe, ce matin, à travers la plaine d'herbages mouillés, et, arrivés là-bas, se mettent à danser sur les dalles funéraires et sur les idoles couchées, à danser partout comme une légion de farfadets, échevelés et légers dans le vent qui siffle, nus et rougeâtres, bariolés de bleu, corps sveltes et clairs parmi les pierres brunes et devant les horizons noirs ; ils dansent, ils dansent, sur les énormes figures, heurtant de leurs doigts de pied, sans bruit, les fronts des colosses, les nez ou les joues. Et on n'entend guère non plus ce qu'ils chantent, dans le fracas toujours croissant des rafales et de la mer...*
> *Les hommes de Rapa-Nui, qui vénèrent tant de petits fétiches et de petits dieux, paraissent tous sans respect pour ces sépultures : ils ne se souviennent plus des morts endormis là-dessous.* »

A moins, songea Greer, qu'ils se soient justement rappelé les morts ensevelis sous les statues. Et qu'ils aient assouvi l'envie de danser sur une de leurs tombes. En auraient-ils voulu à leurs ancêtres ?

25

— Ce que je lui ai dit l'a bouleversée, déclare Edward. Elle est partie bouder. Peut-être sur le site des fouilles. Elle se plaît là-bas. Mais elle n'a pas pris son cheval. Si elle est à pied, elle est sans doute blessée. À cause de moi ; tout cela est de ma faute.

— Arrêtez ! s'exclame Elsa. Partons à sa recherche.

Ils prennent chacun une direction différente avec leur cheval et appellent Alice à tue-tête. Elsa suit le versant sud en direction d'Hanga Roa, dans l'espoir qu'Alice ne soit pas sortie du chemin. Elle passe devant les statues couchées de Tongariki au moment où le soleil commence à sombrer, obscurcissant la mer, l'herbe.

La seule cachette de l'île, ce sont les grottes. Et Alice a toujours détesté ces grottes. Elle doit se trouver quelque part, guettant, à découvert, attendant d'être vue et rappelée. Après toutes ces années, on dirait qu'Alice veut simplement qu'on lui pince le bras, comme si sa vie n'avait été qu'une longue transe dont elle demande à être réveillée.

Alice veut qu'on vienne la chercher.

La pleine lune baigne le paysage de son voile blanc, mais Elsa n'en a pas besoin. Combien de fois a-t-elle parcouru ce chemin jusqu'au village – seule, avec Alice, avec Boîte-à-biscuits quelques jours plus tôt seulement. Cette terre, en tous ses points cardinaux, fait désormais partie d'elle.

— Allie !

Tandis que sa monture piétine le sol dans la nuit, Elsa a l'impression que cette expédition résume sa vie tout entière. A la poursuite d'Alice – il lui semble que cela fait vingt-quatre ans qu'elle vit cet instant. Alice doit donc être saine et sauve ; Alice finira par être découverte. Cela se termine toujours ainsi.

Finalement, sur la falaise qui donne sur le port à Vinapu, Elsa aperçoit une silhouette – Boîte-à-biscuits, bras ballants, tourné vers l'Océan.

— *Poki !* crie Elsa en sautant de son cheval pour courir vers le garçon. *Poki*, tu as vu Alice ? Alice. Où est-elle ?

D'un geste très lent, le garçon lève un bras et indique l'eau. Il ne se tourne pas pour la regarder.

— Dans l'eau ? Alice est dans l'eau ? *Vai ? Poki ! Vai !* Alice !

Elle attrape le garçon par le col et le secoue violemment jusqu'à ce qu'il pleure. Elle le relâche, attend qu'il reprenne son équilibre.

— *Poki*, où est Alice ?

Il tend de nouveau la main, vers l'eau en contrebas, là où la flotte est à l'ancre, là où la chaloupe de ravitaillement croulant sous les caisses était amarrée à l'embarcadère.

Elsa regarde l'Océan, et recule en titubant.

26

A son retour du labo, Greer trouva des enfants perchés à côté de l'enseigne de la *residencial*, espionnant à travers les buissons ; ils s'égaillèrent à son approche. Puis elle entendit des voix dans la cour, des bruits de porte que l'on claque, de pieds courant sur le plancher de la véranda.

— *Que lástima !*

Quel dommage ! La voix de Mahina provenait de l'intérieur de la maion.

— *Que lástima !*

Greer n'avait jamais vu la grande salle aussi pleine de monde. Tout au fond, deux fauteuils en osier avaient été disposés en vis-à-vis. Isabel y était allongée dans son short kaki et le tee-shirt de Sven paraissait à présent très sale. Ses longs cheveux étaient pleins de terre, son maquillage avait coulé. Avec Sven, qui lui tenait la main, ils se passaient une cigarette. En face d'eux, un *carabinero* assis derrière le bureau de Mahina, son béret marron posé devant lui, était occupé à inscrire quelque chose dans un cahier. Il était jeune, et son épaisse moustache frisée avait l'air d'un postiche planté au milieu de ses traits fins. Luka Tepano était assis par terre dans un coin, ses genoux remontés contre sa poitrine, l'air indifférent à toute cette agitation. Mahina allait des uns aux autres, s'efforçant de rassurer tout le monde, sauf le carabinier, qui ne le méritait pas puisqu'il s'était approprié son bureau.

— *Doctora !* s'écria Mahina en la voyant.

— Que s'est-il passé ?

— Auriez-vous quelque chose à boire de bien fort ? demanda Sven.

— Dans la cuisine, répondit Mahina, qui surveillait le *carabinero*. Prenez le Pisco.

Greer se dépêcha d'aller chercher la bouteille dans le placard de la cuisine.

Une fois qu'Isabel et Sven eurent chacun vidé leur verre, le carabinier cessa d'écrire.

Su historia, señor Urstedt, lentamente.

Il se tourna ensuite vers Mahina pour lui ordonner de traduire.

Mahina prit un air vexé, mais la gravité de la situation supplanta finalement son antipathie pour les forces de l'ordre chiliennes.

— *Sí*, dit-elle en disparaissant derrière son rideau en perles.

Elle réapparut avec une chaise et s'assit en face du *carabinero*.

Sven, qui se tenait toujours assis par terre au pied d'Isabel, posa la bouteille de Pisco à côté de lui et se passa la main – celle qui ne tenait pas celle d'Isabel – dans les cheveux.

— Je vous répète, nous avons pris les chevaux chez Chico et nous sommes partis explorer la côte. A mi-chemin de la plage d'Anakena, le ciel s'est couvert. Nous sommes sortis du chemin pour chercher une grotte. Nous avons trouvé une ouverture dans la falaise. Nous avions nos sacs à dos avec notre déjeuner. Cela nous sembla une bonne idée de nous arrêter pour manger nos sandwichs à l'abri. Une chose menant à une autre, nous avons commenc...

A ces mots, Sven lève les yeux vers Isabel, laquelle rougit.

— ... Toujours est-il que quelque chose se précipite vers nous, qui venait de l'extérieur... Isabel bondit sur ses pieds parce qu'elle est sûre que c'est un rongeur. Puis, de nouveau, quelque chose bouge dans le noir. Je me mets à tâter le sol autour de moi. Eh bien, je tombe sur une pierre. Dans un sens, c'est rassurant, mais dans un autre : qui diantre peut nous jeter des pierres ? On entend siffler dehors, puis une autre pierre. Alors on se rhabille en vitesse, on attrape nos sacs et on fonce vers la lumière. Et qui vois-je à l'entrée ? Ce pauvre vieux Luka Tepano qui tient une assiette. A cet instant, je reconnais l'endroit où nous sommes. « Luka, je suis désolé, lui dis-je, nous ne savions pas que c'était sa grotte. » Mais Luka se colle les doigts dans la bouche et siffle. Comme il a l'air de plus en plus horrifié, je lui demande ce qu'il y a, mais il persiste à regarder l'entrée de la grotte. Isabel se tourne vers moi pour savoir ce qui se passe. Je demande à Luka s'il veut que je l'accompagne dans la grotte, mais il continue à fixer l'entrée. Alors je le prends par le bras. Il reste cloué sur place. Je pense qu'il n'y est jamais entré. Alors je lui ai dit d'attendre là où il était, et j'ai pris ma lampe de poche, et j'y suis allé tout seul.

Mahina traduisit la dernière phrase, le *carabinero* la nota dans son cahier, et il s'ensuivit un silence gêné.

— *Y después ?* s'enquit le policier.

Isabel hocha la tête. Sven jeta un coup d'œil du côté de Luka.

— C'est tout. Ensuite je suis sorti et je lui ai dit qu'elle était *muerte*. J'ai envoyé Isabel vous chercher.

Mahina traduisit ; le carabinier jeta des regards à la ronde, puis lança un :

— *Bueno.*

Lorsque, enfin, il se décida à partir, Mahina ferma la porte sèchement avant de reprendre sa place habituelle à son bureau.

— Je n'arrive pas à croire que vous ayez trouvé la vieille dame, s'exclama Greer. Seigneur, je suis désolée.

— Le pire, c'était d'avoir à le lui annoncer, dit Sven. Je l'ai regardé droit dans les yeux et je lui ai dit : « *Muerte*, Luka. » Isabel a essayé de s'excuser auprès de lui. Mais le pauvre vieux, il n'avait même pas l'air d'entendre ce qu'on racontait. Il s'est assis sur un rocher à côté de la grotte, comme s'il n'allait plus jamais bouger de là.

Après le départ du *carabinero*, Greer resta dans la grande salle pendant que Mahina distribuait à la ronde des verres de jus de goyave. Ramón s'était joint à eux. Luka s'était endormi dans son coin. Mahina lui avait ôté ses chaussures et mis une couverture. On était soulagés de le voir plongé dans l'oubli du sommeil, mais inquiets de ce qu'on allait pouvoir faire pour lui à son réveil. En dehors de la vieille dame de la grotte, il ne semblait pas avoir de famille. Greer n'avait pas encore eu l'occasion de le remercier de l'avoir trouvée et d'avoir été chercher Vicente. Elle regrettait à présent de ne pas l'avoir fait plus tôt.

Elle aurait voulu aussi l'interroger sur le fossile de noix. L'avait-il vu dans sa main en la découvrant inconsciente ? Elle ne se rappelait toujours pas l'avoir ramassé. Un fossile lui était apparu dès le départ comme la preuve idéale de la présence d'arbres sur l'île en des temps reculés. Ce cadeau lui semblait tombé du ciel. Comme si elle avait trouvé la pierre de Rosette sous son oreiller.

— J'ai l'impression d'être un con, mumura Sven pour la énième fois. Je sais que je l'ai taquiné. C'était sans méchanceté. Jamais je ne serais entré dans sa grotte.

— Personne ne te reproche rien, lui assura Isabel. Ni à moi. On s'est trompés, c'est tout.

— Elle était très vieille, intervint Mahina. Cela faisait des années qu'elle était là-dedans, qu'elle se cachait. Elle est morte paisiblement. Une bonne mort. Vous ne devriez pas vous mettre dans tous vos états.

A l'instant même, la porte s'ouvrit à la volée, laissant le passage à Vicente. Mahina posa un doigt sur sa bouche en montrant Luka.

— Où étiez-vous passé ? chuchota Greer, étonnée elle-même devant l'urgence qui perçait dans sa voix.

Elle avait fini par s'habituer à sa présence, à la considérer comme normale.

— Je viens d'apprendre la nouvelle. Pour un géologue, dit-il en se tournant vers Sven, tu n'as pas de très bons instincts concernant les formations rocheuses.

— Je l'ai vu des milliers de fois aller et venir, jamais dans ce coin.

— Le médecin dit qu'elle avait le cœur faible. Elle était très âgée.

Vicente s'accroupit par terre et s'adossa au mur, puis allongea ses jambes devant lui. Il regardait Luka.

— Le pauvre, dit-il, ce doit être terrible de la perdre. C'est une mauvaise journée pour tout le monde.

Sur ces paroles, Vicente sortit de la poche poitrine de sa chemise une enveloppe qu'il tendit à Greer.

— Oh, non, votre télégramme, dit-elle en tirant une fine feuille de papier.

« Vous suis à jamais redevable. Déchargerai aux M. et enver-
rai officier avec instructions et fonds pour retour à IP. Me
fie à votre vigilance. Que Dieu nous garde. »

Vicente déclara, d'une voix neutre :

— Ce message était destiné à un certain Alfred Heidegzeller, un expatrié allemand qui vivait aux Malouines. Il avait passé sa jeunesse à Strasbourg avec von Spee. Un grand yachtman qui avait toujours refusé les propositions de la marine.

— Il a eu les tablettes.

— Ceci a été envoyé le 15 novembre, acheminé successivement par deux navires marchands allemands afin d'échapper à la détection des Alliés. C'est arrivé chez Heidegzeller le 28 novembre. Il n'a jamais reçu la cargaison en question.

— La bataille, avança Sven.

— Les Malouines, renchérit Greer.

— Tous les navires allemands ont été envoyés par le fond. Ils n'ont jamais pu jeter l'ancre.

— Et les tablettes ? Elles ont coulé avec la flotte ?

— On n'en sait pas plus. Ce fut le dernier message personnel envoyé par von Spee.

— Je suis désolée, Vicente.

Il lui prit le papier des mains, le plia en forme d'avion et l'envoya voler à travers la pièce. C'était la première fois que Greer voyait Vicente dépité.

La nuit tombait. Mahina mit la lumière. La réfraction sur les globes de verre projeta sur le mur un feston de lunes vertes. Ils finirent leur jus de fruits dans un silence que rompaient seulement de temps à autre les ronflements de Luka Tepano. Le télégramme, la mort de la vieille dame, le départ de Burke-Jones. C'était une journée bien sombre.

— Il est temps d'aller au lit, annonça finalement Mahina. Je reste avec Luka. Il faut qu'il dorme. On le laisse tranquille. Mais les autres, il faut vous en aller.

— Mahina, vous me rappelez ma première petite amie, dit Sven. Heidi Larsen. Très organisée. Tu passes me prendre. Six heures.

Pendant qu'il parlait ainsi, Mahina ferma les lumières et ouvrit la porte d'entrée.

— *Iorana, señor* Ursedt.

Sven prit Isabel par la main et sortit en lançant :
— Ne le prenez pas mal. Je l'adorais. Bonne nuit, Greer.
Vicente et Ramón leur emboîtèrent le pas.
— Trop blagueur, ce *señor* Ursedt, commenta Mahina avec un mouvement désapprobateur du menton.
Greer aida Mahina à transporter les verres à la cuisine. Quand elles revinrent sur la pointe des pieds dans la grande salle pour ranger les chaises, elles entendirent frapper doucement à la porte. C'était Sven avec un paquet dans les bras.
— Des vêtements propres, dit-il à Mahina. Pour le vieux monsieur quand il se réveillera.
Mahina lui donna un baiser sur la joue :
— *Buen muchacho.*

Le lendemain matin, à son réveil, Greer trouva Isabel en train de boire son thé dans la salle à manger, en robe de chambre rose.
— Il est parti, annonça Isabel. Luka. Il a dû sortir au milieu de la nuit.
— Où est Mahina ?
— Elle m'a dit de vous informer que le bateau est arrivé.
Greer se rendit à pied à la *caleta*. Le bateau de la Chilean Company était ancré dans la baie. Des centaines de Pascuans tournicotaient autour des quais, assistant au déchargement des premières caisses. Se disant qu'elle ne trouverait jamais Mahina dans une foule pareille, Greer retourna à la *residencial*, qui devait jusqu'au soir résonner des voix et des rires des insulaires examinant leurs marchandises respectives au milieu de la rue. Les garde-manger qui s'épuisaient – en farine, sucre, thé – étaient de nouveau pleins. Du carburant arrivait par barriques entières, de quoi tenir un an. Il y avait aussi des surprises. A mesure qu'ils déchargeaient, Mahina revenait de temps à autre pour énumérer : deux nouvelles Jeep, vingt chaises pour l'école, un nouveau matelas pour le lit du gouverneur, cette dernière information donnant lieu à toutes sortes d'interrogations sur l'usage qu'il avait fait de l'ancien. Et des matériaux – tuiles, vitres, parpaings, clous et vis – pour ceux qui avaient l'intention de construire une maison. Et puis il y avait les caisses de Pisco,

de boîtes de pêches, les pneus dont Ramón avait besoin pour sa Jeep.

— Ramón vient de mettre les nouveaux pneus ! annonça Mahina du seuil de la chambre de Greer. Et maintenant je crois savoir ce qui va plaire à la *doctora*.

— Rassurez-moi, dites-moi que cela n'a rien à voir avec l'*amor*.

— *Amor, amor.* Non. Un tour en Jeep ! La *doctora* a besoin de Terevaka. La *doctora* sait conduire, non ?

Greer fouilla dans son grand sac de voyage pour trouver son blue-jean. Elle le passa sous son caftan. Mahina se tourna vers la porte, un geste qui amena un sourire sur les lèvres de Greer. Elle s'était occupée d'elle quand elle avait été malade, elle avait essuyé le vomi sur ses joues, l'avait conduite aux toilettes, mais quand Greer se changeait, elle se détournait. Une courtoisie sans limites, songea Greer. Elle enfila ses sandales, noua un pull autour de sa taille.

— Vous avez les clés ?

Le chemin était plein de creux et de bosses. Mahina se cramponnait à son siège, Greer s'efforçant d'éviter les coups de frein trop brusques, et de tomber dans les trous. Aux yeux de Mahina, elle en avait conscience, elle n'était pas seulement apte à conduire une voiture, elle était une conductrice hors pair. Il ne fallait pas la décevoir. Avant de démarrer, elle avait pris le temps d'ajuster ses rétroviseurs, pour constater qu'à chaque bond du véhicule, ils changeaient d'angle. De toute façon, ils ne lui servaient pas à grand-chose, puisqu'il n'y avait rien derrière ni sur les côtés. Elles étaient seules sur les flancs verts du volcan.

Pas une goutte d'eau n'était tombée depuis des semaines, les pneus neufs de la Jeep soulevaient des nuages de poussière. Pour éviter de l'avaler, elles s'étaient protégé la bouche avec un foulard.

Lorsque, enfin, la Jeep arriva au sommet, le soleil jetait ses derniers feux pile en face d'elles. Mahina dénoua son foulard et ouvrit la portière en grand.

— Venez, *Doctora*.

Le volcan n'était pas aussi grandiose que Greer l'avait cru.

Teravaka n'était qu'une colline herbeuse comme les autres, seulement plus haute.

— Regardez, dit Mahina en montrant du doigt la mer en contrebas tout en pivotant lentement sur elle-même. L'horizon... tout autour.

L'Océan sur trois cent soixante degrés rencontrait le ciel le long d'une ligne floue. C'était donc cela, le grandiose du site. En général un site qui présentait une valeur exceptionnelle se distinguait par la présence d'un monument, de pics enneigés... Celui-ci était marqué par une absence : un horizon immaculé.

Greer s'assit dans l'herbe et s'imbiba d'immensité.

— Ça valait la peine d'attendre, commenta-t-elle.

— Et *mira*, dit Mahina assise à côté d'elle, face au soleil, les jambes repliées sous sa jupe – elle avait enlevé ses chaussures. L'horizon n'est pas droit...

Elle esquissa d'une main un demi cercle.

— ... Mais rond.

— La courbure de la terre, énonça Greer, subjuguée.

L'infini de la mer tout autour, à perte de vue. Te Pito O Te Henua – le nombril du monde. Ainsi avaient-ils nommé leur île, avec sagesse, les premiers Pascuans.

Le soleil s'écoulait, éblouissant, dans des écharpes de lumière irisée lavande et rose. L'Océan étincelait.

— A quelle distance peut-on voir, à votre avis, *doctora* ? Jusqu'où le regard porte ? Il paraît quatre-vingts kilomètres, au moins.

— Cela dépend de l'altitude où vous vous trouvez.

— On est à cinq cents mètres au-dessus du niveau de la mer.

Ces chiffres lui parurent exacts. Greer avait toujours aimé cette équation géodésique. Il suffisait de s'imaginer debout au sommet d'un triangle. Si vous savez à quelle altitude vous vous trouvez, avec un petit coup de pouce de Pythagore, vous pouvez calculer la distance qui vous sépare de l'horizon. A présent, elle s'imaginait tous les autres êtres humains comme des points perchés sur des milliards de triangles dont un des sommets se trouve au centre de la terre.

— Cela me semble à peu près juste, approuva Greer. Donc, si un bateau venait à se profiler à l'horizon, il serait à environ quatre-vingts kilomètres de nous.

— Oui, mais pour moi ça a l'air à des centaines de kilomètres. Je suis souvent restée assise ici à compter.

Greer songea au mari de Mahina. Venait-elle guetter ici son retour ?

— Vous passez beaucoup de temps seule, n'est-ce pas ? fit observer Greer. Je veux dire, quand vous n'avez pas de clientes qui vous suivent partout et vous demandent de leur servir d'infirmière pendant des jours et des jours.

— Il n'y a pas de mal à être seule.

La sentant réticente, Greer s'appuya sur ses coudes et renversa la tête en arrière, laissant ses cheveux balayer l'herbe.

— Une chose est sûre, dit-elle, cela ne ressemble ni au Massachusetts ni au Wisconsin. Ce n'est comme nulle part ailleurs.

— Vous avez beaucoup voyagé, *doctora* ?

— Oui, répondit Greer. Mais jamais de longs voyages. Je me suis souvent déplacée pour aller prélever des échantillons, et ensuite je repartais. J'ai toujours regardé des morceaux de la terre, des fragments du sol, jamais encore je n'avais pris le pouls d'un pays. Je ne m'étais jamais rendu compte qu'une terre pouvait avoir une personnalité...

En caressant le sol à côté d'elle, elle ajouta :

— Cette île, c'est un lieu plein de douceur.

Elles se turent tandis que le soleil sombrait tout à fait et que, dans l'air fraîchissant, une pleine lune, blanche comme le papier, se levait dans leur dos. Mahina se tordait les mains, l'esprit ailleurs, peut-être assaillie par les souvenirs. Puis, tout d'un coup, elle se leva, lissa sa jupe et mit le cap sur la Jeep.

— On y va, *doctora*.

— Mahina, il y a quelque chose qui ne va pas ?

— Oui, oui. Il faut rentrer avant la nuit.

— Dites, j'ai une idée. Pourquoi ne prenez-vous pas le volant pour rentrer ? Au moins une partie du chemin ? Ou une minute, si vous voulez ?

Greer agita la clé.

— Très bien, dit Mahina.

— Mais doucement, avertit Greer en s'installant sur le siège du passager et en sortant leurs foulards de la boîte à gants.

Une fois la bouche protégée, elle lança un :

— Okay. C'est parti !

Mahina mit le contact. La Jeep s'ébranla. Après avoir contemplé un instant le levier de vitesse, elle le couvrit précautionneusement de sa paume. Son pied écrasa l'accélérateur. La

Jeep fit un bond, puis roula normalement. Penchée en avant, le nez presque collé au pare-brise, Mahina suivit les traces en lacet qu'avait laissées le véhicule en montant, cheminant ainsi jusqu'à une crevasse, qu'elle évita de justesse en donnant un coup de volant à droite, puis à gauche, changeant de vitesse en oubliant de débrayer. La boîte protesta bruyamment.

— Attendez, Mahina, intervint Greer.

Mais Mahina avait déjà stoppé le véhicule. Le moteur de la Jeep cognait.

— Je crois que l'on n'a rien, dit Greer. Mettez au point mort, je vais vérifier le pare-chocs.

Mais Mahina se taisait, comme pétrifiée.

— Mahina ?

Greer aperçut des larmes briller sur ses cils.

— Mahina.

Elle ne l'avait jamais vue aussi triste. Greer posa sa main sur son épaule, comme elle l'avait vu faire par Mahina d'innombrables fois.

— Qu'est-ce qu'il y a ?

Mahina laissa échapper un soupir rauque. Elle frappa du poing sur le tableau de bord.

— Qu'y a-t-il ? insista Greer.

— C'est cette Jeep, énonça-t-elle enfin d'une voix lasse. Je n'apprendrai jamais à conduire.

Sa tristesse n'avait rien à voir avec la Jeep, c'était évident. Elle était la proie d'une secrète mélancolie. Et refusait qu'on la console. La générosité de Mahina n'avait pas de bornes, mais son intimité, si. De sorte que Greer se résigna à jouer la comédie – elle pouvait bien faire ça pour elle.

— Le chemin de Terekava est un des moins commodes, dit-elle. J'ai moi-même eu du mal à grimper jusqu'en haut.

Mahina regarda autour d'elle. Elle défit son foulard et le déposa sur ses genoux.

— Je suis coincée, annonça-t-elle.

— Non, la rassura Greer. Non, Mahina, vous avez simplement fait une halte.

27

Le campement est vide. En voyant le rabat de la tente ouvert, elle s'approche pour le fermer. Un billet s'y trouve épinglé :

« Elsa,
C'est ma faute, mais tout va s'arranger. Le garçon m'a dit qu'elle était partie avec les Allemands. Je serai à Pitcairn dans une semaine. Et si je les manque là-bas, trois jours de plus, et je suis à Tahiti. Ils vont sûrement la débarquer dès qu'ils la trouveront. Le vent souffle du Sud, tout va bien se passer. Alice va s'en sortir très bien. Je vous la ramène. Ne vous inquiétez pas. Tout va bien se passer. »

Elsa court jusqu'aux vagues, scrute l'Océan. La goélette n'est nulle part en vue. La chaloupe a disparu. Elle grimpe sur la falaise et reprend son guet. Rien. Seules les eaux noires de la mer. Elle froisse le billet et le jette au loin, mais le vent le rabat vers le rivage, le balaye sur la grève.

Elle amorce la descente de la falaise, puis s'immobilise, s'appuie de tout son long à la face froide de la roche. Elle en empoigne des aspérités et se penche en avant, se frappe le front contre la muraille dure, une fois, deux fois, trois fois, de plus en plus plus fort, jusqu'au soulagement.

— Alice, murmure-t-elle.

Edward, seul à bord, a mis le cap vers l'ouest.

Alors que la flotte, elle, a filé dans la direction opposée, vers le Chili, l'Argentine, avec le projet d'envahir les îles Malouines.

Le garçon, qui l'a suivie, se dirige vers elle en tremblant de peur. Elle ferme les yeux, continue à cogner son front contre la pierre. Soudain, elle sent les doigts de l'enfant serrer sa main.

— J'ai une idée, dit Vicente.

Greer et lui étaient assis sur le muret en surplomb de la *caleta*, avec deux Pisco Sour. Normalement, c'était le jour de leur dîner de groupe hebdomadaire, tous les jeudis, mais Sven était parti en compagnie d'Isabel et Burke-Jones était parti tout court, laissant son labo vide.

— C'est à propos de l'amiral von Spee. Je vais écrire un livre sur lui. Sur le périple qu'il a fait pour essayer de rentrer chez lui en Allemagne. Cela commencera en Chine, bien sûr, au moment où la guerre a éclaté. A l'époque où son escadre est à Tsingtao. Saviez-vous que la route suivie par von Spee et sa flotte jusqu'à Rapa Nui correspond plus ou moins à celle de la grande migration polynésienne ?

— Vous ne m'aviez jamais dit ça, répliqua Greer. Et qu'en est-il du *rongorongo* ?

— Je n'ai pas laissé tomber, mais pour l'instant, je l'ai mis de côté. Je me suis toujours dit qu'on trouverait plus de tablettes. J'ai misé là-dessus, en fait, avoua-t-il, l'air un peu embarrassé. J'envie votre travail, Greer. Vous vous concentrez sur un seul sujet. C'est rare dans cette vie. Pour l'instant, von Spee est tout ce qui me passionne et je dois chercher plus loin. Beaucoup de gens connaissent l'histoire de la bataille des Malouines, mais personne ne sait ce qui y a mené.

— J'en déduis que le voyage en Allemagne est à l'ordre du jour, énonça Greer, se rappelant que Vicente avait évoqué l'éventualité d'une enquête approfondie sur la biographie de von Spee.

— J'ai l'impression que je dois y aller. Même si c'est pour peu de temps. Et vous ? Où serez-vous ?

— Tout bien réfléchi, j'ai décidé de poser ma candidature pour cette bourse du National Geographic.

— Ah ! Surtsey, ce devrait être fascinant.

— Une île plus petite et moins peuplée que celle-ci. Ensuite je vais me lancer dans des études biotiques sur des îlots rocheux.

— Et vous en tirerez sûrement des conclusions édifiantes.

— Sans doute sur moi-même et mon goût pour les lieux aussi minuscules qu'isolés.

— Voyager n'est pas un instinct si étrange. Et l'Islande, là-bas vous avez les sources chaudes et les geysers. J'en garde un souvenir magnifique.

— Vicente, où n'êtes-vous jamais allé ?

— Dans votre patrie, si vous voulez savoir. Les USA.

Elle se demanda si c'était un appel du pied.

— Je ne suis pas certaine d'être prise. Comme vous le savez, je n'ai pas beaucoup de publications à mon actif.

— Vous êtes une passionnée, et une grosse bosseuse, et c'est ce qui compte. Je leur écrirai. Je vais leur dire que depuis des mois, je vous vois penchée sur votre microscope. Aux dépens de votre vie privée. Vous n'avez pas de liaison, pas de nuits folles dans les boîtes de nuit. Ce détail va leur plaire.

— J'en suis persuadée.

— Seulement vous vous endormez sur les falaises, ce qui vous permet de trouver des fossiles.

— Au nom de la recherche.

— Une scientifique corps et âme, prononça-t-il en s'appuyant sur ses mains. Cela ne vous dérange jamais ?

— Quoi ?

— De ne pas avoir de vie personnelle. Nous sommes tous des êtres humains, malgré nos passions intellectuelles.

— Bien entendu. Mais par « vie personnelle », je crois que vous sous-entendez « vie amoureuse ». Ce n'est pas la même chose. Voyons. J'ai des amis ici, j'appartiens à une communauté. Je suis en train de prendre un verre avec vous. Quel nom donnez-vous à cela ?

— Je n'en sais rien. Quel nom lui donnez-vous ?

— Une vie épanouie.

— Vous savez bien ce que je veux dire.

— Si j'ai quelqu'un dans ma vie ? Ou pourquoi je ne veux personne ?

— Une question qui se comprend.

— Vous voulez vraiment savoir pourquoi je ne sors pas avec Ramón ?

— Vous voyez ? Vous esquivez.

— Oh ! Vicente. Que voulez-vous que je vous réponde ? Vous savez que j'ai été mariée, huit ans, et que Thomas est mort. Et, Seigneur, vous pouvez deviner que tout cela ne rend pas facile de se lancer dans une nouvelle relation.

— Je sais tout cela, Greer. Mais vous n'en parlez jamais.

Pourquoi ne pas lui dire la vérité ? Il était, après tout, un homme bon, un ami. Elle brûlait de lui raconter ce qui était arrivé à Thomas, ce qui s'était passé avec sa thèse, leur vie dans le Massachusetts, comment il avait trafiqué sa base de données sur les pollens, comment elle avait mal placé son amour.

Vicente la contemplait comme s'il cherchait à lire sur son visage.

— Vous l'aimez encore ?

— Non, dit Greer. Si c'était le cas, je pourrais le pleurer, comme une personne normale. Je n'ai, je crois, jamais su *qui* était mon mari.

Vicente eut l'air étonné. C'était peut-être l'explication qu'il s'était donnée en la voyant repousser ses avances, qu'elle était encore amoureuse de son mari.

— C'est très compliqué, je suppose, enchaîna-t-il. Un mariage, la manière dont deux personnes passent leur vie ensemble, puis regardent leurs liens se défaire. Je n'ai jamais été marié. Je n'ai même pas été tenté. J'ai connu beaucoup de femmes, mais cela a toujours été amusant. Et quand ça ne marchait pas, c'était tout aussi bien. Je ne peux pas dire que je sais ce que l'on ressent quand on perd quelqu'un que l'on aime.

— Il y a des années, juste après mon mariage avec Thomas, alors que je devais présenter ma thèse, il s'en est servi pour une publication à lui. Il a volé mon équation.

Vicente sembla ne pas comprendre :

— C'est cela, ses fausses données ?

— Non. C'était des années avant cela. Mon mari s'est approprié mon travail, et ensuite on m'a accusée de plagiat.

— Qu'avez-vous fait ?

— Rien. Strictement rien. J'ai occulté toute l'affaire.

Vicente prit une grande inspiration :

— Inimaginable ! C'est affreux. Mais, Greer, tous les hommes ne sont pas ainsi. Il y en a très peu qui commettraient une horreur pareille.

— Je sais. J'avais choisi l'oiseau rare.

— Vous êtes en colère.

— Je l'étais. Mais plus maintenant.

— C'est pour cette raison que vous restez seule ? Seule avec votre travail ?

— Qui sait ?

— Rien n'est simple sans doute.

Le soleil couchant inondait le port d'une clarté orange. Cinq bateaux de pêche étaient déjà amarrés à la jetée. Trois autres embarcations se rapprochaient. Et quelque part dans l'eau, devant eux, flottait un globe en verre vert.

— Regardez ! s'écria Vicente en bondissant du muret. Venez !

Il la prit par la main et la mena jusqu'au bord de l'eau. D'un coup de talon, il enleva une chaussure, puis l'autre, puis roula le bas de ses jambes de pantalon.

— Je reviens !

Là-dessus, il pataugea jusqu'à l'endroit où le globe de verre montait et descendait dans les vagues.

— C'est parfait !

Il leva l'objet qui lui cracha une fontaine d'eau sur la tête. Il sourit à travers le ruissellement.

— Bon présage, Greer ! Excellent présage !

Il revint vers elle en tenant le globe devant lui comme s'il s'était agi d'une boule de cristal.

— Une balise ! Une ou deux fois tout au plus par an, il en échoue une sur la rive. Elles portent bonheur.

Greer songea à toutes les balises suspendues au plafond de Mahina. Son amie méritait tous les porte-bonheur de la terre.

Alors qu'elle s'approchait de lui sur le sable, Vicente le lui tendit en disant :

— C'est pour vous, pour l'Islande, pour votre avenir.

De retour sur le muret, Vicente déroula le bas de son pantalon pendant que Greer examinait le globe sur ses genoux, essayant d'imaginer ce que devait être l'existence ici il y a des centaines d'années, ce que c'était que d'être là à guetter la mer dans l'espoir d'en recevoir des cadeaux, des visiteurs, la vie. Greer but une gorgée de Pisco Sour, laquelle coula dans sa gorge comme de la lave chaude.

— Vous êtes très bien comme ça, commenta soudain Vicente. Oui, très très bien.

Greer se souvint tout d'un coup qu'elle avait, pour la première fois de sa vie, relevé ses cheveux en chignon. Et elle avait mis une robe sans manche, le seul vêtement féminin dans son sac de voyage.

— Mes habits d'exploratrice avaient besoin de prendre leur retraite.

— Oui, bien sûr, dit-il en tapotant la balise. Votre cadeau vous plaît-il ?

— Oui.

— Il y a des hommes qui offrent de petites pierres. Moi j'offre de gros morceaux de verre.

— C'est plus original, rétorqua Greer en riant.

— Et mon idée à propos de von Spee. Vous la croyez bonne ?

— Oui.

— C'était un grand commandant, un homme animé d'une grande passion, énonça Vicente en regardant vers la mer. Il s'est retrouvé pris dans une guerre où ses vieux amis sont devenus ses ennemis, où la vie de milliers d'hommes s'est retrouvée entre ses mains.

— Vicente, à vous entendre, on vous croirait amoureux.

— Je n'ai jamais éprouvé encore cette émotion.

Mais peut-être s'agissait-il d'une simple toquade, son amour pour von Spee allait lui passer, comme tous ses amours, peut-être. Comment être sûre ?

Greer gardait les mains autour de son globe en verre – son cadeau, son porte-bonheur.

*

Une semaine plus tard, Greer entreprit de ranger tous ses guides des pollens et ses cahiers de notes dans leurs caisses. Elle renvoya la collection de graines à Kew Gardens et s'arrangea pour que ses échantillons de plantes de l'île soient conservés dans le bâtiment de la SAAS pour de futurs chercheurs. Elle emballa avec beaucoup de soin sa balise dans une caisse à part, en espérant qu'elle arriverait entière à l'autre bout du monde. Le dernier objet sur la longue table était son rapport. Cinquante pages de données et d'analyses, le résultat de huit mois de travail. Le fossile de noix avait, en fin de compte, rendu cette publication possible. A présent, elle avait une vraie bourse, sa candidature avait été acceptée. Elle faisait partie de l'expédition officielle à l'île de Surtsey.

Elle était occupée à nettoyer le centrifugeur lorsque l'on frappa à sa porte. Elle se tourna pour voir Luka Tepano. Il n'était pas rasé, et ses joues, sous les poils clairsemés de sa barbe, avaient l'air recouvertes d'écailles de poisson. Il avait les yeux baissés sur un rouleau de papier qu'il tenait à la main.

— Luka ! Je suis si contente de vous voir. Je ne savais pas où vous trouver. Entrez donc, s'il vous plaît.

Depuis la soirée chez Mahina, Greer avait tenté de le localiser. Elle était descendue à la *caleta*, à la colonie des lépreux, et jusqu'à la grotte de la vieille dame, mais il semblait s'être volatilisé.

Elle lui offrit un tabouret. Il s'assit lentement.

— Luka, je voulais vous remercier. Je n'ai pas eu le temps l'autre soir. Merci de m'avoir trouvée et d'avoir été chercher Vicente. Sans vous, j'aurais pu mourir.

Il promenait les yeux dans le laboratoire – sur les étagères vides, les montagnes de caisses, le centrifugeur à moitié démonté.

— *Soy de los Estados Unidos*, dit Greer. Je suis venue étudier les plantes de l'île.

Sur la table devant eux, se trouvait un livre de photos, *Flora and Fauna of the Tropics*. Il regarda la couverture, puis Greer. Laquelle acquiesça de la tête. Il feuilleta un peu, examinant les images de plantes.

— Comprenez-vous l'anglais ? Un peu d'anglais ?

Il souleva le rouleau de papier qu'il avait sur ses genoux pour le poser sur la table.

— Qu'est-ce que c'est ?

Elle déroula le rouleau et le retint du plat de la main. Le visage d'un jeune garçon la contempla. Des yeux immenses, une bouche large et souriante. Un cou étroit, presque trop mince pour sa grosse tête ronde. Greer leva son regard vers Luka :

— C'est vous.

Alors, pour la première fois, elle eut la nette impression qu'il avait compris. Il fit oui de la tête.

— Quand vous étiez petit.

Elle distingua soudain sur son visage usé le fantôme de celui du petit garçon. Les prunelles inquiètes, le nez en boule, le grand sourire lumineux. Le dessin devait dater d'au moins soixante ans.

Greer l'enroula avec précaution et le lui rendit.

— C'est un bien très précieux que vous avez là, lui dit-elle.

Il lui prit la feuille des mains, et resta là comme s'il attendait quelque chose.

— Vous savez parler avec les mains ? demanda-t-elle en levant les deux mains dans un geste qui lui semblait naturellement interrogatif. Ou écrire ?

Elle déchira une feuille de son cahier et la lui glissa avec un crayon, mais il ne fit pas mine de les prendre. Puis elle se leva pour sortir de sa boîte à échantillons le fossile. Elle le lui tendit.

— Ceci. Savez-vous ce que c'est ? Quand vous m'avez trouvée, je l'avais dans ma main.

Comme elle le sentait réticent, elle le posa sur la table. Il prit alors le fossile qu'il examina avec un plaisir manifestement intense.

— Il s'avère que c'est ce que j'ai découvert de plus important ici.

Il la dévisageait si intensément que l'espace d'un instant, Greer se dit qu'il devait lire sur ses lèvres. Finalement, il sourit.

— C'est une graine d'un très grand arbre. Une graine fossilisée.

Il resta quelques secondes immobile, puis se leva et lui présenta la noix comme s'il la lui offrait, et tout de suite il la lui reprit pour recommencer son petit manège.

— Un cadeau ? dit Greer. Vous me l'avez donné ?

Il fit non de la tête, puis de nouveau lui présenta le fossile.

— Un cadeau de quelqu'un d'autre ? s'enquit-elle. Ce serait votre *amiga* qui me l'aurait donné ?

Il serra son dessin contre sa poitrine, acquiesça et lui prit la main.

*

— Ah, *doctora* ! Votre travail, vous avez fini ! Je vais nous trouver une bonne bouteille de quelque chose.

Mahina, assise à son bureau quand Greer était revenue avec ses feuilles, se leva aussitôt pour disparaître derrière son rideau de perles et revenir quelques secondes plus tard avec deux gobelets et une bouteille sans étiquette. Elle inspecta chaque objet à la lumière avant de remplir les récipents avec délice. Elles trinquèrent.

— A notre *doctora* ! Qui a fini son travail.

Greer trempa les lèvres dans la boisson : du brandy.

— Mahina, voudriez-vous lire mon travail ?

Mahina posa son verre.

— Ce serait un honneur.

— Il n'est pas d'usage de dédicacer des articles scientifiques, mais si je le dédiais à quelqu'un, ce serait à vous.

— *Doctora* !

Greer ramassa son sac à main par terre et le posa sur ses genoux.

— Et je voudrais vous donner quelque chose.

Elle sortit de son sac une épaisse enveloppe blanche. Depuis son passage tout à l'heure au bureau de Lan Chile, Greer se demandait comment elle allait présenter son affaire.

— Vous y trouverez un billet aller-retour pour Santiago. Votre avion part dans deux semaines à une heure de l'après-midi. Vous avez vos réservations d'hôtel. Et Elian de l'hôtel Espíritu a promis de venir veiller à ce que tout se passe bien ici pendant votre absence. Isabel ira habiter avec Sven, et vous n'avez aucun client prévu pour ces deux semaines...

Mahina hocha très lentement la tête, l'air absourdie.

— ... Et si vous avez peur que votre mari revienne pendant ce temps, nous lui laisserons un mot...

Greer tendit alors à Mahina un billet écrit de sa propre main en Rapa Nui.

« *Partie pour Santiago. De retour dans quelques semaines.* »

— Ce n'est pas compliqué. Maintenant, si j'étais vous, je commencerais à préparer sans tarder mes valises.

Voilà, c'était fait. Elle prit son sac et serra Mahina un instant dans ses bras.

— J'ai des millions de choses à faire avant de partir. Et, quand j'y pense, ajouta Greer, vous aussi !

29

Analyses palynologiques du biote de l'île de Pâques,
Pacifique sud, territoire chilien.
Présentées à la International Conservation Society
Novembre 1973
Greer Farraday, Ph. D.

L'étude des mécanismes d'extinction et des modifications du
biote de l'île de Pâques n'est possible que dans la mesure où
l'on tient compte de l'histoire étrange de ses statues monumentales. Les *moai*, en effet, longtemps restés une énigme aux yeux
des archéologues, fournissent des pistes capitales à ceux qui
s'interrogent sur le sort de la population indigène qui les a édi-
fiés. Même si leur sculpture et leur déplacement demeurent
mystérieux sur bien des points, j'avance néanmoins ici l'hypothèse que certains aspects de l'activité déployée autour de la
statuaire monumentale ont eu un impact sur l'environnement
de l'île.
Il fut un temps où plus de deux cents statues se dressaient
le long du littoral, descendues du cratère du volcan Rano
Raraku, où elles avaient été sculptées dans le tuf volcanique.
En dépit de leur taille – dix mètres – et de leur poids considérable – jusqu'à quatre-vingt-deux tonnes –, elles ont été déplacées sur des distances atteignant parfois dix kilomètres, depuis
la carrière jusqu'à la côte. Plus de six cents statues n'ont jamais
quitté la carrière où elles gisent à différents stades d'achève-
ment. La plus grande ayant une hauteur de près de vingt mètres
et la plus lourde devant peser dans les deux cents tonnes.

Le palmier *Paschalococos disperta* et l'arbuste *Sophora toromiro* furent à une époque les arbres les plus prolifiques de l'île (le seul représentant vivant de *toromiro* se trouve aujourd'hui au jardin botanique royal de Kew). Par ailleurs, des échantillons de sédiments datant de l'an 200 après Jésus-Christ indiquent une abondance de pollens de ces deux arbres dans le biote insulaire. La datation au radiocarbone concernant l'habitat humain remonte tout au plus à l'an 318, 380 et 690. De sorte que, à l'époque de la colonisation de l'île, il semblerait que celle-ci eût été couverte d'au moins deux espèces d'arbre.

Le pollen et les noix (nous avons obtenu une noix fossile) proviennent du palmier *Paschalococos disperta* analogue au *Jubaea chilensis*, le grand palmier chilien qui peut atteindre une hauteur de deux cents mètres et une circonférence de dix-huit mètres. A partir du tronc monumental du palmier pascuan, les premiers Rapa Nui auraient fabriqué de vastes pirogues et des maisons. Ils s'en seraient aussi servi pour faire du feu. Le palmier chilien donnant une noix comestible, on peut aussi supposer que celui de l'île de Pâques tenait une place importante dans l'alimentation des insulaires.

Ces palmiers endémiques auraient par ailleurs permis le déplacement et l'édification des *moai*. Les troncs et les branches de *Sophora toromiro* n'auraient pas été assez solides pour fournir les madriers des leviers, alors que le bois de *Jubaea chilensis* est beaucoup plus résistant. Plusieurs archéologues pensent que le *moai* était placé sur un traîneau en bois et traîné sur un train de grumes lubrifié (grâce à la patate douce), puis redressé au moyen de câbles de traction et de madriers, mais jusqu'ici, personne n'a pu en apporter la preuve. Nous savons, pour l'avoir expérimenté, qu'il est impossible de bouger un *moai* avec des cordages seuls, comme nous savons que l'expédition de 1872, telle qu'elle est décrite par Pierre Loti, réussit à transporter une statue à bord de son navire en se servant *« d'énormes palans, une sorte de chariot improvisé »*. Si ces marins sont parvenus à déplacer un moai avec des palans en une seule journée, on peut supposer que cette méthode aurait pu aussi bien être appliquée par les Pascuans.

On a avancé, quoiqu'il soit difficile d'établir une datation exacte, que la création des *moai* a démarré vers l'an 500 après Jésus-Christ, avec une production maximum vers 1400. Nous sommes sûrs, ayant pour preuve les récits des premiers explorateurs, que les *moai* étaient encore debout en 1722, au moment de la visite de Roggeveen, et que toute création avait été arrêtée après 1774, à l'heure où le capitaine Cook notait que presque toutes les statues étaient renversées. Et on s'accorde pour dire qu'à l'époque où leur sculpture fut abandonnée, et les outils jetés au fond de la carrière, quantité de statues, plus monumentales encore que celles qui se dressaient debout, étaient en cours de fabrication. D'après les spécialistes, il y aurait eu, sur la fin, une véritable fièvre créatrice. Mais quelque part entre 1722 et 1774, la plupart, sinon la totalité, des deux cents statues furent couchées.

On ne trouve pas trace de catastrophe naturelle – raz-de-marée ou éruption volcanique – qui expliquerait la brusque disparition des plantes indigènes. Les analyses polliniques montrent une baisse progressive du taux de pollen dans les strates sédimentaires. De sorte que nous devons considérer la modification du biote comme, avant tout, le résultat d'une destruction du milieu.

C'est la disparition de *toromiro* et de *disperta* qui a dû avoir l'impact le plus sensible et le plus immédiat sur la population, comme le souligne le fait qu'elle ait élu domicile dans les grottes de l'île faute de bois de construction. Toutefois, l'île étant dépendante de la mer pour sa subsistance, et des embarcations, en particulier de la pirogue polynésienne, le manque de bois, et donc la rareté des bateaux, a dû freiner la pêche et les voyages. (Roggeveen, Cook, La Pérouse et Loti ont tous noté la mauvaise qualité et le petit nombre de pirogues. Les visiteurs furent souvent accueillis par les insulaires nageant depuis le rivage.)

La pénurie d'embarcations se retrouve dans tous les récits d'explorateurs. Roggeveen décrit le premier contact entre les Pascuans et son navire : « *Cette malheureuse créature sembla ravie de nous rencontrer, et se montra émerveillée par la construction de notre navire. Elle s'étonna de la raideur de nos mâts, de la grosseur de nos gréements, de la solidité de nos voiles, de nos canons...* » Lors de l'expédition de Cook, la même scène se reproduisit : « *Tandis que le navire se rapprochait du rivage, un des indigènes se mit à nager à sa rencontre, et insista pour grimper à bord, où il demeura deux nuits et un jour. Il commença tout de suite à mesurer la longueur du navire en nombre de brasses de la poupe à la proue.* » La Pérouse témoigne pour sa part d'un accueil collectif : « *Ils ont examiné nos câbles, nos ancres, nos compas et nos roues, et ils sont revenus le lendemain avec une corde pour reprendre leurs mesures, ce qui m'a conduit à supposer qu'ils en avaient discuté entre eux.* » Cette fascination qu'exerçaient les navires sur les Rapa Nui n'est-elle pas la meilleure indication concernant ce qui justement leur manquait ?

Nous devons dès lors imaginer le deuxième traumatisme humain causé par la déforestation : l'érosion du sol a dû appauvrir les cultures, et la disparition des ressources en bois nuire à la pêche. La population, en l'espace de quelques années, a dû connaître la famine.

D'autres chercheurs ont déterminé qu'une population nombreuse avait prospéré sur l'île à l'époque de la création des *moai* ; les estimations oscillent entre sept mille et vingt mille habitants (la population actuelle se montant à trois mille environ). La demande naturelle d'une population de cette importance sur l'environnement – les ressources alimentaires – devait exercer une forte pression sur le biote naturel. Associée à la déforestation rampante du palmier et de *toromiro* afin de pourvoir au déplacement des statues, cela aurait provoqué, assez rapidement, un milieu inhabitable. Il est probable que la population a, au début, souffert d'un déclin progressif et naturel, sans comprendre qu'elle était la victime d'une modification du milieu.

Ensuite, il faut regarder les *moai* eux-mêmes, renversés, le nez dans la poussière, pour saisir le drame qui s'est déroulé sur cette île. Les premières interrogations (Roggeveen, 1722) formulées à propos des statues monumentales indiquent qu'elles avaient été édifiées en hommage aux ancêtres. Même si on ne peut pas parler d'objets de culte proprement dits, d'un point de vue occidental, il n'est pas absurde de penser qu'elles étaient dotées d'un caractère protecteur. En d'autres termes, les sculpteurs estimaient faire une œuvre bénéfique. Quel qu'ait été le moment de l'histoire où a démarré cette œuvre, il est évident qu'elle s'est emballée, qu'ils ont voulu sculpter des images de plus en plus grandes, transporter des poids de plus en plus lourds, sans tenir compte des ravages que cela engendrait dans la forêt environnante. Les arbres disparaissaient de plus en plus vite, les cultures s'étiolaient en raison de l'érosion.

La population déclinait et, peut-être pour la première fois, commençait à souffrir de la faim.

Il existe par conséquent une corrélation indéniable entre l'intensification de l'activité sculptrice et l'appauvrissement du couvert végétal. Un constat qui est d'autant plus édifiant que c'est la première fois dans l'histoire de l'humanité où l'on aura vu un peuple se détruire en construisant des monuments à leurs morts.

Il y avait cependant quelque chose que Greer n'avait pas mentionné dans son papier.

Il s'agissait de la position des *moai*. Contrairement à ce que l'on croit, les statues ne regardaient pas vers la mer, mais plutôt vers l'intérieur des terres, dos à l'Océan, comme si ces gens, au fil des générations, avaient oublié l'existence d'un monde extérieur. Comme si, en construisant ces monuments, ces mégalithes du passé dont ils s'entouraient comme d'une ceinture protectrice, ils ignoraient, ou s'efforçaient d'ignorer, qu'il y avait quelque chose au-delà de leur horizon.

Qu'avaient-ils pensé le jour où Roggeveen avait jeté l'ancre au large d'une de leurs plages, le pont de son navire croulant sous des richesses inconnues et peuplé d'hommes habillés de toutes les couleurs de l'arc-en-ciel, avec leurs chapeaux, leurs gilets et leurs épaulettes ? Qu'avaient-ils pensé lorsqu'ils s'étaient hissés de leurs frêles esquifs qui prenaient l'eau jusqu'au pont du navire pour caresser voiles, mâts et cordages ? Qu'avaient-ils pensé lorsque les marins de Roggeveen avaient accosté, grimpé sur les rochers avec, étincelants à la ceinture, des mousquets et des pistolets, qui, lorsqu'ils les levaient vers vous, vous ôtaient dans l'instant la vie ? Qu'avaient-ils pensé, trois jours plus tard, en contemplant les cadavres de leurs amis pendant que le navire s'éloignait vers les confins d'un monde qu'ils avaient cru entièrement leur ? les Pascuans avaient-ils promené leur regard autour d'eux sur leur terre désolée ? Sur les rochers, les roseaux et les graminées ? Se rappelaient-ils même les arbres ? Ou les histoires des arbres – leur mère leur avait-elle raconté celle de la jeune fille à qui l'on avait dit de planter la tête de son amoureux dans la terre ? Avaient-ils regardé leurs pauvres pirogues pourrissant dans le ressac ? Des embarcations où ne pouvaient monter que quatre personnes tout au plus, et qui prenaient tellement l'eau qu'on ne pouvait pas parcourir à leur bord plus de quelques kilomètres ? Se doutaient-ils qu'ils connaissaient le même sort tragique que tant d'autres créatures, tels ces oiseaux intrépides qui avaient su trouver le chemin de cette terre lointaine pour découvrir, un beau jour, qu'ils ne savaient plus voler ? Avaient-ils alors levé les yeux vers le visage de ces géants de pierre qui avaient coûté aux leurs des siècles de travail ? Levé les yeux vers leur propre histoire, désormais incapable de les protéger, de les préserver de la connaissance d'autres mondes que le leur ?

Etait-ce ce jour-là que sur l'ordre d'un homme en colère – Assez ! Jamais plus ! – sachant que les morts les avaient trahis, ils s'étaient rassemblés autour de la statue la plus proche, foule enragée, effrayée par le poids de cette relique monumentale, se sacrifiant pour favoriser l'avènement d'un nouveau commencement ?

30

L'avion décolle à une heure de l'après-midi. Vicente et Mahina sont tous les deux venus l'accompagner à l'aéroport. Sven et Isabel l'avaient aidée à charger ses bagages et lui avaient dit au revoir à la *residencial*. A présent, sur le tarmac, on s'agite autour de ses caisses et de ses boîtes de prélèvements, la foule regarde ses huit mois de travail prendre place dans la soute de l'avion.

Mahina est étrangement silencieuse tandis que les autres passagers s'alignent au pied de l'avion, comme si le départ de Greer était une trahison inattendue. Elle s'était habillée pour l'occasion pourtant – une robe de coton blanc à petites fleurs jaunes ; des fleurs, songe Greer, qui n'existent pas. Des fleurs de mode. Autour de son cou, elle porte un collier de coquillages.

— Merci pour les livres, dit Greer en tapotant son sac à dos.

Ce matin, alors que Greer était en train de ranger ses affaires de toilettes et de fermer son sac de voyage, Mahina était entrée dans sa chambre avec une pile de livres.

— Pour la *doctora*, avait-elle déclaré en les posant, un par un, sur le lit.

Ils étaient reliés de cuir, un bordeaux fané, dorés sur tranche. La collection de son armoire vitrée au-dessus de son bureau. Greer souleva un volume et l'ouvrit. Charles Robert Darwin, *The Voyage of the Beagle*, London, 1839. Sur la page de titre était gravé :

Ex Libris
E.P.B.

Greer l'avait feuilleté d'un doigt, puis du plat de la main elle avait caressé la couverture.

— Mais, Mahina, vous vouliez les vendre. C'est Darwin. Des éditions originales. Ils ont beaucoup de valeur. Je ne peux pas accepter.

— C'est votre genre de livres. Ce que vous aimez lire. Et c'est un cadeau. Si vous refusez mon cadeau, je refuse le vôtre.

— Vous êtes dure, Mahina.

— Oui, je suis dure. Et j'en ai assez d'essayer de lire votre article. Je n'ai jamais lu autant d'anglais dans ma vie.

Et là-dessus, elle avait laissé Greer qui n'avait plus qu'à caser ces volumes dans ses bagages, et était partie chercher Ramón pour qu'il charge les sacs de Greer dans la Jeep.

Mais Greer ingore ce que Mahina pense de son cadeau à elle. Elle n'avait pas encore prononcé un mot à propos de ses plans. Greer allait devoir attendre que Vicente lui dise si Mahina avait mis à profit son billet. Mais elle avait bon espoir qu'elle se résoudrait à dire au revoir à son île, du moins pour deux semaines.

Vicente se met à faire les cent pas.

— Vous savez, en Allemagne, dit-il, je suis convaincu qu'il y a des sites passionnants à sonder. Venez me rendre visite. Inventez un prétexte professionnel.

— Quelle est votre première escale ?

— Strasbourg. C'est là où vivait von Spee.

— Strasbourg, en France ?

— A l'époque, c'était une ville allemande.

— J'ai une amie à Strasbourg, je pensais peut-être aller la voir.

— Ainsi vous auriez deux amis à Strasbourg.

Il déballe un cône de papier et lui tend une marguerite.

— Pour ma botaniste préférée.

— Vicente...

— La marguerite est, j'en suis sûr, la fleur que l'on offre quand on veut dire : « Je vous reverrai très bientôt. »

— En effet, acquiesce Greer, attristée par ce rappel de leurs conversations.

Comme on se fabrique vite un passé, alors même qu'on cherche à échapper à un autre passé. Elle pique la fleur derrière son oreille.

— Vous allez me manquer, Vicente. Vous avez été merveilleux.

— Nous nous reverrons. J'en suis sûr. La fleur ne se trompe pas.

— Je ne discute jamais avec les fleurs.

Elle se tourne alors vers Mahina et ouvre grand les bras.

— Et vous...

— *Iorana*, dit Mahina. Bonjour et au revoir en même temps cette fois. Vous reviendrez, *doctora*.

— Un jour...

Et dans cet adieu, elle entend les échos de tous les adieux passés.

— ... Je reviendrai, promet-elle.

— Vous reviendrez voir les *moai* debout, opine Mahina.

La veille, ils avaient eu connaissance d'un nouveau « Projet de restauration des *moai* » de la SAAS. Une équipe d'archéologues français allait passer une année à redresser le statues du littoral. Les Pascuans sont partagés : les moai, après tout, sont couchés depuis deux cents ans. Greer n'est pas non plus persuadée que ce soit une bonne chose : la position des statues raconte la vraie histoire de l'île, sa chute tragique, mais peut-être ce projet s'intégrera dans la suite de cette histoire : la renaissance.

— Oui, approuve Greer. Il faudra que je voie ça.

L'hôtesse de l'air de Lan Chile au pied de l'escalier fait signe aux passagers que le moment est venu d'embarquer. Greer embrasse Vicente, lequel lui dépose un baiser sur chaque joue, puis sur le front, en disant simplement :

— A Strasbourg.

Puis Mahina ôte son collier de coquillages et l'enroule autour de la tête de Greer :

— *Doctora*.

— C'est moi, dit Greer en attrapant son sac à dos alourdi par ses nouveaux livres.

Elle se rapproche de l'hôtesse. C'est la même que celle de son vol d'il y a huit mois. Toujours avec le même sourire.

— *Iorana. Buenos días. Hello*, entonne-t-elle en prenant le billet de Greer.

Au sommet de l'escalier, Greer se tourne vers Mahina, se montre elle-même du doigt grimpant dans l'avion.

— Vous voyez comme c'est facile ? lance-t-elle en criant.

Et avec un dernier salut de la main, elle s'engouffre dans la carlingue.

Elle prend l'oreiller qui se trouve sur son siège et le glisse derrière sa nuque. Elle a un long voyage devant elle, un jour et une nuit. Santiago. New York. Londres. Reykjavík. Puis le petit avion de l'expédition jusqu'à l'île de Surtsey, à une vingtaine de kilomètres au sud des côtes islandaises.

Elle a passé en revue le matériel dont elle a besoin pour le programme. L'île est volcanique, comme l'île de Pâques, mais nouvelle, sans histoire – à peine âgée de dix ans. La vie y a pris ses droits, mais y reste intouchée. On y a déjà noté la présence de colonies de *Cakile edentula* qui décorent l'île de leurs fleurs violette et blanche, tout comme les minuscules efflorescences roses du pourpier de mer. A cette heure même, alors qu'elle se trouve ici, dans cet avion, de nouvelles graines se dépêchent vers elle. Elle imagine des milliers de spores de fougère flottant au gré du vent. Toutes les graines, les graines de marie, de belles-de-jour, toutes les graines sur toutes les créatures dérivant sur des morceaux de bois, emportées par le courant, attendant le moment de se cramponner, de s'enraciner, de s'enfoncer dans les ténèbres pour parvenir à la lumière, où une nouvelle vie les attend.

Les hélices tournent à toute vitesse et l'avion s'ébranle sur la piste. Greer regarde une dernière fois par le hublot, mais le tarmac est désert, la baie vitrée de l'aérogare une tache floue. Son siège tremble tandis que l'avion s'arrache à la terre et que l'île en contrebas rapetisse et disparaît.

En traversant les nuages, alors qu'au-dessous il n'y a plus rien que de l'eau à perte de vue, l'appareil se stabilise. Elle jette un regard autour d'elle : plusieurs touristes américains, déjà endormis ; un jeune couple européen, peut-être bien allemand, qui se tient la main ; une femme plus âgée, chilienne, avec deux petites filles à côté d'elle.

Greer tire son sac à dos de dessous son siège et sort un des livres de Mahina, un volume de *L'Origine des espèces*. Elle le pose sur ses genoux, et s'assoupit.

Bien des heures plus tard, à bord d'un autre avion, au-dessus d'un autre océan, Greer émerge d'un sommeil profond pour s'apercevoir qu'elle est presque arrivée. Pour calmer son excitation, elle ouvre la vieille édition défraîchie de Darwin et se met à lire. Le cuir de la reliure est doux, décoloré dans les coins. Les pages sont friables. Certains passages sont soulignés au crayon, des lignes pâles mais qui sans aucun doute diminuent la valeur marchande de l'édition... De toute façon, elle n'a pas l'intention de le vendre. Elle retrouve la phrase qui l'a toujours laissée songeuse :

> *« On ne peut s'étonner qu'il y ait encore tant de points obscurs relativement à l'origine des espèces et des variétés, si l'on tient compte de notre profonde ignorance pour tout ce qui concerne les rapports réciproques des êtres innombrables qui vivent autour de nous. »*

Et dans la marge à côté, cette autre lectrice, cette amie invisible, car l'écriture est sans aucun doute celle d'une femme – des pleins et les déliés longs et élégants – a inscrit ce mot tout simple : *« Merveilleux. »*

Greer regarde par le hublot surgir l'île. Là, tout en bas, chatoie le vert émeraude des plantes nouveau-nées, un oiseau aux ailes immenses décrit de gracieuses circonvolutions, une fleur blanche lui adresse un clin d'œil au milieu d'un somptueux manteau végétal. Tout brille d'une folle volonté de vivre.

Ses mains se posent doucement sur le livre.

N'est-ce pas merveilleux ?

NOTE DE L'AUTEUR

Ce roman relève de la fiction, hormis quelques personnages inspirés de figures historiques :

Les voyageurs européens du XVIIIᵉ et XIXᵉ.

Le rêve de Hau Maka présenté en guise de prologue est en fait un assemblage de légendes provenant de plusieurs sources, en particulier l'ouvrage de Thomas Barthe : *The Eighth Land : The Polynesian Discovery and Settlement of Easter Island.*

Graf von Spee a vraiment été le commandant de la flotte allemande d'Extrême-Orient, qui a bien jeté l'ancre à l'île de Pâques avant la bataille des Malouines. Les faits et gestes de von Spee durant ce séjour pascuan relèvent, toutefois, de l'invention pure et simple. Les ouvrages respectifs de Keith Yates, *Graf Spee's Raiders*, de Geoffrey Bennett, *Coronel and the Falklands* et de Richard Hough, *The Long Pursuit*, m'ont fourni toutes les informations nécessaires à propos des mouvements de la flotte. L'épisode de Tsingtao, au cours duquel von Spee apprend que la guerre a éclaté, est une synthèse de plusieurs incidents et sont du domaine de la fiction.

L'expédition entreprise par Elsa et sa famille m'a été inspirée par l'expédition de 1914 de Katherine Scoresby Routledge et son mari, merveilleusement décrite dans son livre, *The Mystery of Easter Island*. Je tiens à souligner que les membres de cette expédition Routledge n'ont pas été portés disparus sur l'île de Pâques, mais sont retournés sains et saufs en Angleterre.

L'histoire écologique de l'île est factuelle. La première étude approfondie des pollens de l'île de Pâques fut entamée en 1977 par le Dr John Flenley. En 1984, John Flenley et Sarah King furent les premiers à publier la preuve que l'île avait jadis été couverte de palmiers.

Deux ouvrages sur la biogéographie de l'île se révélèrent d'une importance capitale pour mes recherches : *The Song of the Dodo*, de David Quammen, un livre remarquable, et *Island Life*, de Sherwin Carlquist, publié deux ans avant la publication par MacArthur et Wilson de leur monographie fondatrice.

Les recherches sur les angiospermes de Thomas sont basées sur les travaux de plusieurs personnes qui ont étudié le pollen de magnolia à cette période. Le livre de Norman F. Hughes, *The Enigma of Angiosperm Origins*, m'a beaucoup aidé à comprendre la façon de procéder de Thomas. Au moment où j'écris ces lignes, toutetefois, le magnolia n'est plus considéré comme la première fleur. Grâce aux analyses génétiques effectuées dans les années quatre-vingt-dix, *Amborellacaea, Nymphaeacaea et Illiciacaea* sont désormais établis comme les premiers angiospermes.

En 1955, un *moai* de l'île de Pâques fut redressé par Thor Heyerdahl à Ahu Aturi Huke, non loin de la plage d'Anakena. Ce fut le premier. Ahu Akivi fut restauré en 1960, et par la suite Ahu Tahia, en 1967, l'un et l'autre par le Dr William Mulloy. Ahu Nau Nau à Anakena fut restauré en 1978 par Sergio Rapu Haoa. Entre 1992 et 1995, les quinze *moai* d'Ahu Tongariki furent remis debout par un tandem chilien-nippon financé par la firme de construction japonaise Tadano. A l'heure actuelle, soixante-dix pour cent des statues qui étaient debout à l'origine sont redressées, mais la plupart risquent d'être attaquées par l'érosion. Pour les protéger, la Easter Island Foundation ainsi que d'autres organisations se sont associées pour récolter des fonds en vue de leur conservation.

Le *rongorongo*, d'où il vient et ce qu'il veut dire, demeure un des grands mystères de l'île de Pâques.

REMERCIEMENTS

Pour les commentaires éclairés qu'elles ont bien voulu me prodiguer après lecture du manuscrit, je voudrais remercier les Drs Margeret Davis, Sara Hotchkiss et Patricia Sanford. Au Dr John Flenley et à ses travaux sur le pollen de l'île de Pâques, je dois mon inspiration pour celui de Greer, ainsi qu'à son article *The Late Quaternary Vegetational and Climatic History of Easter Island*. Et un grand merci aussi au Dr Georgia Lee, spécialiste de l'île de Pâques, qui a répondu avec une magnifique célérité à mes innombrables questions.

Pour m'avoir permis de prendre le temps d'écrire ce livre, je tiens à exprimer ma gratitude au James McCreight Fellowship du Wisconsin Institute of Creative Writing et au Colgate University Creative Writing Fellowship. Je remercie particulièrement Peter Balakian, Frederick Busch, Linck Johnson, Jesse Lee Kercheval, Leila Philip et Ron Wallace.

J'ai eu la chance de rencontrer sur mon chemin de merveilleux professeurs : Robert Stone, Caroline Rody, Barry Hannah, Stuart Dybek et Ethan Canin.

Pour leur amitié, leur attention et leur patience, je remercie : Emilie Baratta (qui a lu ce texte un nombre de fois considérable, même pour une amie), Justin Cronin, Leila Hatch, Aimee Nezhukumatathil et Richard Powers. En reconnaissance de leur bonne humeur, de leur énergie et du temps qu'ils m'ont accordé : Margo Lipschultz Patrick Merla et Johanna Tani.

Mille mercis à mon éditrice, Susan Kamil. Et merci à Irwyn Applebaum, Nita Taublib et à toute la formidable équipe de chez Bantam Dell.

Enfin, ce livre n'aurait jamais vu le jour sans Maxine Groffsky, agent extraordinaire et bien d'autres choses encore.

Photocomposition Nord Compo
Villeneuve-d'Ascq, Nord

Achevé d'imprimer
par **Bussière Camedan Imprimeries**
à Saint-Amand-Montrond (Cher)
pour le compte des éditions Plon
76, rue Bonaparte
Paris 6e
en avril 2004

N° d'édition : 13761. — N° d'impression : 041638/1.
Dépôt légal : avril 2004.
Imprimé en France